LAS REVOLUCIONES ESPAÑOLAS EN EL SIGLO XVI

COLECCION UNIVERSITARIA DE BOLSILLO

PUNTO OMEGA

148

LUIS BONILLA

LAS REVOLUCIONES ESPAÑOLAS EN EL SIGLO XVI

EDICIONES GUADARRAMA
Lope de Rueda, 13
MADRID

Portada de

JESUS ALBARRAN

EDICIONES GUADARRAMA, S. A.

Madrid, 1973

Depósito legal: M. 37.678 - 1972

I. B. S. M. 84-250-0148-X obra completa

Printed in Spain by

TORDESILLAS, ORG. GRÁFICA, Sierra de Monchique, 25, MADRID

CONTENIDO

NOTA PREVIA

En la necesidad de ensalzar o justificar las acciones de cada rey, las versiones de los hechos que ofrecen los cronistas oficiales de cada reinado suelen dar una visión tan apegada a la perspectiva cortesana que, ante la confrontación con otros datos, al pasar el tiempo, resultan no sólo unilaterales o partidistas, sino incompletas históricamente. Surgen así, cuando la historia fue redactada a tenor del dictado «oficial», problemas históricos como el tan debatido de los comuneros. Las excepciones y los datos hallados en la revisión de archivos suponen precisamente la iniciación de la polémica.

En la historia de las revoluciones españolas el problema de los comuneros ofrece la mayor transcendencia en la génesis de las ideas políticas y sociales, que no suele reconocerse en su valor de genuina democracia hispana, ejemplarizadora para el resto de la Europa del siglo XVI, que entraba por entonces en crisis. Muy al contrario, el movimiento de los comuneros de Castilla suele reflejarse en los libros de historia como una sublevación de nobles y clérigos aferrados al feudalismo, como un último estertor del medievalismo frente a la idea de modernidad centralizadora de un rey emperador; otras veces se presenta el levantamiento de las Comunidades como revuelta popular, que aprovecha el desequilibrio causado por la implantación del nuevo orden, para dar rienda suelta a un desordenado desquite sin fines políticos, el cual fue preciso zanjar con la energía que tanto se encomia en el emperador Carlos V. Pero si pensamos que la sublevación de las Comunidades se gestó paso a paso como reacción creciente a tenor de la incomprensión real y que los comuneros defendían unos derechos con vigencia y en evolución a través de los reconocidos fueros españoles, veremos que fue un auténtico movimiento sociopolítico y no una vuelta atrás, que no fueron unos disturbios populares sin propósitos definidos, sino un programa político que se adelantó a su época y pretendió instituir unos derechos constitucionales y unas normas democráticas que no se implantarían hasta siglos después. Desde este punto de vista se pone de manifiesto el auténtico valor histórico de los comuneros de Castilla y el colapso que supuso su fracaso en la evolución política y social de España.

El valor constructivo y de afán por la legalidad que vitaliza el levantamiento de las Comunidades tiene un carácter institucional y un contenido político mucho más definido y estructurado que la revolución social de las Germanías valencianas o de las mallorquinas, sin tener ya en cuenta el aspecto reivindicativo y vengador que preside las anteriores revoluciones sociales de los hermandinos de Galicia, o de los payeses de remensa de Cataluña, de carácter solamente antifeudal y que en ningún modo pueden considerarse como un antecedente del levantamiento de las Comunidades de Castilla, sobre todo, en lo que respecta a contenido político.

En el fondo, el programa de los comuneros se basa en la defensa de la continuidad de los fueros que disfrutaban los españoles y cuya trayectoria discurría por un cauce político y social muy genuinamente hispánico, impulsado por los Reyes Católicos, pero que, en vez de seguir su normal evolución, se veían ahora anulados por un tinglado despótico y palaciego recién importado por un rey que no sabía hablar español. Así, la reacción que provocan Carlos V y sus cortesanos flamencos transforma el cauce evolutivo y legal de Castilla en una revolución de aspiraciones nacionales.

En la presente obra hemos atendido, más que al estricto detalle biográfico, al aspecto histórico del levantamiento, a su significado democrático, eminentemente nacionalista, renovador, patriótico, que culmina en la acción heroica y trágica de los capitanes comuneros, como un legado muy hispánico de una postura vital e ideológica de dignidad humana.

El punto de vista que ennoblece y justifica a los comuneros de Castilla tiene ya precedentes en historiadores de diversas épocas; ha dado lugar al fin, en su conjunto, a una corriente rehabilitadora que, en el aspecto de la investigación histórica, comienza a madurar a partir de mediados del siglo XIX, con la obra de Ferrer del Río *La decadencia de España. Historia del levantamiento de las Comunidades de Castilla*, hasta llegar a nuestros días, con la obra más reciente, la de José Antonio Maravall, titulada *Las Comunidades de Castilla (Una primera revolución moderna)*. Entre estas dos obras fundamentales, con un siglo entre ellas, existen numerosos libros y artículos donde prevalece uno u otro alcance de la acción comunera; pero son quizá de un interés excepcional aquellos libros donde se estudia el problema en una determinada provincia, como, por ejemplo, la *Historia de los comuneros de León,* que escribió Díaz-Jiménez Molleda, o el titulado *Burgos en las Comunidades de Castilla,* del académico y cronista de Burgos don Anselmo Salvá; porque en estas obras de especialización localista se hallan transcritos documentos de los archivos municipales o de monasterios, datos locales de origen seglar, eclesiástico, nobiliario y popular que nos acercan a una comprensión vital y profunda de la realidad del movimiento comunero en ámbitos geográficos muy estrictos.

Todas estas obras han sido estudiadas con el respeto que merecen, a más de la objetiva confrontación con documentos de la época que fueron decisivos en el conflicto, como son las cartas, ordenanzas y citaciones, algunas de las cuales se transcriben en los Apéndices. Tanto las obras orientadas en el citado sentido positivo y valorador del movimiento comunero como aquellas otras escritas desde un punto de vista opuesto —don Gregorio Marañón en su obra *Los tres Vélez* y la mayoría de los que se atienen a la versión general, contraria a los comuneros—, han sido igualmente consideradas en el presente libro, así como las obras clásicamente más consultadas por tantos otros escritores, entre las cuales destaca la *Historia crítica y documentada de las Comunidades de Castilla,* de Danvila.

Entre las referencias más antiguas, aparte ya de las crónicas, sobresale la obra del benedictino fray Prudencio de Sandoval *Historia de la vida y hechos del emperador Carlos V,* escrita sobre la confrontación de manuscritos de los cronistas presenciales, como Mexía, Galíndez de Carvajal y otros, y completada con la información procedente de archivos municipales y eclesiásticos sobre hechos que en la época en la que escribió su obra (de finales del siglo XVI a principios del XVII) estaban aún relativamente próximos, sobre todo en comparación a los eruditos de finales del siglo XIX, cuyas obras nos han proporcionado la más abundante bibliografía sobre los comuneros. También en lo referente a las Germanías de Valencia resultan de un valor más directo las obras escritas aún en el calor de los acontecimientos, como es la del notario don Miguel García, el año 1519, traducida del original valenciano, que se conserva en la Biblioteca Provincial de Valencia, con el título *Relación de las cosas de la Germanía de la ciudad y reino de Valencia;* y como la relación de las Germanías escrita en 1580 por el valenciano don Luis de Quas. Sin embargo, no es preciso extenderse más sobre este tema, ya que el lector hallará una relación seleccionada de bibliografía al final del presente libro.

Resta decir que este ensayo sucinto sobre las revoluciones españolas del siglo XVI no pretende tener carácter erudito; más bien lo rehúye, al intentar revivir los problemas políticos, sociales y económicos en los que participaron todas las clases sociales de una u otra forma. En Castilla, el levantamiento de las Comunidades principia con una intervención en mayor o menor proporción de cada una de las clases sociales: hidalgos y labriegos, letrados y artesanos, clérigos y nobles se solidarizan en el punto común de sus reivindicaciones nacionales frente al nuevo absolutismo de los políticos flamencos, los cuales habrían fracasado con el propio Carlos V, a no ser por la hábil escisión lograda entre la nobleza y el resto del pueblo castellano. El heroico comportamiento de los hidalgos Padilla, Bravo y Maldonado, que acaudillan a los comuneros, es un símbolo de sus altas miras hasta el último instante de sus vidas. Al ser truncadas, queda colapsado también durante un larguísimo período el sentido genuinamente histórico de la democracia hispana. Precisamente por el fracaso de los comuneros de Castilla y por sus hondas repercusiones en el pueblo español, quedó la nación a merced de un absolutismo de importación que le hizo olvidar sus antiguos principios democráticos, vieja hermandad del pueblo y sus reyes-caudillos durante la Reconquista o en la gestación de España; y cuando quiso despertar al cabo de tres siglos, hubo de importar de Francia ideas que le eran extrañas en su génesis mental, en su manera de interpretar la libertad, la igualdad y la fraternidad de la Revolución francesa, que el sentido hispánico de la democracia sabía lograr por otros caminos trazados por su propia historia, menos demagógicos, más positivos y humanos.

Las otras revoluciones de importancia, las Germanías de la región de Valencia, que dieron lugar a una verdadera guerra, y la revolución de Mallorca, presentan una trayectoria diferente a las Comunidades de Castilla. El hecho de darse en la misma época no debe presuponer una génesis idéntica. Su desarrollo no fue tampoco similar. Pero son precisamente ambos puntos de vista, más político en las Comunidades y más social en las Germanías, los que nos dan una visión completa de los problemas sociopolíticos del siglo XVI, de cara a una acuciante inquietud moderna. La experiencia histórica que aportan ambos comportamientos revolucionarios, en sus dos cauces y en sus dos metas, marcan orientaciones definidoras en su esencia y en sus modos de realizarse, para acercarnos a la comprensión del pensamiento revolucionario que abortaría después en la Europa de las grandes conmociones sociales y políticas, como la Revolución inglesa, la francesa y la rusa. Sin embargo, el valor de anticipación de las revoluciones españolas se tuerce en su camino ideológico cuando, al cabo de los años, se desarrollan de manera distinta la Revolución francesa y la Revolución rusa. Porque el sentido comunal y gremial de las revoluciones españolas del siglo XVI responde a la ruta humanística de la historia, propia de la cultura occidental, en su tendencia irreversible a la participación creciente del pueblo en la soberanía, pero de forma justa, valorativa y no utópica. Por eso precisamente, ante la defraudación de esa trayectoria de auténtica democracia, ante la crisis deshumanizadora, de importación, y frente a los esclavizantes mundialismos de nuestros días, subsiste la esencialidad eterna de los valores de libertad y democracia al estilo que pusieron en marcha los comuneros españoles.

I

ANTECEDENTES REVOLUCIONARIOS

1. LOS HERMANDINOS DE GALICIA

Las Hermandades surgen durante toda la Edad Media ante varios problemas característicos de aquellos tiempos; primero es la necesidad de los habitantes de las villas y ciudades de defenderse contra malhechores y bandas de aventureros, pero también hay un segundo aspecto, inconsciente y más secreto, de agrupación contra la tiranía de algunos señores feudales, cuando el primitivo sentido patriarcal y protector que ejercen las armas de los señores en favor de los campesinos y artesanos de sus dominios incurre en el abuso de unas rentas esclavizadoras y de una justicia tiránica y caprichosa. Así, en algunos casos, la Hermandad se levanta inopinadamente como una fuerza reivindicatoria que hace estallar una revolución popular. Y lo curioso es que, por muy violenta que sea la revuelta y por mucho que caigan grandes fortalezas señoriales, la Hermandad no se opone al poder real, sino que precisamente suele pedir al rey que ponga remedio a los abusos de este o aquel señor feudal. Recíprocamente, los reyes no desconfían de estas agrupaciones populares, que tienen un barniz religioso, gremial y sirven para la defensa del reino. Mas aún, en un segundo aspecto poco declarado, representan para el monarca una fuerza en la que puede apoyarse contra la alta nobleza si llega el caso, y de ello hay abundantes testimonios en el transcurso de las sublevaciones nobiliarias durante la agitada Edad Media.

Indudablemente, el gremio y la Hermandad nacieron de un tipo de asociación más primitiva: la cofradía, cuyo carácter más religioso, con su santo patrón, y su rudimentario pero muy positivo sistema de previsión social le dieron un carácter de institución respetable a partir del siglo XIII. El subsidio al cofrade enfermo, el entierro, la protección a la viuda, a los huérfanos, la dote matrimonial a doncellas, crean un fondo común, pero sobre todo ello sobresale el valor psicológico y social que alienta en el espíritu de estas agrupaciones al darles conciencia de su realidad y de la fuerza que confiere la unión entre los cofrades ante las arbitrariedades de los poderosos. Así, al llegar la época de turbulencias de los grandes señores que antecede a los tiempos de los Reyes Católicos, las Hermandades disfrutan ya de una creciente participación en los gobiernos de los municipios, los cuales, a través de sus fueros y privilegios, logran el equilibrio de fuerzas entre la aristocracia, la burguesía enriquecida y los trabajadores. Este equilibrio municipal logra en algunas regiones, como en Castilla, una verdadera fraternidad de hidalgos y artesanos, de labriegos y burgueses. En otras, en cambio, donde el feudalismo se halla más enraizado, como en Galicia y en Cataluña, quizá por una cierta influencia de importación francesa del auténtico feudalismo europeo, sólo sirve de latente oposición entre las clases populares y los nobles; problema poco conocido en toda Castilla, democrática desde su origen, incluso como tierra que cría con profusión ese tipo de hidalgo pobre pero nada menesteroso, levantisco pero defensor de oprimidos, del tipo que luego vino a simbolizar, con ironía pero con ejemplaridad metafísica, Don Quijote y al que a través de largos siglos han pertenecido los hombres que de una en otra generación se sucedieron en la empresa de la Reconquista hasta llegar, de Norte a Sur, a bañarse al fin en las aguas de Algeciras.

Ese doble aspecto, tan diferente en su esencia, que matiza geográficamente, biotípicamente, la misma realidad histórica de las organizaciones gremiales o de las Hermandades se percibe en numerosos sucesos definidores; porque en ellos deciden las Hermandades su postura vital, social y política. Y así, por ejemplo, en el reinado de Juan II de Castilla, cuando los nobles confabulados logran cercar al rey y a don Alvaro de Luna, dice el cronista anónimo:

«... juntáronse las ciudades e la hermandad e otras gentes del reyno, e vinieron prestamente a descercar al Rey, con mucha alegría... y don Alvaro (de Luna) asentó con ellos, como por saber de aquellas gentes como venían poderosamente a descercar al Rey. De esta guisa quedó el Rey libre, e sirvió don Alvaro de Luna al Rey, e puso sosiego en sus reynos» [1].

Sin embargo, en el mismo reinado de Juan II, cuando se levantan las Hermandades de Galicia contra la opresión de los nobles, desoyen la intervención pacificadora del rey. Su levantamiento tiene ya unas características muy definidas de revolución social que lo arrolla todo, derriba fortalezas y murallas, incendia y persigue, como una oleada ya incontrolable.

La revolución de los hermandinos de Galicia comenzó contra la opresión del señor Nuño Freyre de Andrade sobre sus vasallos de Puentedeume, Ferrol y Villalba. Los hermandinos no se recataban ya de gritar que «el señor de Andrade resultaba

1 *Crónica de don Alvaro de Luna, condestable de Castilla, maestre de Santiago,* edición J. Mata Carriazo, cap. XI.

tan duro, que no lo podían soportar»[2]. Y contra él se levantaron tres mil hombres, que le derribaron varias fortalezas y casas fuertes, le talaron viñas y huertas, después de poner en fuga a sus guardianes. Se adueñaron de la situación tan de improviso, con tal fuerza y organización que nadie lo hubiera sospechado. La revolución se extendió a Mondoñedo y a Lugo, en cuyos lugares se levantaron diez mil hombres, que eligieron como capitán general de todos ellos a un hidalgo llamado Ruy Sordo. A modo de bandera llevaban en alto un pendón de Santiago, que pasearon al frente de sus huestes por toda la comarca, poniendo en fuga a los señores feudales y demoliendo sus castillos. En realidad, los señores huían de antemano al conocer el avance de los hermandinos; pero éstos cavaban los cimientos de las fortalezas y extraían con palancas las piedras de sillería, aunque no hallasen resistencia en sus moradores. No era un cambio de poder, una inversión de dominio, sino un afán destructivo de todo lo que simbolizaba el poderío y la opresión padecida. Quizá llegasen a vislumbrar un orden nuevo, pero tan anárquico que carecía de un programa definido. No obstante, es muy significativo lo que dice un cronista: «que andaban así poderosamente haciendo muy grandes daños y males en la tierra, pero no tocaban las rentas del Rey ni a su justicia»[3].

Al tener noticia de la revolución que se extendía por toda Galicia, Juan II debió de pensar no sólo en la necesidad de imponer orden, sino también en el peligro que representaba desguarnecer las fortalezas de aquella región, dada la proximidad de los portugueses y sus reiterados motivos de fricción con el rey castellano. Temió sin duda que, en tales circunstancias, los señores feudales de Portugal inva-

[2] Galíndez de Carvajal: *Crónica de Juan II.*
[3] *Crónica de Juan II,* cap. VIII.

diesen Galicia sin el menor obstáculo, y quiso ante todo apaciguar los ánimos entre los hermandinos y la reacción nobiliaria. A tal efecto, envió a Galicia un tesorero con una carta para el arzobispo de Santiago, don Lope de Mendoza, y otra para el obispo de Cuenca, que era gallego y se encontraba entonces en su tierra. Les rogaba a ambos que tratasen de apaciguar a toda aquella gente, pero sin escándalo y sin castigos.

Parece ser que los buenos oficios de ambos eclesiásticos se mostraron tan benignos en el apaciguamiento como les había ordenado el rey. Tal actitud debió de ser interpretada por los hermandinos como debilidad o tolerancia, de tal forma que no sólo desoyeron los ruegos de apaciguamiento, sino que se dirigieron hasta el mismo Santiago de Compostela con ánimo belicoso. El obispo de Santiago les impidió la entrada a la ciudad, reclutando gente para defenderla; y aunque en total sólo consiguió trescientos hombres de a caballo y tres mil peones, resultaron suficientes. Los hermandinos, al comprobar que la ciudad se hallaba fuertemente defendida tras sus murallas, abandonaron el cerco. Algunos se pasaron a las huestes del arzobispo, sobre todo ciertos hidalgos que habían visto torcerse el carácter de las reivindicaciones en una revolución sin freno. El corregidor del rey en aquellas tierras decidió entrar en acción y se dirigió con tropas a Puentedeume, donde el señor Nuño Freyre de Andrade tenía un castillo; allí, su esposa e hijos se hallaban cercados por cuatrocientos hermandinos. Se dio entonces una batalla decisiva, tras la cual el castillo quedó liberado del cerco. Muchos hermandinos fueron presos, algunos muertos y otros se dispersaron por la región. Así fue como esta gran revolución de hermandinos terminó en un rotundo fracaso. Todavía en tiempos de Enrique IV hubo algunos brotes, pero en la época de los Reyes Católicos dejaron de producirse ante la política antifeudal de estos reyes y su apoyo a municipios y Hermandades, con el reconocimiento de libertades y privilegios a villas y ciudades, al estilo de lo que aunaba en Castilla a todas las clases sociales e impedía los brotes tiránicos de algunos señores.

Sabemos que ya desde el primer viaje que hicieron Isabel y Fernando a Galicia, cuando visitaron Santiago, La Coruña y numerosas villas y ciudades, revisaron la labor de los gobernadores, quienes habían logrado expulsar a numerosos malhechores y aventureros de la comarca, pero también, y esto es muy importante desde el punto de vista que nos ocupa, «oyeron y remediaron grandes querellas»:

> «... oyeron y remediaron grandes querellas y fuerzas hechas de mayores a menores. Supieron así mismo como muchos caballeros tomaban las rentas de las iglesias, de los monasterios y de los clérigos... Oyeron muchos crímenes cometidos por los moradores de aquella tierra, así clérigos como legos. Y como fueron informados de todas estas cosas, mandaron luego derribar hasta veinte fortalezas... e quitaron las opresiones y tiranías que hallaron hechas de largos tiempos, hasta en aquella sazón por algunos caballeros y personas...» [4].

Los Reyes Católicos emprendieron así una política social en Galicia, al igual que en otras regiones donde el sano espíritu de las Hermandades se revalorizaba y conseguía, a través de los fueros y de los municipios, una serie de garantías para las clases populares.

[4] Fernando del Pulgar: *Crónica de los Reyes Católicos*, cap. CXCV.

2. LA REVOLUCION DE LOS PAYESES DE CATALUÑA

Los llamados *usatges* fueron los innumerables derechos de los señores, reconocidos en las constituciones catalanas a partir del siglo XI y que prevalecieron oficialmente hasta los últimos años del siglo XV. Los *usatges* significan el auténtico feudalismo europeo, introducido por los francos en Cataluña, donde la nobleza implantó una organización privativa de aquel condado, que difería en gran parte del resto de España, tanto en su origen como en su realización y orden jerárquico, y que se tradujo en una serie de derechos extraordinarios, prácticamente ilimitados, sobre los vasallos o payeses.

La nobleza se clasificaba en potestades o condes, vizcondes, barones y simples caballeros. Cada uno de ellos administraba «su justicia» en sus dominios, personalmente o por mediación de sus *bailes*. Todos los bienes y asuntos públicos quedaban bajo su dominio: los montes, las praderas, los caminos, los puentes, los pastos. El importe de las multas revertía en el arca del señor, así como todos los tributos, por ejemplo, el de peaje por un puente. Pero además de estos derechos, estaban en vigor otros *usatges* peores, sancionados por las costumbres: eran los llamados «malos usos», según los cuales el payés no podía repartir en herencia sus bienes entre sus hijos sin autorización del señor. Si moría sin testar, la tercera parte correspondía indefectiblemente al señor. Si carecía de herederos legítimos, todos sus bienes pasaban a ser propiedad de éste. Incluso cuando una mujer adúltera era castigada a la pérdida de los bienes, el señor tomaba la mitad de dichos bienes y dejaba al marido la otra. Y si a éste podía demostrársele que había sido consentidor del adulterio, todos los bienes pasaban a propiedad del señor. Todavía existía otro privilegio, más vejatorio aún, sufrido por los *payeses de la remensa,* la clase popular más oprimida. Dicho tributo consistía en el llamado de *prelibation,* según el cual todo hombre que se desposaba había de llevar su novia al señor durante la primera noche. Es el viejo derecho de desfloración que existía en Francia y que tantos historiadores consignaron, como, por ejemplo, M. Bouthors, respecto a las costumbres locales del *bailío* de Amiens, obra que premió la Academia Francesa, si bien M. Veuillot no estuvo de acuerdo en su estudio titulado *Le droit du seigneur,* aunque ya numerosos autores, como Montesquieu, hubieran comentado dicho tributo inmoral sobre la base de un hecho cierto.

Respecto a esta cuestión en Cataluña, quien más claramente no tuvo reparos en acreditar la existencia del mencionado tributo fue Pellicer en su *Idea de Cataluña,* y sobre todo la magistral obra de Escosura, premiada por la Real Academia de la Historia: *Juicio crítico del feudalismo en España,* con la confrontación de los datos expuestos y sus fuentes correspondientes, que no podemos transcribir por rebasar la extensión de estas breves notas desde nuestro único punto de vista sobre la génesis de las revoluciones medievales. No obstante, resulta imprescindible aclarar que dicho tributo afrentoso fue convalidado casi siempre por una contribución, en especie unas veces y en dinero otras, que se siguió llamando «de pernas», y que en muchas ocasiones el señor se conformaba con el simbolismo del tributo, es decir, pasaba una pierna sobre el lecho, con lo cual mantenía nominalmente su derecho [5], ya que los señores se obstinaron en ratificar a través de los siglos dicho tributo con carácter tradicional. Fue abolido por

[5] «O quant lo señor valía fer cortesía de no jaurer ab ella, pasávali per de sobre en señal de la señoría» *(Crónica de Cataluña).*

los Reyes Católicos, si bien es indudable que el referido derecho señorial sólo se ejerció, ya fuese de manera nominal, simbólica o efectiva, sobre los payeses de la remensa de Cataluña. En documentos de la época se cita el pago de «una perna» o de «dos pernas», tributo en dinero al señor cuyo origen debe buscarse en el primitivo «derecho de pernada» [6].

Los *usatges,* y más aún los «malos usos», dieron origen a un odio concentrado, silencioso, de los payeses, sólo exteriorizado en leyendas sobre «caballeros malditos» y «cazadores condenados», que al morir erraban fantasmalmente durante las noches por montes y valles como almas en pena. Eran venganzas pueriles del ingenio popular, pero que acreditan psicológicamente el ansia de desquite y la necesidad de una justicia suprema por encima del poderío terrenal, harto sufrido.

No obstante, llegó un día en que los payeses de la remensa, no pudiendo aguantar más, se lanzaron a la más cruenta de las revoluciones que vieron aquellas tierras. Ya en tiempos de Juan II habían existido conatos de sublevación y, por parte de la autoridad, intentos de dicho rey, como ya de don Alfonso X el Sabio, de poner freno a los abusos de la nobleza catalana. Pero sus promesas y compromisos quedaron anulados por el efectivo poderío de los señores feudales. Así, pues, durante el reinado de los Reyes Católicos estalló de manera arrolladora aquella revolución de los payeses de la remensa, con carácter similar a la *Jacquerie* francesa o a la revolución inglesa de 1361. Son las características explosiones que marcan el ocaso de las prerrogativas feudales y asientan indirectamente el poder centralizador de la realeza.

[6] Véase mi obra: *Historia de la esclavitud,* cap. «La Edad Media», Editorial Plus Ultra, Madrid.

Los payeses del Ampurdán se habían dirigido al rey Fernando el Católico, por mediación del infante don Enrique, señor de aquel condado del Ampurdán, para pedirle la abolición definitiva de los «malos usos». El rey accedió a ello y comenzó a dictar las pertinentes disposiciones. El trasfondo político de la cuestión era de envergadura mayor de lo que parecía, ya que suponía la definitiva anulación de los derechos feudales y la instauración sin concesiones de la autoridad real. Pero los payeses, que sin duda conocían la buena disposición del rey, se lanzaron a la revolución de manera devastadora para los nobles. Entre las turbas que recorrían las calles, armadas de guadañas, hoces, azadas y estevas, salían gritos de: «¡Visca'l rey!»

El principal caudillo fue Pedro Juan Sala, siguiéndole en importancia Francisco Verntallat. La revolución se extendió a Gerona, Tarrasa, Caldas de Montbuy, Granollers y otras ciudades. Al fin, el principal caudillo fue apresado en Barcelona, aunque el conflicto fue zanjado a satisfacción de los payeses cuando Fernando el Católico otorgó la sentencia arbitral de Guadalupe, el 21 de abril de 1486, según la cual los payeses eran facultados para abandonar las tierras a voluntad, sin que los señores pudieran retenerlos. Los antiguos siervos eran convertidos en arrendatarios libres. Todos los «malos usos» quedaron abolidos, entre ellos aquel afrentoso que la sentencia del rey deniega a los señores con estas palabras: «... ni tampoch pugan la primera nit que lo pages pren muller dormir ab ella, o en señal de señoría la nit de las bodas, apres que la muller será colcada en lo llit, pasar sobre aquell sobre la dita muller.»

A partir de entonces, nobles y payeses estuvieron sujetos a la única autoridad del rey. Los primeros comenzaron a comprender la hábil política de Fernando el Católico, encaminada a mermarles toda autoridad y acabar con el feudalismo; en cambio, los payeses quedaron satisfechos, porque, de una u otra forma, el rey había dado forma legal a su revolución, a los problemas que entonces planteaba cualquier revolución, es decir, la libertad del vasallaje sociojurídico medieval, donde quiera que el feudalismo se había enraizado en todo su encadenamiento de los derechos humanos. Por eso en León y en Castilla, donde el auténtico feudalismo no llegó a desarrollarse, los planteamientos revolucionarios son distintos, más evolucionados ya. Así la revolución de los comuneros de Castilla sobrepasa la fase antifeudal y se centra en el segundo problema: el del absolutismo monárquico. En Castilla, desde el principio de su existencia y de su realidad política, los fueros —como los de aquel conde castellano que mereció el sobrenombre de «el de los buenos fueros»— convertían ya a los siervos en propietarios libres que vivían con la azada en una mano y la espada en la otra, en su doble acción repobladora y de reconquista contra la invasión de los moros. Por eso precisamente, cuando se produce el levantamiento de las Comunidades de Castilla, estos revolucionarios se fundamentarán en los fueros, una realidad para la historia de la democracia que en lo sucesivo habremos de encontrar frecuentemente a través de las revoluciones españolas cuando se enfrenten, ya con mayor modernidad democrática renovada, a la otra modernidad de importación que trae Carlos V, es decir, la tiranía y el absolutismo monárquico, que aspira a enrolar a los españoles en un sueño de imperialismo mundial, donde, paradójicamente, habría de gestarse el comienzo de la decadencia española en su realidad nacional, interior; y en el aspecto social, la anulación de la política renovadora basada en los fueros y en el apoyo del pueblo que habían instaurado los Reyes Católicos. Por eso es preciso conocer el ambiente sociopolítico en la época de Fernando e Isabel, antes de enfrentarnos a las grandes revoluciones que provocó en todo el ámbito nacional Carlos V, con su política de importación, defraudadora del cauce anteriormente abierto en Castilla a la participación del pueblo en la soberanía.

II

LA GESTACION DEL LEVANTAMIENTO DE LAS COMUNIDADES

1. LA HERENCIA SOCIAL DE ISABEL Y FERNANDO

La política social de los Reyes Católicos había anulado el feudalismo. Las clases inferiores ya no estaban legalmente obligadas a servidumbre de señores eclesiásticos o laicos, burgueses o nobles, con aquel carácter de semiesclavitud que en la práctica significaba la clase de los siervos. El respeto a los fueros había dado una gran fuerza a las municipalidades, que se apoyaban y se solidarizaban con los reyes, los cuales daban al gobierno un carácter de tendencia democrática.

Hay en la política de Isabel y Fernando un constante afán por incrementar el viejo prestigio de las Hermandades y fundamentar la acción sociopolítica de éstas. Así, fueron constituidas Hermandades en casi todas las ciudades, villas y aldeas de los reinos de Castilla, León, Toledo, Andalucía, Murcia y Galicia. A tal efecto designaron procuradores, con poderes cada uno en sus respectivas ciudades, villas o pueblos, para organizar dichas Hermandades, cuya función era, según dice un cronista: «para se ayudar contra los tiranos e robadores» [1]. También designa-

[1] Fernando del Pulgar: *Crónica de los Reyes Católicos,* cap. LXX.

ron de cada lugar dos alcaldes de Hermandad, los cuales acordaron que por cada cien vecinos se pagase un hombre de a caballo para formar una milicia municipal contra los malhechores. En el fondo, esto significaba una fuerza permanente ciudadana, que equilibraba el poderío de los señores. No todos éstos acogieron con satisfacción ese auge de las Hermandades, porque, según se decía, «recelaban ser cosa de comunes e de pueblos, donde habrá diversas opiniones e voluntades, las cuales podrán ser de tanta discordia que lo derribasen y destruyesen todo, según se fizo en otras Hermandades pasadas» [2]. A pesar de lo cual Fernando e Isabel continuaron adelante en su propósito de prestar un decidido apoyo a las Hermandades.

Las Hermandades y municipios contribuyeron con numerosos hidalgos y peones a formar pequeños cuerpos de ejército que tomaron parte en la reconquista del reino de Granada, cuando los Reyes Católicos terminaron, al fin, la recuperación del territorio nacional invadido por los moros. Los nobles se adaptaron a la convivencia con estas fuerzas de los municipios, y coadyuvaron en la reafirmación y unificación de una auténtica conciencia nacional que entonces comenzaba a gestarse política y socialmente. Todo lo cual es muy necesario tenerlo en cuenta para comprender el impacto de la política posterior, cuando llega a España Felipe el Hermoso y poco después Carlos V, rodeados de extranjeros, para implantar una tiranía monárquica, sin el menor respeto a la política democrática y de apoyo en los municipios, Hermandades o Comunidades que habían realizado los Reyes Católicos.

[2] Fernando del Pulgar: *Crónica* (*Cómo se juntaron las Hermandades en Castilla*). Según la versión inédita, luego estudiada y editada por Juan de Mata Carriazo en su colección de Crónicas.

Los asesores letrados de Isabel y Fernando eran hombres que procedían de la clase media, como, por ejemplo, Palacios Rubios; y en el cuerpo consultivo no prevaleció para los cargos la alta alcurnia, sino las dotes efectivas. No estaría fuera de la realidad afirmar que Isabel y Fernando, frente a la alta nobleza, fundaron su más efectiva fuerza en la clase media, al otorgar nuevos títulos de hidalguía y enaltecer a las gentes por méritos personales, con lo cual dieron lugar a una abundante pequeña nobleza. Lograron en cierto modo una nivelación de clases sociales y una centralización nacional, sin camarilla palaciega, sin favoritos, y donde los municipios tenían su representación en las Cortes. En el territorio nacional, las ordenanzas protegían el buen gobierno coordinativo, sin abusos de nobles, clérigos ni burgueses; y en la América recién descubierta y en la que se comenzaba a extender la cultura se prohibió la esclavitud. Las Leyes de Indias, inspiradas en esta política inicial, saldrían al paso de la rijosidad o la codicia de los aventureros. Desde un principio, cuando Colón propuso vender como esclavos a los indios, la reina Isabel lo prohibió y sostuvo una posición netamente antiesclavista, muy adelantada a su época, que perdura hasta el fin en su testamento, al recomendar a sus herederos que los indios de América fueran tratados al igual que los súbditos, «pues que al empezar el descubrimiento se había tenido en mira ganar almas para el cielo y no esclavos para la tierra».

Un brevísimo esquema de la política social de los Reyes Católicos nos ayudará a comprender la actitud de las gentes de España en aquella época contra todo «mal uso» y toda acción contra los fueros; un legado acumulativo de raigambre histórica otorgado por méritos de reconquista a los pobladores, que Isabel y Fernando rehabilitaron y pusieron en vigor con efectividad renovada para ciudades y villas del reino. Desde el punto de vista económico, las leyes protegían la agricultura, y sobre todo la ganadería, con vistas a la importancia creciente de la industria lanera de España, tan apreciada en el extranjero. Pero se prohibió sacar fuera del territorio nacional oro, plata o cobre. Dato este importante, ya que más adelante las Comunidades se levantarán ante el poco respeto por los fueros del heredero de los Reyes Católicos y el afán de sus cortesanos por recabar oro y plata para llevárselos a Flandes.

Cuando en el año 1504 murió la reina Isabel, en Medina del Campo, dejó por heredera de su reino patrimonial, es decir, de Castilla, a su hija doña Juana; pero nombró regente a su esposo, don Fernando de Aragón, hasta que el infante don Carlos, futuro Carlos V, hijo de Juana y de Felipe, cumpliera los veinte años. Este testamento era consecuencia de la desconfianza a que Felipe de Austria, el «Hermoso» y vano heredero consorte, se había hecho acreedor respecto a los reyes y al pueblo de Castilla.

Para el pueblo, Felipe era un príncipe ajeno a las costumbres e ideales españoles. Por el contrario, un rey aragonés no es de extrañar que hubiese tenido buena acogida para gobernar en Castilla y que una reina castellana fuese aceptada como reina de Aragón. El príncipe Felipe no sólo hablaba otro idioma, sino que expresaba ideas de un mundo diferente y traía el boato palaciego no practicado en España, cuyos reyes hacían gala de austeridad y de confraternidad con el pueblo. A estas circunstancias desfavorables, añadía Felipe el Hermoso el ser un ejemplar de vanidad y de escasas luces, un príncipe de atuendo lujoso, pendiente de fiestas, juegos cortesanos y, en fin, de todas las trivialidades que hacían fruncir el ceño a los aragoneses y volver la cabeza despectivamente a los castellanos. En realidad, como persona, era quizá el peor yerno que podía haber deparado la mala fortuna a una reina como Isabel y a un rey como Fernando.

2. LOS DEVANEOS Y LAS INTRIGAS DEL «HERMOSO» FELIPE

Lo primero que hizo Felipe al llegar a España fue coger el sarampión. Ello retrasó el nombramiento del joven matrimonio como herederos del trono de España. Ya restablecido, no hubo los festejos que tanto complacían al príncipe extranjero. Harto de la austeridad de la Corte española y de los celos de su esposa, pues Felipe era mujeriego, regresó a Flandes con el pretexto de asuntos de gobierno, pese a que Juana debía permanecer en España a causa de su título de heredera del trono. El alegre Felipe se sintió a sus anchas en cuanto, al pasar por Francia, la Corte de Luis XII le ofreció los regocijos que tanto le agradaban. En Lyon firmó incautamente un tratado sobre Nápoles, sin que tuviera poder alguno de los reyes españoles para hacerlo en su nombre; un perjuicio que los Reyes Católicos tuvieron que subsanar con la intervención armada de su Gran Capitán en Nápoles.

Con la ausencia de su esposo, los celos de la enamorada Juana subieron de punto hasta desencadenar la predisposición paranoica heredada de su abuela. Intentó evadirse de su residencia en el castillo de La Mota para marchar a Flandes en busca de Felipe. Al cabo de un año de crisis nerviosas, de celos y angustias, recibió una carta de su esposo invitándola a reunirse con él. La Corte de Castilla se opuso al viaje, pero al fin tuvieron que transigir ante la actitud desesperada de Juana. La vida matrimonial en Bruselas no alivió en ella su obsesión, sino que la agravaron los devaneos de Felipe. Terminó Juana por aislarse del trato cortesano en Flandes, rehuyó camareras, vivió apartada y agobiada con sus pesares; a veces, se negaba a tomar alimento para coaccionar a Felipe.

No es extraño que la reina Isabel hubiera sabido ya a qué atenerse respecto a su yerno como futuro rey consorte de Castilla, y por eso, al nombrar en su testamento regente de Castilla al rey Fernando, para que gobernase hasta que su nieto, el príncipe Carlos, tuviera edad para ser coronado, se anticipaba a la posibilidad de que Juana no pudiera hacerse cargo del trono, como parecía probable, dado su estado neurótico, donde alternaban los estados depresivos y de inquietud con la exacerbación de los celos.

Al fallecer la reina Isabel, Felipe el Hermoso regresó a España con la pretensión de tomar la corona. Se inició entonces una serie de intrigas y contraintrigas entre flamencos y castellanos. Felipe comenzó a titularse a sí mismo rey de Castilla. Al fin las Cortes se decidieron, tras largos titubeos, a prestar juramento a Juana y Felipe como reyes; los reparos no eran a causa de ella, sino que significaban una repulsa hacia Felipe. Sin embargo, Juana, la que ha pasado a la historia con el sobrenombre de «Loca», no debía de estarlo tanto, porque se negó a aceptar el trono, declarando que España no debía ser regida por un extranjero ni por la esposa de un extranjero. Era a su padre, el rey Fernando, a quien correspondía el gobierno hasta la mayoría de edad del príncipe Carlos. Ahora que Juana tenía un arma decisiva para retener a su esposo, renunciaba a su felicidad de mujer por los intereses de su país. Con ese gesto heroico, con esa claridad reflexiva, aunque la llamasen «la Loca» después, dio ejemplo en la historia de una lealtad que no todos los gobernantes fueron capaces de guardar ante la disyuntiva entre los intereses personales y la mejor conveniencia del país [3].

[3] Sobre la «locura» de doña Juana, véase mi obra: *El*

Don Fernando renunció a la regencia de Castilla y permaneció en su reino de Aragón. Felipe repartió mercedes y prebendas entre sus cortesanos flamencos; pero el triunfo de sus intrigas duró poco, ya que falleció sin apenas haber gobernado dos meses en Castilla. Su corazón fue llevado a Flandes por los cortesanos flamencos de su séquito, con las joyas, tapices y vajilla.

El Consejo de Regencia, presidido por Cisneros, llamó de nuevo a don Fernando para que se hiciera cargo del gobierno. Juana permanecía aislada de todo, y sus crisis melancólicas eran cada vez más frecuentes. El año 1516 fallecía el rey Fernando. En su testamento nombraba heredera, también de Aragón, a su hija Juana. No obstante, ante la imposibilidad de que ella gobernase directamente, nombraba dos regentes: para Castilla al cardenal Cisneros y para Aragón a su hijo natural, don Juan de Aragón, arzobispo de Zaragoza.

3. LA PRISA EN FLANDES POR CORONAR A CARLOS

El príncipe Carlos permanecía desde niño en Flandes. Su abuelo español, Fernando, había visto los inconvenientes de que el futuro rey no se educase en ambiente español, y por eso intentó que tuviese ayos y profesores castellanos; pero el otro abuelo austríaco, el emperador Maximiliano, hizo todo lo posible para impedirlo. Y así, desde la muerte de la tutora Margarita de Austria, primera aya del príncipe Carlos, el emperador Maximiliano puso alrededor de su nieto caballeros flamencos, especialmente a Guillermo de Croix, señor de Chievres, que se convirtió en favorito del príncipe. El preceptor era

amor y su alcance histórico (cap. III: «El Renacimiento»), Revista de Occidente, Madrid.

Adriano de Utrecht, deán de Lovaina. El resultado fue que el príncipe Carlos no supiese el idioma español y que su codicioso favorito repartiese ya a buen precio cargos y rentas de Castilla entre sus paisanos flamencos, antes de que el príncipe fuese proclamado rey ni pisase tierra de España. Dice un historiador de aquella época que «los tesoros de España se llevaban a los Países Bajos, y los empleos se vendían casi públicamente al mejor postor» [4].

Se había formado una gran red de intereses en Flandes alrededor de Carlos; los codiciosos, impacientes en cuanto se tuvo noticia del fallecimiento del rey Fernando, acudieron a Carlos para que se proclamase como rey de España sin esperar a más. Allí en Bruselas se celebraron también, igual que en España, funerales por la muerte del rey Fernando en la catedral de Santa Gúdula. En Castilla se conocía ya la prisa que tenía Carlos, o sus cortesanos, por proclamarse rey, y el Consejo de Castilla le recomendó no adelantar su proclamación. Los españoles lo tomarían a mal, sobre todo viviendo aún doña Juana. Pero los cortesanos flamencos dieron mayor agrado a Carlos incitándole a que procediese a proclamarse allí mismo en Bruselas; lo cual iba a ser ya altamente ofensivo para los españoles. Y así, a continuación de los funerales por Fernando de Aragón, un heraldo mostró la bandera de los Reyes Católicos y la abatió mientras hacía resonar bajo las bóvedas de la catedral de Bruselas por tres veces las siguientes palabras de ritual: «Don Ferdinand il est mort.» Guardó unos instantes de silencio en señal de duelo, y volvió a levantar en alto el escudo castellano-aragonés, mientras gritaba: «Vive Doña Jeanne et Don Charles, par la grâce de Dieu, rois catholiques.»

[4] Doctor Ginés de Sepúlveda: *De rebus gentis Caroli Quinti*. Contemporáneo de los hechos, aunque su obra no fue impresa hasta 1780.

El formulismo al declarar el nombre de la madre doña Juana en primer lugar era imprescindible para que los españoles no pudieran querellarse. Si don Carlos se hubiese proclamado solo, es seguro que los castellanos hubieran proclamado también sola a doña Juana, que en realidad era ya la reina efectiva de España por el testamento de sus padres. A Carlos sólo le correspondía gobernar en caso de incapacidad de ella, pero sin ponerse la corona hasta que llegase a la edad prevista o heredase el trono por fallecimiento de doña Juana. Así, pues, este acto de proclamación en Bruselas, por el que tomaba Carlos el «título de rey» viviendo aún doña Juana, era en realidad como un golpe de Estado para los españoles; sobre todo cuando en el ambiente popular de España se decía que Juana no estaba tan mal de la mente como aseguraban, porque, en tal caso, ¿para qué la tenían recluida en el palacio de Tordesillas, aislada y vigilada, sin que se permitiera a nadie acercarse al edificio ni hablar con la reina? Este rumor incitó a los castellanos a desconfiar de Carlos y de sus consejeros flamencos cuando se supo que deseaba proclamarse rey anticipadamente. Otro tanto ocurrió en Aragón. Así, por ejemplo, los aragoneses llegaron a exigir a Carlos que mostrase el consentimiento de su madre doña Juana o probase la incapacidad de discernimiento de ella para ser reina.

No obstante, la Corte de Bruselas tenía prisa, demasiada prisa, y por eso no dudó en utilizar en la proclamación la fórmula: «Doña Jeanne et Don Charles, par la grâce de Dieu, rois catholiques.» Lo cual era un subterfugio en todo, hasta en el título de «reyes católicos», que tenía por objeto evitar la ilegalidad de llamar a Carlos rey de Castilla y Aragón sin haber sido aún efectivamente proclamado en ambos reinos. El título de *Reyes Católicos* era un sobrenombre dado a Fernando e Isabel. Los verdaderos eran rey de Aragón y reina de Castilla. Con este hábil formulismo de la política flamenca se intentaba conseguir la proclamación sin contrariar demasiado a los españoles, gracias al astuto desdoblamiento del título de los reyes de España. La cuestión estaba tan clara, que, al terminar el heraldo sus voces de proclamación, los asistentes contestaron unánimemente: «¡Vive le roi!»

Carlos envió a España a su preceptor Adriano de Utrecht, para que en su nombre compartiera la regencia con el cardenal Cisneros, el cual fue instado a que procediese a la proclamación de Carlos como rey de Castilla. En las ciudades castellanas no sentó bien la propuesta de que jurasen como rey a Carlos estando ausente y sin la garantía de que los fueros serían respetados. No obstante, Cisneros consiguió que algunas ciudades aceptasen como rey a Carlos, si bien en todas ellas se anteponía al nombre del príncipe el de su madre Juana, la verdadera reina, ya que según los testamentos de Isabel y Fernando no podía ser proclamado Carlos hasta que cumpliese los veinte años. En Castilla, la actitud apaciguadora de Cisneros intentó aunar los derechos históricos del pueblo y los deseos del futuro rey en adelantar su elección. Sólo consiguió un resultado transitoriamente conciliador. En Aragón, los españoles fueron más rotundos: se negaron clara y terminantemente a reconocer a Carlos como rey mientras no jurase personalmente respetar a los fueros. La reacción en Castilla sería bien pronto la misma y llevaría poco a poco, ante las defraudaciones de Carlos, al levantamiento de las Comunidades.

4. EL PARTIDO ESPAÑOLISTA DEL INFANTE FERNANDO

Tras el fallecimiento del rey don Fernando el Católico, se produjo una gran sorpresa cuando fue divulgada la modificación introducida en su primitivo testamento, otorgado en Burgos. Aquello cambiaba mucho las cosas para Castilla. En el primer testamento el rey había instituido como herederos a su hija doña Juana y a su nieto Carlos, nombrando regente al infante Fernando, hermano del futuro rey Carlos, al que dejaba también la administración de los bienes de las Ordenes Militares de Santiago, Calatrava y Alcántara. Parece evidente que el rey don Fernando tenía personal simpatía por este nieto de su mismo nombre, educado según sus normas españolistas en Castilla, frente al impopular partido flamenco que había educado a su otro nieto Carlos; pero no quería contradecir lo ya testado por su esposa Isabel, ni desunir de nuevo a España otorgando el reino de Aragón al infante Fernando, por separado de Castilla. Quizá, con esa gran sagacidad política que caracterizó al rey don Fernando, intentaba dar a su nieto predilecto la oportunidad de que el destino o la política pusiera en sus manos el trono de España. Indudablemente tenía su personal experiencia en el ya olvidado caso del príncipe de Viana, cuando las circunstancias otorgaron el trono de Aragón a Fernando el Católico.

Según la modificación efectuada en el testamento de Burgos, dejaba al cardenal Cisneros la regencia de Castilla, y no al infante Fernando, al que solamente legaba cincuenta mil ducados de renta anual [5]. Fue una cláusula que no todos acogieron bien. Muy al contrario, hubo familias influyentes predispuestas a desoírla; entre ellas, la más significativa era la casa de los Guzmanes, todo lo cual tenía su pequeña historia, que merece relatarse abreviadamente para captar mejor el espíritu de la época respecto a la génesis del movimiento revolucionario de los comuneros, que había de colocar a la ciudad de León frente al partido

[5] Sobre las razones que pudo tener para ello véase el Apéndice I.

de los flamencos. Más tarde, influyó en su activa colaboración en el levantamiento de las Comunidades de Castilla.

El caballero de la Orden de Calatrava don Pedro Núñez de Guzmán había recibido de la reina Isabel el encargo de cuidar al infante Fernando, quien desde entonces había permanecido con él. Cuando Felipe el Hermoso llegó a España y comenzó a otorgar a sus cortesanos flamencos los cargos que correspondían a los hombres más acreditados de Castilla, la política social y económica cambió de rumbo respecto a la seguida por Isabel la Católica; lo cual suscitó una serie de codicias, injusticias y desfalcos en la administración que aumentaron la antipatía hacia el partido flamenco e hicieron cifrar las esperanzas en el infante Fernando. Por eso Felipe el Hermoso intentó granjearse inútilmente, mediante halagos, la adhesión de los Guzmanes. A la muerte de Felipe el Hermoso, tan prematura, los Guzmanes se mantuvieron fieles al rey Fernando de Aragón como regente de Castilla, en la esperanza de que su nieto Fernando fuese rey.

El infante Fernando se hallaba en Simancas bajo el cuidado de don Pedro Núñez de Guzmán cuando los del partido flamenco decidieron enviar un grupo escogido de gente armada para apoderarse de él. Veían en Fernando un peligro, ya que las simpatías del pueblo hacia él parecían unánimes en detrimento del príncipe Carlos. Si conseguían llevarse a Flandes al príncipe Fernando, evitaban la posibilidad de que un levantamiento popular lo colocase en el trono de España postergando a Carlos, lo cual significaría el fin de las prebendas concedidas a los cortesanos flamencos primero por Felipe el Hermoso y posteriormente por Carlos. Este último, nacido en Gante, resultaba tan flamenco para ellos como Fernando era castellano para los españoles, por haber nacido en Alcalá de Henares y, sobre todo, por haberse educado exclusivamente en España. El infante Fernando había vivido sucesivamente en Alcalá, luego en Segovia, adonde lo llevó su abuela Isabel la Católica; después en Arévalo y al fin en Simancas. Más tarde sería llevado a Guadalupe y finalmente a Madrid, como veremos más adelante.

Don Pedro Núñez de Guzmán tuvo noticia de que en un mesón de las afueras de Simancas se alojaban personas sospechosas, a quienes no dudó en identificar como espías del partido flamenco. Temió un golpe de mano para raptar al infante y por eso le ordenó que no saliera de la fortaleza. Puso junto a él personas de confianza y un gran número de guardianes. Mientras tanto, mandó reparar las murallas y puso especial cuidado en que fueran bien cumplidas la vigilancia y el cierre de las puertas de la ciudad.

Pocos días después, al rayar la aurora, un vigía dio la voz de alerta. Había divisado un grupo de gente armada que cabalgaba hacia allí. Cuando llegaron ante la muralla les preguntaron desde lo alto quiénes eran y qué deseaban. Se adelantó el que capitaneaba el grupo y dijo que llevaba un despacho del rey para don Pedro Núñez de Guzmán. Sólo se permitió la entrada a él y a otro caballero, los cuales entregaron efectivamente a don Pedro una carta de Felipe el Hermoso. El sagaz don Pedro, al ver la fecha, comprendió que había sido escrita inmediatamente después del fallecimiento de Felipe y que por tanto era falsa. En esta carta se le ordenaba que entregase al infante Fernando para trasladarlo. Otra carta, firmada por Cisneros, garantizaba la autenticidad de la primera. Mas tampoco la creyó verídica don Pedro, aunque nada dijo, sino aplazó la respuesta hasta tener confirmación y envió con urgencia un emisario a Valladolid, donde se hallaba entonces su hermano, el obispo don Diego, para informarle de lo que ocurría y encargarle que pusiese el caso en conocimiento de la Real Chancillería, pues suponía en peligro al príncipe Fernando y temía un intento de rapto.

Simancas dista de Valladolid aproximadamente una hora para un buen caballo. En cuanto llegó el emisario junto a don Diego, se realizaron consultas entre los oidores de la Real Chancillería. El resultado fue ordenar a un pregonero que recorriese veloz las calles y plazas de Valladolid a fin de reclutar voluntarios armados que se aprestasen rápidamente para ir a liberar al infante y traerlo en seguridad a Valladolid.

No tardaron en llegar a Simancas todos los oidores de la Real Chancillería, sobre sus caballos, y el obispo, en su buena mula de andadura, con fuerte contingente armado de hidalgos, escuderos, aldeanos, menestrales y algún que otro clérigo de buen genio. Al mismo tiempo, llegaba también a Simancas el doctor Parra, para confirmar al señor de Guzmán el fallecimiento de Felipe el Hermoso.

Don Pedro llamó a su presencia a los emisarios flamencos y les dijo que, por haber muerto Felipe, dichas cartas carecían de vigencia sin la firma de doña Juana, la verdadera reina de Castilla y de León. Los chasqueados emisarios pidieron permiso para retirarse y, en vista del cariz que tomaban las cosas, rogaron que se les diesen seguridades de que no les sería obstaculizado su camino de vuelta.

Al día siguiente, el infante Fernando fue escoltado hasta Valladolid e instalado de momento en la casa del conde de Rivadeo, y luego, para mayor seguridad, en San Gregorio, al abrigo de sus fuertes muros. Mientras tanto, los Guzmanes escribieron al Consejo Real reunido en Burgos informando de lo que habían realizado sin más autorización que la premura en tomar una decisión urgente. Les fue contestado en seguida con la aprobación de lo hecho. Al propio tiempo se les ratificaba, en unión de los regidores de Valladolid, en la tarea de velar por la seguridad del infante Fernando.

Los tres Guzmanes más eminentes, don Pedro, don Diego y don Ramiro, constituían una gran fuerza política que se extendía desde su casa solariega de León hasta el cabildo catedralicio y el municipio leonés, así como entre los hidalgos y el pueblo común, con fuertes relaciones al otro lado del Puerto de Pajares en tierras de Asturias, lo mismo que en Valladolid y en Zamora. Representaban una seria preocupación para los flamencos, pero también para Cisneros, que entreveía la posibilidad de una guerra civil y debía evitarla a toda costa. Por eso decidió trasladar a su casa de Madrid al infante don Fernando, acompañado de toda su servidumbre personal, para tenerlo junto a sí, a cubierto de que fuera utilizado como bandera de una revolución fatricida.

5. UNA PROCLAMACION DESABRIDA

En el número 2 de la madrileña calle del Sacramento se halla la casa donde Cisneros fijó su residencia al aceptar el gobierno de Castilla [6]. Una leyenda, no comprobada, dice que fue en aquella casa donde, al ser preguntado Cisneros por varios nobles cuáles eran sus poderes para gobernar a Castilla, como éste observase la intención que llevaban de imponérsele, se asomó al balcón corrido de su casa y señaló al campo cercano en el que se hallaban las tropas, mientras decía, señalándolas: «¡Estos son mis poderes!»

La atmósfera se cargaba cada vez más de nubes políticas tormentosas, que Cisneros intentaba disipar. Los contrarios al grupo flamenco no sólo presionaron políticamente a Cisneros, sino que intentaron tam-

[6] Dice el cronista de la época, Pedro Mexía: «*luego que el Rey Católico murió, el Cardenal aceptó la gobernación, y tomando consigo al Infante don Fernando y los del Consejo Real, se fué a la villa de Madrid, que paresció lugar más acomodado para la gobernación destos reynos.*»

bién hacerse presentes al infante Fernando para influir en su ánimo de adolescente y provocarle a un caudillaje. Así, por ejemplo, llegaron a recurrir a lo más anecdótico, como una puesta en escena de la aventura legendaria del fundador de Castilla, Fernán González, cuando fray Pelayo, aquel buen ermitaño del poema heroico, le vaticina la independencia de Castilla. Una escena parecida a ésta del poema de Fernán González fue ofrecida al infante Fernando por un «misterioso» fraile que le salió al encuentro insospechadamente cuando iba de caza por los montes de El Pardo, el 8 de junio de 1516. Hay que dudar no sólo de la autenticidad del fraile, sino también de lo «casual» de la escena, sin duda preparada por los partidarios del infante Fernando para decidirle a reclamar el trono. Aprovecharon la costumbre que el infante tenía de salir desde Madrid por los campos y montes de lo que hoy es la Casa de Campo, en busca de caza, hasta las cercanías de El Pardo. Lo abordó de improviso un ermitaño con aspecto recogido, el cual le dijo «que había de ser rey de Castilla y que no lo dudase ni se apartase de esta pretensión, porque era la voluntad de Dios» [7]. Ni que decir tiene que el extraño fraile desapareció tan misteriosamente como había llegado entre los árboles, y no se volvió a saber nada de él.

La situación de Cisneros no podía ser más enojosa y difícil, entre sus levantiscos compatriotas, de un lado, y la incomprensión del príncipe Carlos, de otro, imbuido de ideas no gratas a los castellanos y llamado a instaurar en España una dinastía extranjera. La psicología y los intereses políticos del futuro Carlos V eran más de flamenco que de español; se expresaba en idioma francés, en el cual se había educado, aunque conocía ligeramente el alemán, pero no sabía una

[7] Fr. Prudencio de Sandoval: *Historia del emperador Carlos V,* tomo I, págs. 234-235.

palabra de español. Era en verdad muy difícil que Cisneros lograse predisponer favorablemente al Consejo de Castilla. Cisneros quería evitar el peligro de una guerra civil y quizá de una guerra internacional. Fernando podía contar con la simpatía del pueblo y la gran mayoría de la pequeña nobleza, en tanto que los grandes magnates veían en Carlos un rumbo político de miras internacionales.

El príncipe Carlos continuaba reclamando desde Flandes que se procediese a proclamarle en Castilla como rey. Y aunque el regente tuvo sus dificultades en el Consejo Real y escribió al príncipe sobre lo impolítico de proclamarle sin hallarse presente y sin jurar los fueros en las Cortes, Carlos insistió con energía. Tenía entonces diecisiete años y, según la edad que marcaba el testamento para heredar el trono, aún debía esperar tres años más. Una espera peligrosa para la tranquilidad del reino que pretendía defender Cisneros y un plazo demasiado largo para la impaciencia de Carlos, acuciado por los cortesanos flamencos.

Cisneros proclamó a Carlos en Madrid y despachó cartas a las ciudades de Castilla para que procediesen igualmente a la proclamación. Pero se advierte que todas ellas, Burgos, Toledo, León, Valladolid, Zamora, etc., pusieron especial cuidado en realizar la proclamación de Carlos anteponiendo a su nombre el de su madre Juana, que para ellos subsistía aún como la legítima reina. Así, podemos transcribir el acta de proclamación en la última de las ciudades citadas, que resulta además muy curiosa en la redacción de los escribanos al uso en aquellos actos públicos, en los cuales el corregidor, los regidores, la justicia, los «hombres buenos» con los reyes de armas, salían de las Casas Consistoriales y recorrían la ciudad con paradas en los lugares más significativos, donde lanzaban su pregón oficial con los pendones en alto:

«... salieron de las dichas Casas y subieron a uno

como cadahalso que estaba delante del auditorio, e todos allí juntos, en presencia de muchas personas que para ello estaban juntas, los dichos Reyes de Armas dijeron a altas voces: Oid, oid, oid, tres vezes, e el dicho señor Corregidor, teniendo todos los bonetes quitados de las cabezas, tomó un pendón que estaban las armas reales destos reynos de Castilla e Leon, e Aragon, e de Granada, e de los otros reynos e señoríos de sus Altezas, e dijo tres vezes a altas voces, Castilla, Castilla, Castilla, por la muy alta e muy poderosa reyna doña Juana, e por el muy alto e muy poderoso rey Don Carlos su hijo, nuestros señores, e alzó el dicho pendón, e esto mismo dijeron muchos cavalleros e otras personas...» [8].

Con estas proclamaciones, los castellanos daban un paso hacia el nuevo rey, demostraban su acatamiento a las ordenanzas del regente, pero no juraban a Carlos en efectivo, hasta hacerlo en las Cortes como era de rigor, cuando el mismo rey estuviera presente para que jurase él, a su vez, guardar los fueros.

[8] Del libro de *Actas del Ayuntamiento,* en el Archivo de la ciudad de Zamora, y según copia de la Real Academia de la Historia.

III

FUEROS, DESAFUEROS Y CORTES

1. LOS PRIMEROS DISTURBIOS

Era deseo del regente Cisneros el formar una especie de milicia nacional, cuya mayor motivación era quizá el disponer de una fuerza capaz de oponerse a los magnates de la aristocracia. Los altos señores imponían su voluntad en sus dominios no sólo por el dinero y la influencia, sino también por el apoyo de sus propias mesnadas, como reminiscencia medieval. Cisneros quería impedir las rivalidades entre los nobles y su enfrentamiento al poder real. Deseaba anular la posibilidad de guerras civiles y también el conflicto entre la ambición de la política flamenca y las desviaciones castellanas en pro del infante Fernando. Solamente una fuerza nacional ajena a las banderías y basada en los municipios lograría imponer un orden y una justicia igual para todo el reino, así como la seguridad en las fronteras con el extranjero. El gran político internacional que había sido don Fernando el Católico debió de prever ya esta necesidad. Aparte de las ordenanzas encaminadas a reclutamientos entre las Hermandades, es muy significativo que en el tratado que firmó poco antes de morir con el embajador flamenco de su nieto Carlos hubiese puesto una cláusula según la cual: «... el mes de Mayo de 1516 sería enviado a Flandes el Infante don Fernando, y con la misma flota que le condujese vendría a España el Príncipe Don Carlos SIN GENTE DE GUERRA»[1].

El proyecto de Cisneros fue mal acogido por los altos nobles y no comprendido por los municipios, quienes no veían el significado de una milicia nacional precisamente en favor del pueblo, de los municipios, de las Hermandades y, en suma, de una auténtica realidad nacional. En verdad, las gentes desconfiaban de los flamencos enviados por Carlos. Se había exacerbado el recelo, el afán de velar por los fueros, y no se comprendía el *largo alcance* de la visión política de Cisneros, que, ante todo y a pesar de todos, era un celoso español que deseaba servir a España y sacarla airosamente de aquellos tiempos tan difíciles, sorteando la encrucijada social, política y económica.

La orden de reclutamiento dada por Cisneros pedía a cada municipio un número proporcional de hombres para la milicia nacional y algún dinero para su abastecimiento. El alboroto que produjo en estas circunstancias un «alistamiento de la gente de ordenanza» fue unánime en las capitales castellanas. Burgos, Valladolid, Medina, llegaron a verdaderos motines. En León, tuvo que salir huyendo el capitán enviado desde Madrid para proceder al alistamiento.

La cuestión es mucho más compleja de lo que parece, pues, si bien el pueblo no desconfiaba de la reina Juana ni de Cisneros, recelaba del príncipe Carlos, y sobre todo del cardenal Adriano, el otro regente llegado de Flandes e impuesto a Cisneros para compartir la regencia. En la carta con la orden de alistamiento que llevaba el capitán Hernán Pérez había una firma antipopular: *Cardinalis Adrianus ambasatoris* (véase Apéndice 2). Cisneros se veía entre la espada y la pared, y lo peor sin duda era que no podía hablar tan claro como aquella buena gente nece-

[1] Véase Apéndice I.

sitaba. Sólo pudo suplicar a los municipios que cumplieran la ordenanza. Cierto que los municipios ya conocían los alistamientos, tan fomentados por los Reyes Católicos, a través de las Hermandades, con carácter de milicia local aunque afecta a la nación para caso necesario, pero la milicia nacional y sobre todo la tributación para sus gastos que pedía Cisneros resultaba impopular como tal tributo y más aún, quizá, por el temor de que se buscase constituir una fuerza del rey contra los poderes municipales y de las Hermandades.

La actitud de Burgos, de gran importancia como tradicional cabeza de Castilla, pesaba en el ánimo de otras villas y ciudades castellanas. El «alistamiento de la gente de ordenanza» solicitaba de Burgos y provincia mil hombres, así como el importe de sus pagas. El pueblo se amotinó, porque, según los fueros de que gozaba la ciudad, no estaba obligada a pagar tributos. Hubo algún que otro daño personal y destrozos materiales. Al fin el ayuntamiento tranquilizó a todos, asegurando que Burgos se negaría a cumplir la orden del regente por ser contraria al fuero. El capitán Cristóbal Velázquez, enviado desde Madrid para recabar el alistamiento, si bien no se vio en la necesidad de salir huyendo como el de León, la verdad es que no obtuvo ni soldados ni pagas. Esperó, no obstante, en Burgos a que las cartas de reclamación por agravio y contrafuero enviadas por el ayuntamiento directamente a Carlos tuvieran contestación.

El 30 de noviembre de 1516 contestó Carlos a Burgos con una carta desde Bruselas (véase Apéndice 3), en la que exponía las razones que justificaban la ordenanza de reclutamiento, pero ofreciendo seguridades de que se haría justicia a los burgaleses en sus reclamaciones; y respecto a la paga, afirmaba que, si dicha ciudad estaba exenta, debía presentar los privilegios que así lo acreditasen ante el embajador La Chaulx, camarero mayor de Carlos, al que éste enviaba a España con encargo especial de tratar el asunto con Cisneros y Adriano.

El resultado de unas y otras gestiones pone de manifiesto las verdaderas miras políticas que guiaban a Cisneros, no comprendidas por sus compatriotas, pero sí por La Chaulx, quien obligó al cardenal a dar marcha atrás en su proyecto de formar milicias municipales. En diciembre del mismo año Cisneros envió a Burgos a Francisco de Villegas con carta credencial para decir de su parte que «el reclutamiento de gente de armas que mandaba hacer era para que la justicia tenga más fuerzas e que ninguno se atreva a ella; mas por contemplanza de la ciudad su Serenísima Señoría lo mandaba todo sobreseer...» [2]. El rey había dictaminado que, si alguno deseaba alistarse a su servicio, él les pagaría de los dineros de sus rentas. La diferencia no se advierte a primera vista, pero es notable en el fondo.

2. EL INTENTO DE UNAS CORTES SIN REY

Quien de verdad movía todos los actos y cartas de Carlos era su privado Guillermo de Croix, señor de Chievres. Esto se sabía ya en España. El envío a España como vanguardia flamenca para tomar los resortes del reino de otros cortesanos predilectos de Carlos, entre los cuales destacaban La Chaulx y Amestorf, a más del corregente Adriano de Utrecht, motivó la intrusión de otros muchos que desconocían en absoluto los usos de Castilla, y cuyas iniciativas eran dictadas en la mayoría de los casos por una política no sólo ajena a los castellanos, sino muchas veces opuesta a la trayectoria seguida por los Reyes Católicos, y con tal codicia desmesurada que ya no sólo no pasaba desapercibida a la nobleza y a la clerecía,

[2] Del Archivo Municipal de Burgos.

sino que era objeto de hablillas, rencores y refranes del pueblo común.

La incertidumbre en España iba en aumento, sin que los municipios supieran qué determinación sería mejor tomar; sólo se les ocurría escribir con franqueza, unas tras otra, cartas a Carlos para que se decidiese a venir a España de una vez para siempre y pusiera orden en todo, principalmente entre sus flamencos... El rey Carlos no llegaba. Surgían dilaciones, esperanzas de que los fueros serían respetados, de que todo el mundo obtendría justicia... Pero no venía, y sus embajadores creaban una inquietud creciente, sin que las aldeas y ciudades se atreviesen a rebelarse contra ellos o a echarles, porque sabían que detrás estaba el rey Carlos, que les había enviado.

No obstante, hubo sucesos que conmovieron hasta lo más profundo la dignidad de los castellanos y que prueban el desconocimiento de Carlos respecto a la psicología española. Así, los burgaleses se sintieron humillados cuando un francés llamado Joffre, avecindado en Burgos, fue a Bruselas para solicitar a Carlos que le nombrase alcaide del castillo de Lara. Y el rey le hizo la concesión. El hecho era afrentoso para los burgaleses porque dicho castillo y fortaleza de Lara pertenecía a la municipalidad de Burgos y eran los vecinos quienes designaban alcaide por elección, para vivir en el castillo, mantener su estado defensivo y mandar a las gentes de armas de la Comunidad. Poner dicha fortaleza, tan históricamente burgalesa, en manos de un extranjero y privar a Burgos de su derecho a elegir alcaide, era lo más afrentoso que podía hacerse a la ciudad, y suponía un allanamiento de su libertad, muy sospechoso porque parecía encaminado a quitarle todo poder y facultad defensiva.

Ya antes había intentado Carlos, desde Flandes, que los de Burgos no eligieran nuevo alcaide de la fortaleza, sino que la pusieran en manos del juez residente de la Corona, llamado Luis Pérez Manzanedo.

La orden no fue cumplida. El ayuntamiento redactó un escrito ante notario, en nombre de la vecindad, citada ya entonces con la denominación de *Comunidad,* como protesta contra el intento y justificación de la negativa a entregar el castillo y fortaleza (véase Apéndice 4). La cuestión se agrió más al intervenir la concesión hecha al francés Joffre desde Bruselas. La real cédula ordenaba la entrega de la fortaleza burgalesa a Joffre «sin escusa ni dilación alguna, posesionándole en lo alto y en lo bajo, a todo poder, con armas pertrechos y bastimentos...» [3].

Los burgaleses se hicieron los desentendidos; Joffre seguía en Bruselas. Quizá esperaba volver cuando la fortaleza estuviese desalojada, ya que en caso contrario hubiera tenido que intentar tomarla por la fuerza, cosa imposible para Joffre con todo Burgos en contra. Así, envió un poder legalizado a tres personas, para que en su nombre tomasen posesión de la fortaleza de Lara. Pero ni éstas ni el propio Joffre consiguieron persuadir ni amedrentar a los burgaleses con su insistente propósito, que duró varios meses, pero no pasó de aquí ante la resuelta y serena actitud de la Comunidad de Burgos. La ya popular antipatía contra Joffre creció con aquel intento y predispuso los ánimos tan en contra suya, que luego veremos cómo terminó Joffre y la casa que tenía en Burgos.

Burgos tomó una arriesgada iniciativa. Reunió el concejo para deliberar sobre el abandono en que tenía Carlos el reino. El resultado fue convocar a Cortes sin el rey. Investidos de su histórico legado como cabeza de Castilla, escribieron cartas a las otras ciudades. El paso dado no significaba un golpe de Estado ni el propósito de anular a Carlos. El hecho tenía

[3] Según notas y transcripción de A. Salvá, cronista de Burgos y académico de la Historia, en su obra: *Burgos en las Comunidades de Castilla,* Edit. Santiago Rodríguez, Burgos, 1895.

su precedente ya en la legendaria época de la fundación de Castilla, cuando, por ausencia forzosa de Fernán González, el condado se reunió en consejo para deliberar sobre las medidas que debían tomarse. Ahora, Valladolid, Salamanca, Zamora y León se adhirieron a Burgos para defender sus derechos a través de unas Cortes de Hermandad. El concejo burgalés citó a Cortes a los representantes de las demás ciudades para congregarse en Segovia.

Cuando Cisneros tuvo noticia del propósito, que parecía negar la autoridad real y la prerrogativa exclusiva de los reyes para convocar Cortes, se llevó un serio disgusto. Escribió a Burgos negando el derecho a convocar Cortes y aconsejando que no lo hicieran, pues todo aquello entrañaba serios peligros para Castilla. Los ruegos y advertencias tuvieron la callada por respuesta; por lo cual Cisneros ordenó al juez residente en Burgos que prohibiera al concejo el citar a los representantes de las ciudades castellanas para Cortes. Entonces los burgaleses enviaron a su procurador Juan Temiño ante el Consejo de Castilla, con la apelación de su derecho a convocar en determinadas circunstancias a las villas y ciudades con voto en Cortes [4].

La cuestión no pasó adelante porque la resonancia de tales sucesos llegó a Flandes y Carlos se apresuró a enviar carta urgente, a través del Consejo de Castilla, para que todo el mundo permaneciera quedo y fuese anulada la citación de procuradores «so pena de la nuestra merced e de caer en mal caso e de perdimiento de vuestros bienes e oficios...» (véase Apéndice 5).

Al cabo de un mes, Carlos volvió a escribir otra carta, esta vez menos amenazadora, a los burgaleses, expresando que nada deseaba tanto como ir a sus reinos de España y que tenía decidido ponerse en

[4] A. Salvá, *op. cit.,* cap. IV.

viaje para el próximo verano, de lo cual daba su fe y palabra real de cumplirlo, si bien ellos tampoco harían más intentos de convocatorias a Cortes.

Ante aquella misiva de Carlos, menos conminatoria que la anterior, los representantes de Burgos, Valladolid, León y Zamora se reunieron para escribir de acuerdo una carta al rey exponiendo los motivos de haberse reunido y las quejas sobre el abuso de los flamencos por sacar moneda de Castilla y vender los cargos a extranjeros.

Carlos contestó más conciliador aún. Agregaba que se hallaba ya en el puerto de Medialburque, hacía cuarenta días, en espera de aire propicio para la travesía. Lo más significativo de esta carta de contestación es que en ella se refería Carlos a las demandas recibidas de las ciudades sobre la saca de moneda que sufrían en Castilla, y prometía remedio en cuanto llegase a España. Aseguraba que escribía con orden de que se pusiera vigilancia en los puertos para evitar que nadie sacase moneda de España. Contestaba también a otra reclamación, la de que no se diesen o vendieran cargos a extranjeros como venía ocurriendo, y respecto a lo cual aseguraba: «cuando alguno vacare, lo proveeré de manera que ninguno tenga causa justa de quejarse» (véase Apéndice 6).

La contestación de Carlos resultó muy dubitativa para los castellanos, pues no aseguraba que destituiría a los extranjeros de los cargos dados, sino que «cuando vacasen que lo proveería en justicia», lo cual no era prometer claramente una rectificación a la conducta seguida, sino contestar con una ambigüedad. Y en lo referente a impedir que se sacase moneda, según prometía, la verdad es que la rapiña y la exportación fueron en aumento, como veremos más adelante, hasta que las monedas de oro llegaron a no circular apenas, desaparecidas en las bolsas de los extranjeros o exportadas a Flandes por los llegados a la península con el famoso espejuelo del «oro de

España», frase hecha ya proverbial desde la Edad Media, cuando los aventureros de Beltran du Guesclin fueron atraídos con leyendas sobre antiguos tesoros moros [5] y más tarde con la otra leyenda sobre las montañas del codiciado metal traídas por los galeones españoles desde las Indias a partir del descubrimiento de América. Lo cierto es que, poco o mucho, el oro de España salió en el transcurso de los años, primero rumbo a Flandes, capturado por los extranjeros, y después enviado para sostener unos intereses dinásticos en Europa ajenos a la política social y económica de los reinos españoles. El historiador Sandoval, al referirse a la época de Carlos V, que él llegó a vivir, decía que podía calcularse el caudal salido entonces de España para Flandes en dos mil quinientos millones de oro. Dice también, en ese jugoso lenguaje de su época: «todo se vendía, como en los tiempos de Catilina en Roma. Estaban encarnizados los flamencos con el oro fino y plata virgen que de las Indias venía, y los pobres españoles ciegos en darlo todo por sus pretensiones, que era como un proverbio llamar el flamenco al español *mi indio*. Y decían la verdad, porque los indios no daban tanto oro a los españoles como los españoles a los flamencos».

3. LAS SONADAS CORTES DE VALLADOLID

Al fin, dentro de aquel año de 1517, los reinos españoles iban a salir de dudas, porque don Carlos se había embarcado el 3 de septiembre y, tras diecisiete días de azarosa travesía desde Bruselas, llegaba al puerto español de Villaviciosa, en Asturias. Desembarcó acompañado de su hermana doña Leonor y de numerosos caballeros de Flandes, entre los cuales

[5] Véase mi obra *El aventurero Beltran du Guesclin*.

destacaba su valido Guillermo de Croix, señor de Chievres.

Don Carlos se dirigió con todo su séquito, a través de Asturias y León, hacia Valladolid, en cuya ciudad le esperaban su hermano don Fernando y Adriano de Utrecht. A su encuentro viajaba Cisneros, octogenario y enfermo, en un esfuerzo inaudito por llegar a tiempo de recibir a Carlos y darle unos últimos consejos decisivos en el buen gobierno. Pero aquel agotador viaje iba a ser inútil, pues, al acercarse Carlos con su séquito a las inmediaciones de Valladolid, mandó escribir al cardenal una carta despiadada, en la que le aconsejaba que se volviese a descansar. El cronista de la época, Carvajal, dice respecto a la ingratitud de tal carta: «luego que llegó esta carta, el Cardenal recibió alteración y tomóle seria calentura, que en pocos días le despachó» [6].

La carta es el colofón de la intriga que se tejió día a día desde el desembarco de Carlos en Asturias hasta llegar a Valladolid. Fue una lucha de los cortesanos flamencos contra las horas que restaban de vida al enfermo Cisneros. Por eso retrasaban ellos la marcha de Carlos durante el viaje hacia Valladolid. Estaban al tanto de la gravedad del cardenal por emisarios recibidos diariamente. No querían que Cisneros y Carlos se entrevistasen y que, en esa entrevista, pudiera ser requerido el rey a separarles a ellos de los cargos que ya tenían amañados desde Flandes. Temían también que, durante el viaje, los nobles y los pueblos de Castilla privasen al rey de su poder. Por eso, todos los castellanos que salían a su encuentro con ánimo de saludar a Carlos eran alejados con pretextos. Así, los del Consejo de Castilla, creyendo que serían recibidos en atención a los servicios prestados en ausencia del rey, intentaron cumplimentarle. Al llegar a Aguilar de Campoo, les salió al encuentro un

[6] De los *Anales breves* de Galíndez de Carvajal.

emisario con una carta de Carlos en la que les ordenaba que esperasen allí «por falta de bastimentos y dificultad de los caminos y posadas». No obstante, cuando el rey llegó a Aguilar, intentaron salir a recibirle de nuevo y mostrarle sus cédulas credenciales. Carlos se excusó diciendo: «que iba a Valladolid, donde había de ordenar su casa, y que se fuesen allá; que no tuviesen duda que serían recibidos». Todos los grandes hombres del Consejo, incluso el comendador mayor de Castilla, y cuantos intentaron acercarse al encuentro de Carlos, sólo obtuvieron la demora de ser remitidos a Valladolid, por lo que dice un cronista presencial, no sin cierto humorismo amargo: «... con esta respuesta vinieron suspensos los unos y los otros» [7].

En cuanto Carlos llegó a Valladolid, escribió dos cartas: una al Consejo de Castilla y la dirigida a Cisneros destituyéndole. En Valladolid organizaron los cortesanos fiestas, justas y torneos en agasajo de Carlos, que participó en ellos complacido. Dice otro cronista, Mexía, que el rey tomó parte en torneos con un caballo adornado de terciopelo y raso blanco bordado y recamado de oro y perlas [8]. Ostentaciones que no convencían a los castellanos, dada su tradicional austeridad y su concepto de los reyes como caudillos.

Al fin parecían disiparse los temores de los palaciegos flamencos respecto al ánimo de los castellanoleoneses. No obstante, la pelota seguía en el tejado, porque las Cortes, próximas a celebrarse, suponían un enigma inquietante para los dos bandos: el castellano y el flamenco, los unos prestos a defender sus fueros, y los otros a lograr que Carlos fuese reconocido legalmente en Cortes como rey de España.

[7] Galíndez de Carvajal, *Anales*.

[8] Mexía, *Historia del emperador Carlos V*, cap. XII. Las fiestas en honor de Carlos fueron descritas con detalle por Sandoval, *Vida y hechos del emperador Carlos V*, tomo I.

La convocatoria a las ciudades con voto en Cortes para que enviasen sus procuradores a Valladolid fue hecha a primeros de diciembre. Al cabo de un mes, los procuradores del reino se hallaban ya reunidos en el convento de San Pablo. Al abrirse la primera sesión, los castellanos vieron que presidían en nombre del rey sus consejeros flamencos Sauvage y Amerstoff, ante lo cual se indignaron porque entendían como insólita la ausencia del rey, pero más aún su delegación en dos extranjeros; cosas ambas que iban contra toda ley, costumbre y fuero, pudiéndose interpretar como una infracción ofensiva. Así empezaron las sesiones con una perspectiva nada halagüeña. El representante de Burgos, doctor Zumel, protestó en alta voz en nombre de todos los castellanos. A su lado, los procuradores de León, don Francisco de Pacheco y don Martín Vázquez de Acuña, secundaron con energía la propuesta de Zumel. Hubo agitación en el salón de sesiones. Sin tomar acuerdo alguno se levantó la sesión. Al día siguiente, todos los procuradores estaban de acuerdo en no jurar por rey a Carlos si él no juraba antes guardar los fueros, las libertades y buenos usos del reino castellano-leonés.

Era el representante de Burgos quien llevaba la voz cantante, por lo que el canciller Sauvage le llamó a su palacio con ánimo de disuadirle. Parece ser que el privado le coaccionó con la posible confiscación de sus bienes si incurría en lo que se juzgaba como delito de lesa majestad. No obstante, Zumel se mantuvo firme. Se ratificó en nombre de todos los procuradores y afirmó que, si el rey no juraba los fueros, ellos no le jurarían como rey. Pocos días después, los procuradores presentaron a Carlos un escrito con sus demandas, en total ochenta y ocho peticiones, entre las cuales podemos citar como muy significativas las siguientes:

I. Que la reina doña Juana fuese tratada como señora de estos reinos.

II. Que el rey se casase lo antes posible, con vistas a la sucesión del reino.

III. Que mientras lo anteriormente dicho no sucediese, que no saliera del reino el infante don Fernando.

IV. Que el rey confirmara las leyes, pragmáticas, libertades y franquicias de Castilla, y jurase no consentir que se pusieran nuevos tributos.

V. Que no se dieran a extranjeros oficios, beneficios, dignidades y gobiernos, ni cartas de naturaleza, y *que se revocaran los que se habían dado.*

VI. Que los embajadores de estos reinos fueren naturales de ellos.

VII. Que en la casa real sólo hicieran servicio españoles, como en tiempos pasados.

VIII. Que se sirviese Su Alteza aprender pronto a hablar castellano, para que así se entendiesen mejor mutuamente él y sus súbditos. Y que entre los porteros de su casa pusiera alguno que otro de Castilla para que se pudiera la gente entender con ellos.

IX. Que no se enajenase cosa alguna de la Corona y patrimonio real.

… … … … … … … … … … … … … … … …

XVI. Que no se permitiese sacar de estos reinos oro, plata, ni moneda, ni se diesen cédulas para ello.

… … … … … … … … … … … … … … … …

XVIII. Que tampoco se sacasen caballos del reino.

XIX. Que mantuviera unido el reino de Navarra a Castilla.

… … … … … … … … … … … … … … … …

XXI. Que mandara proveer de manera que en el oficio de la Santa Inquisición se hiciese justicia guardando los sacros cánones y el derecho común, y que los obispos fuesen los jueces conforme a justicia [9].

... ...

XXXVIII. Que el rey hiciese cumplir el legado de veinte cuentos (veinte millones) de maravedíes que había dejado el cardenal Cisneros para redención de cautivos, de otros cuatro para dotes de huérfanas y de otros diez para fundar en Toledo colegio de doncellas pobres [10].

... ...

XLII. Que mandara plantar montes por todo el reino y se guardaran las ordenanzas de los que había.

... ...

XLVIII. Que diese audiencia al menos dos días por semana.

XLIX. Que no se obligase a tomar bulas y que se dejara a cada uno en libertad de tomarlas.

... ...

LV. Que ninguno pudiera dejar por testamento bienes raíces a ninguna iglesia, monasterio, hospital, cofradías; ni ellos lo puedan heredar ni comprar, porque

[9] Disposición que reclama el respeto al derecho común y al derecho eclesiástico ejercido por los obispos, sin merma del derecho canónico, dada la impopularidad del carácter privativo de la Inquisición, para ejercer la justicia y ser elegidos en los cargos.

[10] Aparte de estas donaciones, Cisneros dejó en su testamento como universal heredera a la Universidad de Alcalá de Henares y nombró ejecutor del testamento a fray Francisco Ruiz, obispo de Avila.

si se permitiese en brevísimo tiempo sería todo suyo.

... ...

LVII. Que los obispados, dignidades y beneficios que vacaren en Roma, volviesen a proveerse por el rey, como patrón y presentero de ellos y no quedasen en Roma.

... ...

LXVIII. Que se quitasen los nuevos impuestos [11].

4. JURAMENTO A TOMA Y DACA

Al cabo de un mes desde que se abriera la primera sesión de Cortes en el convento de San Pablo, hizo su aparición en el salón de sesiones el rey don Carlos, acompañado de sus inseparables consejeros. Era la mañana del 5 de febrero de 1518. El rey comenzó a jurar las cláusulas, pero al llegar a la quinta, alusiva a no dar empleos ni oficios a extranjeros, parece ser que trató de eludirla. Al ser apremiado por Zumel y otros procuradores, Carlos se limitó a decir ambiguamente: «*esto juro*», con lo cual podía referirse a la cláusula anterior. Los flamencos alegaron el desconocimiento del idioma por Carlos. Pero el doctor Zumel se levantó y afirmó con serenidad y energía que el rey tenía que decir claramente si lo juraba o no con las únicas palabras requeridas, y le obligó a contestar a la cláusula con estas solas palabras: «*sí juro*».

Seguidamente, las Cortes juraron a don Carlos como monarca del reino castellano-leonés, si bien con el requisito de que todas las cédulas y provisiones reales fuesen encabezadas con el nombre de doña Juana, como propietaria, y Carlos, su hijo. Votaron también los procuradores el subsidio que era costumbre con-

[11] *Cuadernos de Cortes,* vol. I, reseñado por fray Prudencio de Sandoval (Valladolid, 1604).

ceder al jurar un rey, aunque la cuantía que pidió Carlos desbordaba las suposiciones más exageradas, pues solicitó la fabulosa suma de doscientos cuentos (millones) de maravedíes. Lo cual le fue otorgado, a condición de que se pagase en tres años y «no se impusiera más tributo durante este tiempo».

Muy pronto tuvieron ocasión de comprobar los castellanos que sus recelos eran de sobra fundados. Así, por ejemplo, al quedar vacante por el fallecimiento de Cisneros la silla arzobispal de Toledo, no fue ocupada por un español, sino por un joven sobrino de Guillermo de Croix, señor de Chievres, que ostentaba el mismo nombre y era obispo de Cambray. Desde entonces había de ser el primado de las Españas como arzobispo de Toledo. La elección produjo descontento, y hasta el cronista oficial de la Corte de Carlos V, tan elogioso siempre del monarca y de sus actos, dice que con tal motivo «se murmuró en estos reinos, por ver dar tan gran dignidad a hombre extranjero de ellos» [12]. Pero ya el mayor de los Chievres, que se nombraba en los documentos uno de «les regents», había tomado para sí la dirección de la hacienda de Castilla.

Sauvage fue nombrado gran canciller de Castilla, lo cual puede suponerse cómo sentó a los castellanos. Y cuando éste falleció, fue reemplazado por Mercurino Gattinara. No sólo quedaba incumplida así la petición de que fueran destituidos de sus cargos los extranjeros, sino que, además de mantenerlos en ellos, cada vez que se producía una vacante se cubría el puesto con otro extranjero, contrariamente a lo prometido por Carlos. Además, al incumplimiento de estas cláusulas juradas en Cortes, se añadía el de otra fundamental para el sentimentalismo y las esperanzas populares: Carlos envió a Flandes a su hermano Fer-

[12] Pedro Mexía: *Historia del emperador Carlos V,* capítulo XII.

nando, contrariamente a lo pedido en las Cortes por los castellanos. Y respecto a la cláusula de que no se sacaría oro ni moneda de España, se hizo popular un dicho. Cuando alguien veía un doblón de oro de los llamados de dos caras, acuñados en los tiempos de los Reyes Católicos, solía exclamar:

Sálveos Dios,
ducado a dos,
que monsieur de Xevres
no topó con vos.

O aquel otro pareado que el pueblo solía recitar y que rebasó la época, como refrán aplicable a ministros codiciosos:

Doblón de a dos, norabuena estedes,
que con vos no topó Xevres.

Lo cierto es que el favorito o primer ministro Guillermo de Croy, señor de Chievres, el Xevres de los refranes populares, antes de un año de haber llegado a España ya podía construirse en Amberes un palacio. Inició, además, la restauración del monasterio de Lieja, donde esculpió sobre mármoles con letras de oro toda su genealogía: una fabulosa lista que remontaba estúpidamente hasta Adán y Eva [13]. Claro que el señor de Chievres estaba muy lejos de ser un hombre ni siquiera medianamente culto, y mucho menos para su alto cargo, si nos atenemos al juicio de Prudencio de Sandoval cuando dice de él que es «hombre sin letras, que aborrece las historias clásicas». Lo peor que podía decir un escritor en pleno resurgimiento clasicista y de afán humanístico. Aborrecer entonces

[13] Según Hemery: *Voyage en les Pays Basses,* y en la obra de Eusebio Martínez de Velasco: *Comunidades, Germanías y asonadas,* cap. VII.

las «historias clásicas» era tanto como ser paladín de la incultura. El poco respeto, o la falta de simpatía por España, de este máximo consejero de Carlos, el pomposo señor de Chievres, puede comprenderse mejor si se retroceden algunos años en el repaso de su biografía aventurera, ya que militó en los ejércitos de Carlos VIII y de Luis XII de Francia contra España, hasta que todos ellos fueron vencidos por los tercios de Gonzalo de Córdoba, el Gran Capitán de los Reyes Católicos. Pero aquellos tiempos pertenecían al pasado, y el señor de Chievres hacía ahora su propia política triunfal en el gobierno de los españoles.

De la codicia e injusticia del señor de Chievres y de los flamencos que llegaron a España como a una colonia donde saciar su ambición, con desprecio de los habitantes, existen numerosos testimonios; entre ellos es muy interesante una carta de la época, la que el doctor Pedro Mártir de Anglería escribió a su amigo el obispo de Tuy, llamado Marliano, con fecha veinte de noviembre de 1520, y que dice así:

«... tolerar que los españoles fuesen tratados con el mayor rigor por faltas levísimas cometidas contra los flamencos, y que ningún miembro de la justicia se atreviese a echar mano a un flamenco aunque cometiera un delito atroz contra un español. ¿Cuántas ignominias he visto yo? ¿Qué burlas hechas a los españoles muy nobles por los más viles mozos de cuadra y pillos de cocina? ¿Qué cosa más fea que haber permitido aquellos voraces mientras se tragaban al miserable joven, que cuando uno de justicia quería llevar a la cárcel desde el atrio de palacio a un asesino, que se llevasen a este miembro de justicia violenta e ignominiosamente, por el que llaman preboste de palacio, aterrando así a los que podían castigar los excesos? Añaden a esto que por sus malas enseñanzas tiene el César en poco estos reinos, y aun más que le han inspirado odio a los españoles para engañarle mejor.

Estas arterías, Marliano mío, éstas han sembrado las espinas entre los sembrados imperiales. Vuestro Capro y los Cerveros que penden de él [14], dejaron estas semillas en el ánimo de un rey feliz; nació para mandar el mundo. Hasta el cielo se levantan voces diciendo que el Capro trajo al rey acá para poder destruir esta viña después de vendimiarla. No se les ocultaba que habían de ocurrir estos sucesos cuando el Capro tomó para sí el arzobispado de Toledo contra las leyes del reino [15] apenas entró en él, para odio de todo el reino contra el rey, de lo cual tú le excusas. Ninguno le excusa. ¿Qué podría hacer un joven sin barba puesto al pupilaje de tales tutores y maestros? Lo que ha sucedido con las demás vacantes lo sabes y no ignoras, que apenas se ha hecho mención de algún español, y con cuánto descaro se ha quitado el pan de la boca de los españoles para llenar a los flamencos y franceses perdidos que dañaban al mismo rey. ¿Quién ha venido del helado cierzo y del horrendo frío a esta tierra templada, que no se haya llevado más onzas de oro que maravedíes contó en su vida? Tú sabes cómo ha quedado la real hacienda. Omito otras capaces de hacer perder la paciencia al mismo Job. Hemos dicho bastante sobre las causas de estos alborotos; pidamos a Dios que lo remedie tanto más que en lo humano no hay remedio...»

Respecto al gran canciller Sauvage, consiguió hacerse extraordinariamente rico gracias a su habilidad para vender los empleos: un fabuloso negocio que, sólo al principio de su actuación, se calculó que le había proporcionado más de medio millón de duca-

[14] Llama Capro, humorísticamente, al señor de Chievres, al traducir su apellido literalmente del francés.

[15] Se refiere a que el señor de Chievres se apoderó de la vacante dejada por Cisneros en el arzobispado de Toledo y se la dio a su sobrino, llamado también Chievres.

dos de oro, suma verdaderamente importante en aquellos tiempos, de la que no solían disponer muchos reyes. Así, los españoles comprendieron bien pronto que el rey era manejado a capricho de sus consejeros flamencos, fastuosos a costa de los ducados de oro que sacaban a los austeros españoles, no sin cierto desprecio y actitud de superioridad que sólo se fundaban en su situación privilegiada, de la que no se recataban de hacer ostentación.

Un testigo presencial de aquella Corte de importación flamenca en España, el padre Las Casas, describe las sesiones del Consejo y las audiencias sin ánimo manifiesto de censura. Pero su breve relato resulta la más dura crítica. Dice: el joven rey se sienta en un estrado, y en las gradas, los consejeros. Inmediatamente a la derecha de Carlos, está sentado Chievres; a la izquierda, Le Sauvage, y los demás consejeros hacen un semicírculo, también sentados, alrededor del rey. En esta disposición, cuando es recibido, por ejemplo, un embajador extranjero, en cuanto éste termina de hablar, los dos grandes consejeros, Chievres y Le Sauvage, cuchichean al oído del rey, uno en la oreja derecha y otro en la izquierda, lo cual aparenta ser para enterarse de la voluntad del rey, pero es en realidad para decir al rey lo que debe contestar.

Es muy curioso lo que escribió el capellán de Carlos V, fray Antonio de Guevara, obispo de Mondoñedo, en su libro *Reloj de príncipes o vida de Marco Aurelio,* que fue traducido en toda Europa. Es una obra llena de sentencias, pesada y de frases ampulosas, pero llena también de conocimientos de política adquiridos en la Corte de Carlos V y en los viajes por Europa junto al emperador. Hay en este libro pasajes que parecen una crítica histórica encubierta, a pesar del favor de que fue objeto en la Corte. Así, por ejemplo, dice:

«¡Oh príncipes, no sé quién os engaña, que pudiendo con paz ser ricos, queréis con guerra ser pobres! ¡Oh príncipes, no sé quién os engaña, que debiendo y pudiendo ser amados, buscáis con que seáis aborrecidos! ¡Oh príncipes, no sé quién os engaña, que pudiendo gozar de la vida segura, vos sometéis a los vaivenes de la fortuna! ¡Oh príncipes, no sé quién os engaña en que tengáis en poco lo mucho vuestro, y tengáis en mucho lo poco ajeno! ¡Oh príncipes, no sé quién os engaña, en que teniendo todos necesidad de vosotros, vosotros os ponéis en necesidad de todos!... Los enemigos a lo más roban la frontera, mas nuestros ejércitos roban toda la tierra. A los enemigos osamos y podemos resistir, MAS A LOS NUESTROS NI PODEMOS NI LOS OSAMOS HABLAR. LOS ENEMIGOS CUANDO MAS, SALTEAN UNA VEZ AL MES Y SE VAN, MAS LOS NUESTROS ROBAN CADA DIA Y QUEDANSE...» [16].

Mientras tanto, no era ya solamente Chievres, sino que su esposa hacía salir de España trescientos caballos y ochenta mulas cargadas con sus riquezas y las de su comitiva, más tres mil ducados de oro para gastos de viaje. La esposa de Carlos de Lanoy, caballerizo mayor del rey, sacó en su comitiva de viaje cuarenta caballos y diez mulas cargadas de riquezas, más setecientos ducados para gastos particulares. Al obispo de Arborea, confesor de Carlos V, se le concedió permiso para sacar dieciséis caballos y seis mulos con oro, plata y ropas, a más de trescientos ducados de oro para sus gastos de viaje. No es extraño que en el fondo de las reclamaciones al rey en las Cortes, y en la resistencia a darle los subsidios que pedía, se incubase una revolución que no tardaría en estallar.

[16] Fray Antonio de Guevara: *Reloj de príncipes o vida de Marco Aurelio* (cap. I, «Contra las guerras de conquista»).

5. CORTES EN ZARAGOZA Y BARCELONA

A continuación de las Cortes de Valladolid, aún le quedaban a Carlos otros dos tragos difíciles: debía ser jurado en el reino de Aragón, por lo que emprendió viaje para celebrar Cortes, primero en Zaragoza y seguidamente en Barcelona. Dos azarosas oportunidades para escuchar de nuevo reclamaciones de los españoles.

Al llegar a Calatayud, hubo de jurar los fueros de esta ciudad en la iglesia colegial ante los comisionados. Fueron momentos de indudable tensión emocional para Carlos, a quien los españoles resultaban de una entereza desconocida, tras el halago palaciego de su Corte de Flandes. Aquí, en España, hubo de enfrentarse con un aspecto humano desconocido, incomprensible en aquellos de quienes esperaba el absoluto rendimiento, la obediencia y el servilismo a que estaba acostumbrado cuando veía el mundo desde el palacio de Bruselas. En realidad, Carlos carecía de experiencia al enfrentarse al empaque aragonés. Lo retrata muy bien don Ramón Menéndez Pidal cuando dice: «Era todavía un joven indeciso y apocado, de gesto absorto y boquiabierto (un baturro, en Calatayud, le acababa de decir, al ver su mandíbula caída: Majestad, cerrad la boca, que las moscas de esta tierra son insolentes). Este joven de mentalidad retrasada, dominado por los flamencos que robaban el erario de Castilla y vendían los destinos públicos, este joven que en los Consejos de gobierno de España nada resolvía sin esperar a que, de rodillas, le cuchicheasen ante el público Chievres o Gattinara...» [17].

Desde Calatayud continuó el viaje hacia Zaragoza,

[17] Ramón Menéndez Pidal: *Idea imperial de Carlos V*, Espasa Calpe, Madrid.

adonde llegó el 6 de mayo. Los zaragozanos esperaban con el ceño fruncido, porque Carlos acababa de enviar hacia Austria al infante Fernando, el predilecto del fallecido rey aragonés, sin respetar lo jurado a este respecto en las Cortes de Castilla recién celebradas en Valladolid. El arzobispo de Zaragoza, que había actuado de regente en Aragón, intentó contemporizar y apaciguar los ánimos, como va Cisneros había hecho en Castilla.

No es, como han dicho a veces algunos historiadores, que se formasen entonces dos partidos frente a frente, el popular y el de la nobleza, como dos bandos claramente definidos. Simplemente algunos nobles se pusieron al lado de Carlos y de su Corte flamenca, aunque la oposición de los españoles fuese unánime en todas las clases sociales, incluido un gran sector de la aristocracia. Así, por ejemplo, la actitud de un alto magnate, solidario de la realeza, con motivo del apoyo o la repulsa a Carlos en las Cortes zaragozanas, provocó una discusión tan violenta con otro gran personaje de la nobleza, que degeneró en desafío y en una verdadera batalla entre sus respectivos partidarios. El conde de Benavente y el conde de Aranda chocaron al discutir sobre las pretensiones de los aragoneses y las exigencias del rey. El de Benavente dijo que, si el rey quisiera seguir su consejo, cogería a los aragoneses de la melena. El de Aranda se consideró insultado y lo desafió en un lugar apartado, donde se generalizó la lucha durante dos horas entre los partidarios de cada uno. Hubo hasta veinticinco heridos. A no ser por el arzobispo de Zaragoza y el rey, que pusieron paz entre ambos nobles, la cuestión de las ofensas se habría extendido hasta provocar en cadena la participación del vecindario zaragozano.

Los reparos de los aragoneses en jurar a un príncipe extranjero, cuando aún vivía la reina doña Juana, fueron acallados por el arzobispo, y al fin, reunidos los «brazos del reino», es decir, los representantes de las diversas clases sociales, fue reconocido Carlos como rey. No obstante, los aragoneses se resistían a concederle los doscientos mil ducados que pedía. Tras unas y otras gestiones, promesas, coacciones, halagos de los flamencos y recelos de los aragoneses, por último, éstos dieron los doscientos mil ducados, con la advertencia de «que no fueran a parar a manos de extranjeros». Ahora bien, durante los ocho meses que habían durado las conversaciones y dilaciones, Carlos había gastado, o le habían hecho gastar sus cortesanos, una gran suma que antes había recabado poco a poco en préstamo de los usureros, por lo que los doscientos mil ducados quedaron en manos de éstos cuando Carlos salió para Barcelona, después de jurar en las Cortes que respetaría los fueros y privilegios aragoneses.

Camino de Barcelona, Carlos pasó por Lérida, donde hubo también de jurar los fueros de la ciudad. El 15 de febrero de 1519 entraba en Barcelona. Allí encontró la misma resistencia que en las Cortes de Valladolid y en las de Zaragoza para jurarle mientras aún viviese la reina doña Juana. Se hizo también evidente la repugnancia de los catalanes a otorgarle el consabido subsidio si no alejaba del gobierno a los insaciables extranjeros. Al fin, los «tres brazos» decidieron que la convocatoria de las Cortes no era válida, porque antes no había jurado Carlos respetar los privilegios y las constituciones catalanas. El rey se vio en la necesidad de jurar ante los representantes de los «tres brazos», es decir, de los *concellers*. Sólo entonces pasaron éstos a reconocerle por conde de Barcelona y a otorgarle el subsidio de doscientos cincuenta mil ducados que había pedido.

6. LOS BANQUEROS Y LA ELECCION IMPERIAL

Durante los tres primeros días de marzo hizo Carlos que se celebrasen en la catedral de Barcelona fastuosos funerales por la muerte de su abuelo Maximiliano, acaecida a mediados del mes anterior en Viena. Carlos era candidato a la vacante que dejaba Maximiliano como emperador de Alemania. Las gestiones ya habían comenzado, es decir, se había iniciado la presión económica sobre los siete grandes electores de Alemania. Los agentes de Carlos frente a los otros dos candidatos [18] eran los famosos banqueros Fugger, que invirtieron cuantiosas sumas respaldadas por Carlos con el oro de los reinos españoles.

Lo decisivo de la acción de unos banqueros en la elección de un emperador que aspira a serlo de Europa se comprende al conocer cómo se realizaban este tipo de elecciones. Ya cuando Maximiliano, el abuelo de Carlos V, fue proclamado emperador de Alemania, el dinero había corrido en abundancia para ganar voluntades. Entonces Alemania estaba formada por varios ducados, principados y ciudades, que constituían Estados autónomos, y de los cuales el de Baviera y el de Sajonia eran los más fuertes. Los siete príncipes electores que debían decidir a quién co-

[18] Había tres candidatos: Carlos, rey de España, Francisco, rey de Francia, y Enrique, rey de Inglaterra. No obstante, los electores no votaron en principio a ninguno de ellos, sino a uno de los electores, el príncipe de Sajonia, el cual renunció en favor de Carlos, haciendo un gran panegírico de éste como el más indicado. Hay quien dice que detrás de todo estaban los hábiles manejos de los banqueros Fugger para anular a los otros dos reyes candidatos y llegar así a una segunda votación favorable a Carlos, que efectivamente salió elegido por todos los electores, excepto un voto que le fue otorgado al rey de Francia por el arzobispo de Tréveris.

rrespondería ocupar el trono imperial no tenían reparos, según la costumbre de la época, en dejarse sobornar, en dar su voto al mejor postor; y así Maximiliano había gastado en las «gestiones» unos seiscientos mil florines de oro, que en aquella época era una suma fabulosa. Al morir, entraba Carlos a ser candidato, pero tenía enfrente, como hemos dicho, a otros dos muy importantes: al rey francés y al inglés. Carlos representaba la casa de los Habsburgo, Francisco I de Francia a los Valois y Enrique VIII de Inglaterra a los Tudor. No obstante, la candidatura de Enrique VIII era más bien un *bluff* de su cardenal Wolsey, que la había presentado como una jugada al azar para ver si lograba al fin encontrar apoyo en Europa para obtener el papado. Este interés de Wolsey sería años después hábilmente explotado por Carlos con halagüeñas esperanzas de apoyo, cuando necesitó que Inglaterra no se aliase con Francia contra él.

La pugna efectiva para alcanzar el trono imperial se libró entre Carlos V y Francisco I. De los dos, éste era el más rico, lo cual era un factor importante para comprar los votos. Francisco I comenzó a derrochar espléndidamente los florines entre los agentes que hacían de intermediarios con los electores, y no reparó en ofrecimientos lo suficientemente elevados para que no pudieran ser rebasados por Carlos.

Al igual que en una subasta, los electores escuchaban las ofertas de los dos bandos sin decidirse a prometer su voto a Carlos o a Francisco. Sin embargo, Carlos, aun con menos dinero, contaba con la simpatía de Alemania, que ya en aquella época comenzaba a manifestar su rivalidad con Francia. Los electores supieron que el duque de Baviera tenía dispuesto un fuerte ejército para intervenir por la fuerza en favor de la candidatura de Carlos, lo cual influyó en el ánimo de varios de ellos haciéndoles resignarse a la aceptación de las ofertas de menor cuantía que les había hecho Carlos. Pero lo más decisivo fue el hecho de que los famosos banqueros Fugger se pusieran de parte de Carlos, porque les interesaba mucho disponer del puerto flamenco de Amberes para el comercio que realizaban desde Alemania. La Banca Fugger jugó su mejor baza cuando se negó a garantizar el pago de los recibos firmados por Francisco I en sus ofertas a los electores. En cambio, respaldó y avaló los recibos de Carlos, cuyo dinero se convirtió así en más efectivo. Las mayores sumas ofrecidas por Francisco pasaron a ser algo muy relativo y no seguro de cobrar con facilidad en Alemania, que en gran parte se hallaba económicamente en manos de los Fugger, tradicionales prestamistas de los príncipes y acaparadores del comercio de Centroeuropa, importadores de lana, especias, sedas, con una flota propia que llegaba hasta los mares de la India.

Las «gestiones» le costaron a Carlos 852.000 florines, de los cuales le adelantó la Banca Fugger 500.000. Carlos quedó empeñado y vinculado económicamente a los Fugger, a los que concedió uso de puertos, explotación de minas y administración de muchos ingresos propios de la Corona de España, como las rentas de las Ordenes Militares de Santiago, Calatrava y Alcántara. Los Fugger levantaron después una casa en Madrid, donde los madrileños les llamaban «Fúcar» al traducir mal la pronunciación alemana de la palabra Fugger. Y así los herederos de la Banca Fugger tuvieron una casa en la calle madrileña que desde entonces se llama por eso calle de Fúcar, y que aún subsiste entre la plaza de San Juan y la calle de Atocha. Sin embargo, el verdadero palacio solariego y fastuoso de los Fugger se hallaba en su ciudad natal de Augsburgo.

Carlos recibió la noticia de su elección para la corona imperial cuando aún estaba en Barcelona. Anunció entonces que muy en breve se pondría en camino para tomar posesión del imperio de Alemania, aunque antes debía recabar nuevos fondos de los reinos españoles con los que hacer frente, según dijo, a los gastos del viaje. A tal objeto citó a Cortes de Castilla nuevamente, pero a celebrar en Santiago de Compostela. Mientras tanto, Hernán Cortés ensanchaba España por tierras de México. Y aquello interesaba más a los españoles que el intervenir en los problemas políticos de una dinastía extranjera y el contribuir a un afán imperialista. No obstante, se hallaban próximos a verse envueltos en los problemas y aspiraciones de la dinastía austríaca, lo que derivó en una sangría económica y en vidas que arrastraría a España durante mucho tiempo hacia su decadencia; un frenazo en la trayectoria política, social y económica, interior y exterior, tan genuinamente española, que había culminado su pujante trayectoria con Isabel y Fernando. Porque a partir de entonces, mientras los hombres de España difundían por el mundo su cultura, su prestigio y su sangre, los reyes, por sus rivalidades, embarcaban a la nación en funestas aventuras y guerras europeas.

Es obvio que, durante los reinados de los Austrias y luego de los Borbones, España no impulsó su economía y su bienestar al nivel interno que habían planificado los Reyes Católicos, que no hubo un progreso nacional, y auténtico, como hubiera sido de esperar según la línea evolutiva, truncada para marchar, a través del espejismo de un fugaz y aparente esplendor imperial, paso a paso, hacia un segundo plano internacional. Francia e Inglaterra, en cambio, caminaban hacia una fuerte realidad interior, hasta convertirse en verdaderas potencias. Ahora, en pleno siglo XX, nos hacen ver que estamos subdesarrollados; es una triste herencia, debida quizá a que durante siglos las dinastías no estrictamente españolas desarrollaron lo que no era nuestro. Los españoles, en un sentido, y sus reyes, en otro, pusieron su actividad y su rendimiento fuera de España. ¿De qué nos sirvieron, con los Austrias, las guerras de Flandes, los conflictos alemanes de la Reforma, la Armada Invencible? Y después, ¿a qué vino tanto «pacto de familia» de los Borbones, cambio de rumbo, pero a compás también de intereses extranjeros, embarcados en aventuras costosísimas, mientras en España los puertos, las carreteras, la industria, el comercio y la agricultura, necesitaban unos brazos y un dinero que se perdía en el pozo sin fondo del exterior? Realmente, cuando murieron Isabel y Fernando y a partir de la proclamación de Carlos I de España y V de Alemania, España torció su destino. Si en lugar de ser elegido Carlos lo hubiera sido su hermano, educado en los intereses españoles, no hubiera sido preciso el estéril sacrificio de los comuneros de Castilla, cuya acción se incubó a partir de los desaciertos sociales, políticos y económicos de los consejeros flamencos de Carlos V. Luego, para los grandes nobles españoles que rodearon a Carlos la cuestión se centró en adaptarse o perecer, situados entre la política de los comuneros y la de Flandes.

7. LAS PREVARICADORAS CORTES DE SANTIAGO

Cuando el rey citó a Cortes en Santiago, la tormenta se cernía cada vez más amenazadora, sin saber dónde, cómo, ni cuándo iba a estallar. Parecía absurdo pedir a los castellanos un subsidio más y hacerlo en el confín de Galicia, cuando ésta solía estar siempre representada por Zamora y León y cuando, para colmo, el rey había de pasar por Castilla para ir desde Barcelona y Zaragoza a través de Burgos hasta Santiago. Hubo quien supuso que los cortesanos flamencos tenían miedo a que se levantasen los castellanos, por lo que deseaban hacer la nueva petición de dinero en una ciudad alejada de Castilla y con las naves dispuestas a emprender en seguida la travesía. Quizá esto no fuera sino suspicacias de unos y otros, o el recuerdo de aquellas Cortes de Valladolid donde los castellanos obligaron al rey a jurar «más claro», sin amedrentarse por las amenazas de los consejeros flamencos.

A pesar de todo, Carlos se mantuvo en su propósito, y a su paso con su séquito por Burgos, se hospedó en la Cartuja de Miraflores. Al día siguiente entró en la ciudad, pero en circunstancias muy curiosas que demuestran el celo castellano por mantener las dignidades tradicionales. Los burgaleses impusieron al rey sus condiciones antes de franquearle la entrada [19]. En verdad, los flamencos no debían salir de su asombro y temor ante aquel «estilo» español para tratar con los reyes. Al cruzar la brillante cabalgata, con el rey Carlos en cabeza, por el puente de Santa María, para entrar en Burgos por la puerta del mismo nombre, ésta se hallaba cerrada al igual que todas las demás. En lo alto de las torres y murallas se veían gentes de armas. Al fin se abrió la puerta de Santa María, pero sólo para dejar paso al escribano mayor de Burgos Juan Zumel (otra vez Zumel, el de la jura de Valladolid) y al señor Juan de Rojas, merino mayor de la ciudad. La puerta volvió a cerrarse tras ellos, que se adelantaron hacia don Carlos y le hicieron seña de que detuviese su caballo. Le mostraron un misal con los cuatro Evangelios para que jurase sobre ellos respetar los privilegios, costumbres y ordenanzas de la ciudad. Los hombres que permanecían a la expectativa en lo alto de la puerta, desde las torres y murallas, en cuanto vieron a Carlos extender el brazo con la mano abierta, comprendie-

[19] Los burgaleses no estaban para ofrecer agasajos a Carlos, ya que tras no cumplir las promesas que juró en Cortes, les había arrebatado su derecho al peso oficial, en todas las operaciones de mercado, que proporcionaba a la ciudad buenos ingresos.

ron que juraba y abrieron las puertas de par en par. Salió entonces, adelantándose, el alcalde mayor para darle la bienvenida (véase Apéndice 7).

El descontento era ya general en Burgos. Por entonces, algunos burgaleses habían comenzado a celebrar reuniones extramunicipales de carácter privado, donde figuraban algunos concejales y procuradores, que secretamente sostenían correspondencia con otras ciudades de Castilla sobre la situación que veían plantearse, cada vez más incierta para el futuro de Castilla.

Carlos salió pronto de Burgos y marchó a Valladolid para continuar su ruta hacia Santiago. Mientras tanto, los correos secretos de unas y otras ciudades galopaban con mensajes para ponerse de acuerdo entre ellas. En ninguna provincia se quería contribuir al nuevo subsidio de trescientos millones de maravedíes que deseaba Carlos que le concediesen las Cortes de Santiago, según dijo, para mantener la dignidad de rey de España en la Corte de Alemania. Tampoco querían que el rey se ausentase de España, ni que dejase el gobierno en manos de extranjeros. Una de las primeras ciudades que dio el paso decisivo fue Toledo, al enviar a Carlos dos regidores y dos jurados para exponer las quejas que mantenían en unánime acuerdo todas las clases sociales. Salamanca envió igualmente sus delegados para exponer al rey sus quejas por anticipado, antes de abrirse las Cortes de Santiago. La acción coordinadora de Toledo entre el resto de las provincias castellanas, al escribir a todas las ciudades con voto en Cortes, tuvo una importancia muy significativa.

Cuando llegó Carlos a Valladolid los ánimos estaban muy excitados. Las gentes amotinadas gritaban «Viva el Rey, pero mueran los malos ministros». Carlos se negó a recibir a los emisarios de Toledo y Salamanca.

En lo que hoy se llama el Campo Grande de Valladolid, su gran plaza tradicional, se concentraron para protestar unos seis mil hombres, entre hidalgos, clérigos y hombres comunes, muchos de ellos con las armas en la mano. Fueron luego ante la casa de don Rodrigo Pimentel, donde se hospedaba el monarca, que después se trasladó al monasterio de San Benito. La campana de San Miguel había comenzado a sonar por la noche en señal de arrebato, al igual que al declararse un fuego; y todas las demás iglesias repitieron la llamada. Los delegados de otras ciudades castellanas continuaban llegando a Valladolid, y ello inculcó aún mayor fuerza moral al unánime descontento.

Los flamencos aconsejaron a Carlos que abandonara la ciudad lo antes posible. Salieron poco menos que huyendo camino de Santiago. Al pasar por León, el ayuntamiento en pleno salió a recibir a Carlos y le indicó la conveniencia de que el rey de España no abandonase el territorio nacional. El rey contestó fríamente, al igual que en todas las ciudades por donde pasaba, en las que se repetía el mismo descontento y la misma actitud de Carlos, por ejemplo en Astorga, Ponferrada y Villafranca del Bierzo.

Los delegados de Toledo y Salamanca lograron alcanzar la comitiva real, pero no consiguieron ser oídos por Carlos, sino tratados como rebeldes. Al fin llegó el rey a Santiago, donde se hospedó en el convento de San Francisco. El 20 de marzo se abrieron las Cortes en sesión preliminar. Los delegados de Toledo, que eran don Pedro Lasso de la Vega y don Alonso Suárez, fueron desterrados, el primero a una posesión que tenía en Gibraltar. Los delegados de Salamanca, don Pedro Maldonado Pimentel y don Antonio Fernández, fueron rechazados por el Consejo Real. Pero en el obligado viaje de vuelta a sus tierras, los delegados de Toledo y Salamanca, no admitidos en Santiago, informaron a las ciudades y villas, conforme pasaban por ellas, del cariz que habían tomado las cosas. El toledano don Pedro Lasso de la Vega se sabe que no fue a Gibraltar en destierro, como le habían mandado, sino a Toledo. Antes pasó un día en León, otro en Zamora y en Salamanca, donde realizó gestiones de *Comunidad* desde el punto de vista que impulsaba políticamente Toledo.

La primera sesión oficial de las Cortes de Santiago tuvo lugar el día 31 de marzo, en la sala capitular del convento de San Francisco. Presidía el flamenco Mercurino Gattinara, nombrado por Carlos gran canciller del reino. Aún puede visitarse este salón, que han dado en nombrar el «salón de Carlos V» y que por cierto conserva cinco arcadas del mejor gótico gallego del siglo XV. La presencia de Mercurino Gattinara como presidente de las Cortes significaba un mal comienzo para los españoles.

Mercurino Gattinara, el letrado piamontés nacionalizado en Flandes, fue quizá el encauzador político de las primeras aspiraciones imperiales de Carlos V, pero solamente el artífice de esta planificación política y no el exclusivo creador de ella, como han pensado algunos historiadores, porque la idea imperial no es una creación exclusiva de Gattinara, sino algo consustancial a la personalidad de Carlos y a su educación, que, paradójicamente, es flamenca, de idioma francés. Carlos se lanza a ser emperador de España y de Alemania sin saber apenas el idioma alemán ni una palabra de español y pretende imponerse a las gentes de España sin conocerlas. Desde luego es indudable la influencia de Gattinara en la trayectoria política de Carlos. El mismo Gattinara dice en sus *Memorias* que todo cuanto hace Carlos es por consejo suyo..., los aciertos, claro, pues los errores los deja a la exclusiva responsabilidad de Carlos y como producidos por no atender su consejo. Insinceridad manifiesta, según descubrió ya don Ramón Menéndez Pidal, cuando hizo ver cómo Gattinara, tras las coacciones que ejerció en las Cortes para que los procuradores votasen el subsidio, luego en sus *Memorias* dice que él se opuso a dicha contribución, que ocasionó la sublevación de las Comunidades [20].

Durante las reuniones de las Cortes recibió Carlos informes de que la actitud levantisca de Toledo era capitaneada por los regidores don Juan de Padilla y don Hernando Dávalos. En vista de ello, mandó con urgencia a la ciudad de Toledo una real cédula, para que dichos regidores se pusieran inmeditamente en camino a Santiago. Parece ser que los regidores intentaron cumplir la orden real, aunque sin duda les esperaba un castigo, pero el vecindario toledano les prohibió salir de la ciudad. Más o menos forzada la retención de los dos regidores, es el caso que, en lugar de presentarse en Santiago de Compostela, don Carlos recibió de ellos una carta donde se excusaba de no poder cumplir su orden de ir allá porque el pueblo toledano los tenía «como presos».

En las Cortes, el rey insistía una y otra vez sobre la necesidad de marcharse, aunque aseguraba que volvería a los tres años o quizá antes; pero las Cortes debían votar el subsidio, prometiéndoles a cambio no dar empleos a personas que no fuesen de los reinos españoles. Los procuradores llevaban órdenes estrictas de no ceder. No obstante, hubo escisiones y se formaron dos bandos. Hubo incluso ciudades, como León, cuyos dos procuradores se situaron en bando opuesto. Los procuradores leoneses elegidos por los municipios eran don Martín Vázquez de Acuña y don Francisco Fernández de Quiñones. El primero se atuvo en todo a las instrucciones del pueblo leonés y a la defensa de los intereses de la ciudad. El segundo se dejó captar por la política y los ofrecimientos de los flamencos. No obstante, León había pactado ya hermandad con Burgos, Valladolid y Zamora para

[20] Ramón Menéndez Pidal: *Idea imperial de Carlos V.* («Cortes de La Coruña»), Espasa Calpe, Madrid.

defender los intereses comunes, y a ellos se atenía su procurador Vázquez de Acuña, quien llegó a capitanear en las Cortes durante algunas sesiones a los de Valladolid, Zamora, Madrid, Segovia, Toro, Córdoba, Jaén y Murcia, en oposición a las peticiones del rey (véase Apéndice 8).

La cuestión se ponía difícil para Carlos, hasta que en una de las sesiones recurrió a los halagos para limar la hostilidad de los procuradores, a los que aseguró haber dado ya orden real de que no se sacase moneda ni caballos del reino. También se ratificaba en su palabra de no dar oficios a personas ajenas a los reinos españoles y de que dejaría como gobernador durante su ausencia a un regente de toda confianza.

En vista de la actitud conciliadora de Carlos, varias ciudades votaron afirmativamente, aunque otras se mantuvieron en su anterior negativa. Al llegar la Semana Santa se retiró Carlos a un convento de franciscanos que se hallaba en las afueras de Santiago. Era este convento el llamado de San Lorenzo de Trasouto, en recuerdo del fraile que lo fundó a finales del siglo XIV. Allí pasó Carlos estos días, asistiendo a los oficios de Pasión apartado del bullicio político, hasta el domingo de Pascua, 8 de abril. El lunes por la tarde regresó a Santiago y se dispuso a reanudar al día siguiente las sesiones de Cortes. El favorito Chievres y los cortesanos flamencos se intranquilizaban por el tesón de la protesta castellana, y eso que habían logrado anular a los procuradores de Toledo y Salamanca y a otros los habían atraído con promesas. Si los procuradores de Toledo y Salamanca hubieran comparecido, la protesta habría sido más grave. De todas formas, Chievres, Gattinara y los flamencos aconsejaron a Carlos que trasladase las Cortes a La Coruña, donde esperaban las naves.

Al llegar a La Coruña, se alojó Carlos en casa del marqués de Camarasa, donde hoy se halla el Gobierno

Militar; las Cortes se celebraron en el monasterio de San Francisco, actualmente en ruinas. El obispo de Badajoz pronunció un pastoso discurso en favor de Carlos V, para ablandar la resuelta actitud de un gran sector de los procuradores, que negaban el subsidio. El obispo conocía bien la psicología de los españoles y procuró halagar su dignidad patriótica con frases de galería, como la de: «vino el imperio a buscar emperador en España». Entre otras cosas aseguró que el emperador viviría y moriría en España. Sin embargo, los oyentes sabían que la escuadra estaba atracada en el puerto para llevarlo a Flandes en cuanto los procuradores otorgasen el dinero que pedía. Lo que no sabían, respecto a lo de morir en España, era que Carlos había hecho un testamento en el que disponía que se le enterrase en Borgoña o en Flandes, el cual revocó bastantes años después con la disposición de ser enterrado en España. Respecto a lo de vivir en España, pudieron comprobar luego los españoles que sus sospechas persistentes y sus reiterativas peticiones a este respecto al rey no eran infundadas, porque, si bien regresó a España, la verdad es que pasó bastantes más años de su vida en el extranjero, sin contar su ausencia total en la niñez y juventud, desde su elección como rey de España hasta que abdicó y se retiró al monasterio de Yuste, cuyos aires se decía entonces que le sentaban bien; incluso mejoró allí en un principio de la enfermedad de gota contraída prematuramente por sus excesos gastronómicos.

La cuestión de la ausencia era algo tan contrario a la idea que lógicamente tenían los españoles de lo que debe ser un rey como la idea imperial de Carlos y su afán de ser coronado emperador. Así, dice el cronista Santa Cruz que «a muchos de los de España pesó de la elección no porque les pesase del acrecentamiento de su Estado, sino porque le quisieran más solo Rey de España, para su buena gobernación, que no Emperador de Alemania, por la ausencia que había de hacer de sus Reinos»[21].

A los españoles les traía sin cuidado Carlos como emperador, pero necesitaban un rey, y la idea, tan elemental pero extraordinariamente positiva y de acuerdo con la realidad, que se habían formado del imperio lo situaba en inferioridad al reino de España conforme lo legaron los Reyes Católicos. La verdad es que tenían razón, porque Fernando de Aragón, con su política internacional, e Isabel de Castilla, con su política expansionista de América y de la llave del Estrecho, así como la potencia nacional e interna de España, la hacían ser una realidad en el mundo, en el concierto de las naciones, positivamente superior a un imperio sobre principados alemanes fragmentados, ajenos por completo a los intereses españoles, y con Francia de por medio.

El obispo de Badajoz hacía alardes de oratoria en aquellas Cortes de La Coruña, ante el ceño fruncido de los procuradores. Carlos reiteró sus promesas. Volvió a producirse la disparidad entre los procuradores, porque algunos ya habían cedido, debilidad que les costó cara como veremos después, cuando hubieron de dar cuenta de su actuación a las ciudades. Pero sus titubeos y su falta de cohesión, quizá minada por el soborno y la intriga, hizo que el subsidio fuese al fin concedido, según se dice con un solo voto de mayoría.

En vista del resultado favorable, el rey concedió algunas peticiones, mas fue por encima y a toda prisa. Las demás cuestiones, dijo, las resolvería a su vuelta. En seguida dejó como regente al cardenal Adriano de Utrecht, contra lo pactado de no conceder cargos a extranjeros, y se apresuró a embarcar con su Corte flamenca. No obstante, no se encaminó directamente

[21] Alonso de Santa Cruz: *Crónica del emperador Carlos V,* tomo 1, pág. 195, Edit. Real Academia.

a desembarcar en Flandes, para dirigirse desde allí a tomar en Alemania la corona imperial, como se cree vulgarmente, sino que pasó primero a Inglaterra para negociar con Enrique VIII un alianza que le era necesaria ante su antagonismo con Francisco I de Francia, rivalidad que auguraba una guerra por acaparar el teórico imperio de Europa. Teórico, porque, como dice muy bien don Ramón Menéndez Pidal en un comentario sobre esta idea imperial de Carlos: «un Rey de España que sube al trono sin poder hablar español. Un emperador que se dice señor de todo el mundo y no es obedecido siquiera en toda Alemania; que lleva por título *rey de romanos* y es elegido únicamente por los alemanes; que no es cabal emperador si no es coronado por el papa y que no manda en las tierras del papa. Todo el reinado de Carlos fue un continuado esfuerzo por eliminar esas contradicciones...» [22].

En La Coruña quedaban pendientes de resolución numerosas peticiones de los procuradores que no lograron respuesta del rey, sino la ambigua promesa de que las cuestiones serían resueltas a su vuelta. Quedaban aplazados puntos importantes en relación a la hacienda, a la justicia, a los fueros, al prestigio nacional de los españoles. Hasta entonces, los castellanos aún preferían tener su rey, claro que de acuerdo a los «buenos usos» en Castilla; pero Carlos no se daba cuenta de que su actitud le separaba cada vez más de los españoles y que cuanto más se acercaba a su teórico título de emperador, más se alejaba del efectivo título de rey de España. Todavía hasta estos momentos sólo se ve en las peticiones el afán de que el rey se comporte como un «rey de españoles». Así,

[22] Don Ramón Menéndez Pidal: Conferencia sobre la idea imperial de Carlos V, dada en la Institución Hispano-Cubana de Cultura y publicada en «La Revista Cubana» el año 1937 y en Madrid por Espasa Calpe.

por ejemplo, entre las peticiones dejadas por Carlos en el aire, pendientes de su regreso, hay las siguientes:

Que el rey volviese en breve a sus reinos y los rigiere y gobernase por su persona como lo hicieron sus antepasados...

Que al volver fuese servido de no traer consigo extranjeros, flamencos, franceses, ni de otra nación..., sino que se sirviese de los naturales del reino...

Que estando estos reinos en paz y en su obediencia, no traiga gente de guerra extranjera para defensa de ellos, ni para guarda de su real persona; porque en el reino hay gente belicosa para conquistar otros reinos y porque NO SE PIENSE QUE POR DESCONFIANZA TIENE GUARDA DE EXTRANJEROS.

Que los procuradores, todo el tiempo que les dure el oficio, NO PUEDAN RECIBIR MERCEDES DE LOS REYES para sí ni para sus mujeres, hijos, ni parientes, so pena de muerte y perdimiento de bienes, en cuyo caso queden éstos para los reparos públicos de la ciudad o villa cuyo procurador era; porque así miren mejor lo que fuese en servicio de Dios, del reino y del rey.

IV

EL LEVANTAMIENTO DE LAS COMUNIDADES

1. EL RETORNO DE LOS PROCURADORES Y LOS INDICIOS REVOLUCIONARIOS

Al volver los procuradores a sus ciudades respectivas hubieron de rendir cuenta ante los municipios de sus gestiones en las Cortes de Santiago. En verdad ya se les esperaba en todas partes, pues se tenían noticias anticipadas de sus gestiones. Por eso, unos fueron aclamados en honor a su firmeza y lealtad a las atribuciones conferidas por los municipios; pero, inversamente, en otras ciudades fueron recibidos sus procuradores como desleales. El retorno de los procuradores, tan satisfactorio en muchas ciudades, como en Toledo, o tan recriminativo, como en Segovia, León y Zamora, dio ocasión a que la fraternidad ciudadana se manifestase, unidos los hidalgos, los artesanos y los clérigos en una protesta consciente ya de su fuerza contra el plan que dejaba Carlos al salir de España.

En Segovia esperaba el concejo a sus procuradores con ganas de sentarles la mano por su infidelidad, pues, contrariamente a lo ordenado, habían votado en Cortes a favor de conceder el subsidio al rey. No fue preciso que el municipio los sancionase. El pueblo, arremolinado, lo hizo de forma brutal con uno de ellos, Tordesillas, al que se acusaba de haber sido sobornado en Santiago. El otro huyó. Las cosas sucedieron así: cuando el procurador Tordesillas se hallaba en el ayuntamiento para rendir informe de su intervención en las Cortes, un grupo de gente irrumpió en el salón del concejo gritando: «¡Muera el traidor!» Cogieron violentamente a Tordesillas, le rompieron sus escritos, le sacaron fuera y luego lo arrastraron por las calles con una soga al cuello. El cabildo salió de la catedral para implorar a los amotinados que no se ensañasen con su víctima, pero al fin nadie pudo evitar que Tordesillas fuera colgado de los pies en la Plaza Mayor, junto con dos alguaciles que habían intentado defenderlo.

León, como ya sabemos, había tenido un procurador fiel y otro prevaricador. A este último le esperaba el ayuntamiento en pleno para tomarle cuentas. Uno de los siete concejales era precisamente el otro procurador de los dos que León había enviado a Cortes, Martín Vázquez de Acuña, que había sostenido con valor en Santiago y en La Coruña la negativa a otorgar el subsidio al rey, según las instrucciones del ayuntamiento leonés. Las dos actitudes opuestas de la ciudad de León, simbolizadas en ambos procuradores, maduraban en la formación cada vez más netamente definida de dos partidos: el imperialista y el comunero. Hasta en el cabildo se incubaba esa disensión, aunque, al igual que en el pueblo, eran mayoría los canónigos partidarios de la municipalidad, es decir, de lo que llegaría a ser el movimiento comunero. Y así, había ya sucedido el hecho insólito de que el canónigo «imperialista» Juan de Villafañe agrediese dentro de la catedral al canónigo «comunero» Antonio Jurado. El cabildo castigó al agresor con la expulsión por un año y una multa de veinte ducados de oro (véase Apéndice 9).

El ambiente no podía ser más desfavorable al procurador don Francisco Fernández de Quiñones, conde de Luna, cuando fue llamado a comparecer en el ayuntamiento para rendir cuenta de su actuación en las Cortes. El sabía que su situación era muy comprometida y había pedido al cardenal Adriano que le enviase gentes armadas para contener los disturbios y garantizar su seguridad personal. Llegado el momento de comparecer ante el municipio, el conde de Luna se hallaba consternado en el salón de sesiones ante los regidores de la ciudad. Mientras tanto, su gran rival, don Ramiro Vázquez de Guzmán, irrumpía en el ayuntamiento con violencia. Se enfrentó sin paliativos al conde de Luna y le exigió una satisfacción por haberse extralimitado en el encargo que llevó a Cortes como representante de León. El conde respondió airado, y Ramiro Vázquez de Guzmán le llamó traidor a la ciudad, sacó la espada y le acometió. Se batieron con frenesí prolongado a través de la sala del ayuntamiento y por las escaleras hasta llegar a la calle, sin dejar de tirarse estocadas. Allí se generalizó la lucha entre los partidarios de ambos, y el pueblo tomó parte en la contienda. Estudiantes, hidalgos de vieja solera, caballeros de Santiago, clérigos, artesanos, comerciantes, todos siguieron al de Guzmán en crecido número para secundarle en la lucha contra los que apoyaban al conde. Mientras tanto, el prior de Santo Domingo, don Pablo de Villegas, tomó por asalto el palacio del conde de Luna, el cual escapó de León a galope tendido. En las calles fueron recogidos unos cien hombres entre muertos y heridos. León se proclamaba partidario de las Comunidades y el municipio escribió cartas a las otras ciudades levantadas para sumarse a ellas.

En Zamora se produjeron disturbios semejantes a los de Segovia y León, iniciados también al retorno de sus delegados prevaricadores, en los que se centraron las iras populares. Los dos fueron perseguidos con riesgo de sus vidas, que hubieran dejado en las calles a no refugiarse con el tiempo justo en un monasterio. El conde de Alba de Liste, que era alcaide real del Alcázar, quiso imponer orden, pero fue desbordado por las multitudes.

A estos incidentes se sumaba la alteración producida porque, habiendo sido nombrado don Antonio de Acuña obispo de Zamora por el papa, el Consejo Real no le reconocía oficialmente, con el pretexto de no haber sido designado a propuesta del rey Carlos. El obispo Acuña tomó a la fuerza posesión del obispado, con la ayuda de un grupo de partidarios armados. El vecindario simpatizó con el obispo, y éste unió su causa a la de los zamoranos. Cuando el conde de Alba pretendió expulsarlo de Zamora, el belicoso obispo reclutó gente de armas, se hizo dueño de la situación con la ayuda del vecindario y organizó un gobierno zamorano que se unió a la causa de las Comunidades de Castilla. Cada capital que se alzaba irradiaba una onda expansiva en su respectiva comarca. La ciudad de Toro, por ejemplo, se adhirió a Zamora.

En Burgos no fueron menos sonados los incidentes, que comenzaron también con el castigo del procurador García Ruiz de la Mora, cuya casa fue asaltada e incendiada por el pueblo. Acto seguido, los asaltantes se reunieron en la Plaza Mayor, destrozaron las medidas para la sisa del vino y pregonaron por todo Burgos que a la mañana siguiente se congregase el vecindario en la Plaza, provistos todos de las armas que pudieran recabar, para proceder al asalto del castillo.

Se había ya depuesto al corregidor burgalés y nombrado otro nuevo llamado Diego de Osorio, el cual intentó apaciguar a las multitudes. Al no conseguirlo, procuró persuadir al alcaide del castillo de que entregase la fortaleza para que no hubiese derramamiento de sangre. El castillo fue sitiado y atacado por los burgaleses. El alcaide, que no tenía guarnición, se rindió sin que fuera molestado al abandonar la fortaleza. Seguidamente, los amotinados fueron al palacio del francés Joffre de Containnes[1], que asaltaron y destrozaron. El había huido cautelosamente de la población. No obstante, en el camino encontró a dos viajeros que iban a Burgos y les encargó decir «a los marranos burgaleses que volvería y reedificaría su casa con los huesos de los de Burgos». El recado fue transmitido con más prontitud de la que sin duda esperaba el huido francés, pues el vecindario tuvo tiempo de salir en su persecución y alcanzarlo en Atapuerca. Cuando se vio acosado, se refugió dentro de la iglesia, pero entraron por él e incluso le hirieron. Gracias a la intervención de Osorio no lo mataron, sino que lo llevaron preso a Burgos para formarle juicio.

Pero la exaltación de la multitud se había convertido ya en un movimiento incontrolable, por encima de los fines ciudadanos y conscientes que habían puesto en marcha la revolución burgalesa. Los más exaltados, no satisfechos aún con la prisión de Joffre, fueron a la cárcel, la asaltaron y se lo llevaron a rastras por las calles con una cuerda al cuello, hasta colgarle finalmente de los pies en el rollo que había en la Plaza de los Juicios. El horrorizado Osorio, impotente para contenerlos, fue obligado, como corregidor que era, a levantar acta ante el cadáver pendiente de haberse celebrado un juicio y realizado la sentencia.

Pasados estos primeros tumultos y correrías sin control, los amotinados se calmaron poco a poco. El atribulado corregidor Osorio pidió al municipio burgalés que se nombrasen corregidores para ayudarle en el gobierno de la ciudad. Fueron nombrados tres nobles que gozaban de simpatía popular y otros tantos hombres comunes. Una de las primeras dispo-

[1] Este es el mismo Joffre que intrigó en Bruselas hasta conseguir de Carlos el castillo de Lara, que los burgaleses se negaron a entregarle. Véase pág. 51.

siciones fue poner centinelas en las torres y guardia en las murallas, por si el regente cardenal Adriano y el Consejo Real de Carlos enviaban soldados contra Burgos.

No obstante, quizá por degenerar el movimiento de Burgos más en desorden de propósitos tumultuosos que en verdadera acción política, se desvirtuó su levantamiento comunero, hasta el punto de salirse del concierto con las demás ciudades. Más tarde, terminó por abandonar el movimiento comunero para seguir la acomodaticia sujeción de los sucesivos corregidores, que hicieron derivar a Burgos hacia la derecha como diríamos ahora, hasta quedar conceptuada la ciudad en las cartas que se cruzaron entre Burgos y el rey como «la muy leal ciudad de Su Majestad». El pueblo con sus actos turbulentos y los nobles con su política tergiversadora para acercar la ciudad al rey desvirtuaron el movimiento genuinamente comunero, para convertirlo, a fin de cuentas, en un pretexto de revueltas vengativas de los de abajo y un motivo contrarrevolucionario de los de arriba. Volveremos a referirnos más adelante a las razones que alegó Burgos ante las demás ciudades para abandonar la causa comunera.

No todas las ciudades de la revolución comunera realizaron actos sanguinarios, ni estuvieron en ningún momento en manos de hordas incontroladas como las ya citadas. También hubo casos en que las atrocidades fueron cometidas por el partido imperialista. Así, por ejemplo, en Cuenca, don Juan Carrillo de Albornoz y su esposa invitaron a cenar a su casa a los más destacados caudillos comuneros de aquella localidad, a los que envenenaron y mandaron colgar después en los balcones de la casa. Hubo muchas villas y ciudades levantadas que estuvieron guiadas desde un principio por los comuneros, dentro de un claro sentido ciudadano de justicia, con una trayectoria que fraguaba poco a poco en un verdadero programa político: así, por ejemplo, Avila, Madrid, Toledo, Guadalajara, etc. En Avila no hubo venganzas ni discriminaciones clasistas. Desde un principio fraternizaron los nobles y los hombres comunes como un pueblo unido en justas aspiraciones. En Guadalajara se puso al frente de los comuneros el joven conde de Saldaña. En Madrid fue elegido jefe del levantamiento el capitán Juan de Zapata, y Toledo marcó la pauta legal del alzamiento, mientras Segovia, Valladolid, León, Zamora, Salamanca se unificaban en la misma política comunera a través de cartas con las demás ciudades.

A pesar del carácter unificador entre las clases sociales que presentaba la revolución política de las Comunidades, ante el cariz social de los referidos chispazos populares, los altos señores comenzaron a desconfiar de la trayectoria comunera y se inclinaron hacia el partido del rey, que contaba con la fuerza del gobierno y podía darles la seguridad de que no les ocurriría lo que a Joffre ni a los procuradores que habían prevaricado. Cierto que el levantamiento de protesta de las Comunidades no estaba constituido exclusivamente por la masa popular, sino que participaban elementos de la aristocracia, sobre todo pequeños señores, hidalgos, algún clérigo y, en general, los hombres de profesiones intelectuales, los cuales ejercían una función rectora de las clases populares en el movimiento que se incubaba con indudable incentivo renovador y patriótico. Pero los magnates, los altos señores, se agruparon cada vez más decididamente alrededor de los gobernadores reales y regentes nombrados por Carlos V. Así, desde entonces comenzaron a definirse dos bandos, a lo que se refirió el embajador veneciano Gasparo Contarini cuando escribió en su informe: «hay ahora en Castilla nuevas divisiones entre el pueblo y los señores, que se formaron cuando el César (Carlos V) llegó por primera vez a España con el señor de Chievres. Ya en aquel tiempo, mientras Su Majestad venía recolectando gran cantidad de dinero para su elección al imperio y para darlo a sus flamencos, se corrió la noticia de que quería gravar al reino con nuevos impuestos» [2].

La opinión del citado embajador veneciano sobre la gestación del levantamiento de las Comunidades no aporta nada nuevo a nuestro relato, pero es importante ver los hechos desde el punto de vista de los extranjeros que, por su cargo de representantes de otras naciones, vivieron junto a la Corte de Carlos V en España y en Alemania. Este Gasparo Contarini, a través de su misión informativa y diplomática al servicio de Venecia, presenció los momentos difíciles por que hubo de pasar Carlos V en el transcurso de la sublevación de las Comunidades de Castilla. Contarini acompañó como embajador de Venecia a Carlos, cuando vino a España antes y después de ser elegido emperador.

Otro embajador veneciano de la época de Carlos, llamado Bodoaro, legó un manuscrito muy interesante donde relata las costumbres del emperador, su carácter y su aspecto físico. Allí volvemos a encontrar la misma censura a los privilegios concedidos por Carlos a sus cortesanos. Dice, por ejemplo: «La autoridad que ha conferido a ministros avaros ha traído como consecuencia que durante su reinado se hayan concedido más privilegios que bajo tres o cuatro emperadores en proporción al tiempo... En la recaudación de dinero para tantas y tan grandes necesidades ha desplegado una prudencia consumada, por su maestría en obtenerlo de sus súbditos y tomarlo mediante interés, y si ha extraído grandes cantidades se debe a la presión de las circunstancias y al deseo de poner un freno a las exigencias de los banqueros genoveses y alemanes» [3].

[2] Gasparo Contarini: Colec. Alberi, vol. II, pág. 45.

[3] El manuscrito donde Federico Bodoaro hizo su rela-

No obstante, y según el mismo Bodoaro, se deduce que, a pesar de haber concedido tantos privilegios, de donde los ministros y cortesanos sacaron pingües ingresos, Carlos no era espléndido con su dinero particular. «Al soldado que le trajo a España la espada y los guanteletes del rey Francisco I de Francia, después de la batalla en la que este monarca fue hecho prisionero y traído a España, Carlos V le gratificó solamente con cien escudos de oro, por lo que el soldado marchó lleno de rabia. También se refiere a cuatro soldados, que, vestidos y con la espada entre los dientes, pasaron a nado el Elba, para soltar las barcas que había en el río, cuando consiguió la victoria sobre el elector de Sajonia, y a los cuales premió con un jubón, un par de calzas y cuatro escudos para cada uno, lo que con relación a la importancia del servicio prestado se consideró como una liberalidad de pobre diablo» [4].

Parece que estas descripciones de los embajadores venecianos nos acercan a los mismos puntos de vista que las Comunidades de Castilla se habían formado, a su pesar, de la prodigalidad de Carlos respecto a sus ministros y cortesanos flamencos, no a costa de su bolsillo, sino de los españoles. Pero hay un detalle muy significativo también respecto a la denominación dada al rey, Carlos I o Carlos V. En realidad, Carlos no era para los españoles sino Carlos I, pero él se aferró a la más imperial denominación de Carlos V, con la que pasó a la historia europea. Lo cual suponía para la suspicacia española la desespañolización del

ción al volver de la embajada cerca de Carlos V y Felipe II se conserva en la Biblioteca Nacional de Madrid y fue titulado *La Capitana,* quizá para significar la importancia de este «manoscritti italiani della regia Biblioteca parigina».

[4] L. P. Gachard: *Carlos V y Felipe II a través de sus contemporáneos,* donde transcribe a Bodoaro, trad. C. Pérez Bustamante, Madrid.

rey. Incluso los cronistas españoles titulan sus crónicas no como de Carlos I de España, sino como del emperador Carlos V.

2. SIGNIFICADO DE LAS COMUNIDADES

Toledo había sido la primera ciudad en dar la voz de rebeldía. Los comuneros se adueñaron del Alcázar, de los puentes de Alcántara y de San Martín, lo cual era como tener las llaves de la ciudad. Eligieron como jefes a dos renombrados hidalgos: Juan de Padilla, de ilustre familia, y al no menos conocido Hernando Dávalos, descendiente de un condestable de Castilla y capitán de los tercios de Gonzalo de Córdoba. Así, pues, el movimiento comunero no significaba, a la vista de los chispazos anárquicos que se produjeron en algunas ciudades, una revolución clasista, ni un desquite popular, pero tampoco una reacción feudal de señores, sino un levantamiento de provincias que llegó a tener carácter nacional, no exento de romanticismo patriótico y de afán por rehabilitar unas garantías ciudadanas ya históricas en Castilla, que pudiéramos llamar constitucionales. Por ello se adelantaban a su época, con un sentido de modernidad incomprensible entonces en su justo valor democrático para el resto de Europa, en cuyos países, precisamente, se afianzaba cada vez más el férreo absolutismo que traía Carlos de importación. Por eso, lo que se ventilaba durante aquellos años en España era algo que decidiría su rumbo político para los siglos venideros: la democracia de las Comunidades, a la cabeza de la revolución política del mundo occidental, o el absolutismo a nivel europeo, como rémora interminable que todos los demás países terminarían por desechar al lograr la madurez política necesaria para saber apreciar una democracia auténtica que ya intuyeron los comuneros de Castilla.

El legado histórico que rehabilitaban las Comunidades y su matiz constitucional se basaba en un conjunto de «fueros» legalmente instituidos como resultado de la conjunción sociopolítica entre los reyes-caudillos y el pueblo, cuando la acción permanente para rescatar el territorio invadido por los musulmanes creó durante ocho siglos, día a día, la realidad de los reinos nacionales, que más tarde se fundieron en uno. Por eso también el período histórico del feudalismo no tuvo en España el carácter que en otros países del resto de Europa. Había sido España durante siglos un territorio en pie de guerra, que iba corriendo sus fronteras hacia el mar Mediterráneo hasta expulsar a los musulmanes, en una labor histórica que se llamó la Reconquista y culminó al fin con la toma de Granada por los Reyes Católicos. Durante la marcha de la Reconquista, todos los reyes-caudillos concedieron «fueros» a los habitantes que se establecían en las tierras recién ganadas para repoblarlas y garantizar la permanencia de las marcas logradas en los avances de las fronteras. Aquellos pobladores, que tenían, como se ha dicho tantas veces, en una mano la azada y en la otra la espada, habían recibido de sus reyes sucesivos unas garantías y unos privilegios que fueron constituyendo unos derechos legalmente instituidos en los «fueros».

El concepto español de la monarquía no es «divino», sino heroico; no es palaciego, sino combativo; comienza en la «elección» de un caudillo que resulta psicológicamente un héroe conductor y patriarcal. Por eso las relaciones entre los reyes españoles y el pueblo son de afecto, y las soluciones conflictivas se establecen sobre un cauce democrático. Los capitanes que siguen la acción heroica en las huestes de los reyes reciben los primeros títulos de hidalguía, pequeña nobleza de mérito y no de favor, renovada de padres a hijos, que se suceden para cabalgar con las armas en la mano y la ofrenda de su sangre en pro de la independencia del reino, en fraternidad con los labriegos y artesanos que laboran por el resurgimiento nacional. Por cualquier lado que se busque a Castilla, surge siempre anidado en lo más profundo de su subconsciente el afán de libertad, un impulso incontenible de dignificación y valoración humana, que por aquellos tiempos de los comuneros de Castilla comenzaban a sembrar los primeros colonizadores en las futuras naciones de la América hispana.

Se ha dicho que España es el país del mundo de mayor número de hidalgos. La razón histórica fue su forma de constituirse nacional y políticamente gracias a una élite de mérito refrendado en lo popular, junto a los hombres comunes, los cuales gozaban en las municipalidades de un sistema representativo, ya democrático, y del que se sentían celosamente orgullosos, para el común ejercicio de los «fueros» por todas las clases sociales, frente a la imposición de los grandes magnates o de la alta aristocracia. Convivencia de hidalgos, artesanos, clérigos y labriegos en cada villa o ciudad para defender sus comunes derechos, que eran herencia no pasiva, sino activa y siempre en marcha; intereses comarcales, nacionales, del reino, y por tanto del mismo rey, que no era un personaje inasequible, sino gustoso de hablar con unos y otros a su paso por las villas, de oír a los concejales, conocer los problemas y aludir siempre, cuando dictaba una orden, más al servicio del reino que al servicio de su persona. El rey de raigambre castellana era el mayor defensor del bien de la *República,* como se decía con frecuencia, en el sentido de la res-pública, del interés nacional o «destos reinos». La participación del pueblo en las asambleas políticas de Castilla desde los tiempos de su fundación puede verse en el poema de Fernán González y en la historia recopilada por Alfonso X el Sabio. Es una anticipación democrática que, sumada a la presencia legal de los «fueros», constituye la raigambre, la razón histórica del movimiento comunero, cuando la nación ve en peligro su forma de ser, la trayectoria social y política de la configuración del Estado castellano-leonés y catalano-aragonés.

El nivel cultural y político que maduró en España durante la época de los Reyes Católicos se adelantaba y hacía innecesarias las reivindicaciones propugnadas bastantes años después en la Revolución inglesa y en la Revolución francesa. Al ser truncadas por Carlos I de España y V de Alemania la realización y la trayectoria política española, surgió la revolución de las Comunidades, cuyo fracaso sumiría a la nación en un paréntesis político de varios siglos, para, al fin, por vía extranjera, tener que admitir con retraso unas normas democráticas importadas, cuando el absolutismo llegó a fracasar en los demás países de Europa.

El rey Carlos ha de enfrentarse en España a una realidad política desconocida, pero según la cual existía como un «contrato» entre el pueblo y el rey, que éste debía jurar; es decir, comprometerse a respetar como ineludible condición si quería ser reconocido como tal rey. Hay en las Comunidades un constitucionalismo y un sentir democrático que fomentan bachilleres y letrados, porque, por encima del origen noble o plebeyo, colocan la realidad política de los intereses comunes y del sentimiento de fidelidad a la tierra que los hizo nacer tal y como son.

La instauración de la dinastía extranjera con el emperador Carlos V produjo un derrumbamiento de lo más esencial de la constitución política de España y originó, en consecuencia, la necesidad de recurrir a la acción revolucionaria con el levantamiento de las Comunidades, para salvar al menos el legado históricopolítico y social de sus «fueros».

Históricamente, parece ser que los «fueros» más antiguos eran los de Avila, Segovia, Salamanca y Soria. Y se denominan con el nombre de estas capitales, porque las Comunidades tenían su concejo en la ciudad más importante de su demarcación territorial común. En el libro de *Las Siete Partidas,* de Alfonso X el Sabio, hallamos numerosos artículos con la frase, repetida tantas veces, «*esto es fuero de Castilla*». El fuero de una ciudad comprendía no sólo el ámbito ciudadano, sino una amplia demarcación de pueblos. Por ejemplo, el de Segovia comprendía a la ciudad con ciento treinta pueblos; el de Soria, ciento cincuenta y un pueblos; Avila se extendía a doscientos diez pueblos. Casi todos los fueros se remontaban en sus preceptos más antiguos hasta el siglo XII, en pleno auge de la repoblación durante la Reconquista. El fuero representaba como un contrato entre el pueblo y los reyes, frente al posible abuso de fuerza y dominio de los señores feudales, y al mismo tiempo comprometía al rey a otorgar y mantener unas garantías que tienen mucho de constitucionales. Los municipios o concejos que forman la «Comunidad», representan el origen de las Cortes españolas y la garantía de ciertas libertades locales a través de los fueros de cada Comunidad castellana.

Resulta muy curioso el conocimiento de las viejas municipalidades; entre ellas, por ejemplo, si elegimos Madrid, más por su renombre al fijar ya en ella la capital Cisneros que por la importancia de esta villa en tiempos medievales, podemos atestiguar respecto al origen de los fueros madrileños que el rey Fernando III concedió a esta villa privilegio el año 1222, en relación a los servicios prestados, y le otorgó en su «fuero» que los vecinos pudieran elegir los jueces de entre ellos, así como los oficiales municipales que les pareciesen convenientes, sin más restricción que la de remitir al rey nota de los que habían sido elegidos. Este gobierno popular, establecido por Fernando III el Santo para los madrileños, fue restringido por Alfonso X el Sabio y Alfonso XI, en el sentido de que el concejo de esta villa propusiera anualmente cuatro vecinos para alcaldes y dos o tres para alguaciles, y que de los propuestos eligiera el rey dos para alcaldes y uno para alguacil. De los dos alcaldes uno debía ser caballero y el otro ciudadano [5].

El libro de *Las Siete Partidas* introduce de forma activa alusiones que resultan de un auténtico carácter democrático sobre el verdadero concepto *del pueblo,* «que no es la llamada gente menuda, que no es solo menestrales y labradores... sino que pueblo es el ayuntamiento de todos los omes comunalmente; de los mayores, de los medianos, e de los menores. Ca todos son menester, e non se pueden escusar, porque se han de ayudar unos a otros, porque puedan bien vivir, e ser guardados e mantenidos» [6].

La constitución de Hermandades y cofradías de vecinos proliferaron de forma creciente en España desde aquellos tiempos, hasta llegar a ser una parte decisiva en la constitución política. Llegaron a tener tal peso en el gobierno del reino, que a veces fueron restringidas. Sin embargo, Alfonso X el Sabio, en sus *Siete Partidas,* califica aquellas restricciones de «tiranía» y termina diciendo algo que pudieran haber aplicado muchos años después los comuneros de Castilla a su protesta contra el hecho de que Carlos V se rodease de extranjeros para gobernar. Se refiere a la forma de gobernar de los tiranos, de los que dice pugnaron siempre por «matar a los sabidores, e vedaron siempre en sus tierras las cofradías e ayuntamientos de los omes, e procuraron todavía de saber lo que se dice o se face en la tierra; e fían más su consejo a guarda de su cuerpo en los extraños, por-

[5] J. Sempere: *Historia del Derecho español,* Madrid, 1844.
[6] L. I, tít. 10, part. 2.

que les sirvan a su voluntad, que en los de la tierra...»[7].

Poco después, su hijo don Sancho IV el Bravo dictó privilegio para la formación de Hermandades. El año 1284 se reunieron diputados de ellas en Medina del Campo, donde se acordó que, cuando el rey quisiera celebrar Cortes, cada pueblo enviara a ellas dos «hombres buenos»[8]. Seguidamente, en la época de Fernando IV, poco después de su fallecimiento, los tutores reales se comprometieron en la junta de Hermandad de Castilla en los siguientes términos:

Que guardarían a todos los pueblos sus fueros y ordenanzas municipales y los propios arbitrios que gozaban por privilegio o costumbre.

Que no echarían nuevos pechos, ni más servicios que los acostumbrados.

Que ningún infante, rico-hombre, ni aun los tutores, ni el rey pudieran tomar víveres en los pueblos sino pagarlos.

Que no se pudieran extraer del reino ninguna de las cosas vedadas por don Alonso y don Sancho, como caballos, rocines, mulas, vacas, carneros, puercos, ovejas, cabras, machos, granos ni cualquiera otro comestible, cera, seda, pieles de conejo, moros, moras, oro, plata, ni moneda.

Que en la casa real fueran puestos para alcaldes y escribanos hombres buenos y foreros.

Que fueran puestos alcaldes naturales de los pueblos.

Que los adelantados y merinos no prendieran ni mataran hombre alguno, sin ser sentenciado antes por los alcaldes, con audiencia del querelloso...

Que no se hiciera pesquisa *cerrada* contra ninguna

[7] L. X, tít. 1, part. 2.
[8] Zúñiga: *Anales de Sevilla,* lib. 3.

persona, y las que estuvieren hechas se dieren por nulas.

Que ningún infante, rico-hombre, caballero, ni otra cualquiera persona tomara prendas, ni se hiciera justicia por su mano, sino demandando con arreglo a los fueros...

Que ningún prelado, ni vicario eclesiástico usurpara la jurisdicción real en los pleitos ni en otro negocio temporal... [9].

Por muy interesante que resulte cualquiera de las transcripciones de los fueros castellanos o aragoneses, sería abrumador intentar ofrecer una amplia visión. Pero ya sólo con lo brevemente expuesto se comprende el carácter del levantamiento comunero en rehabilitación de sus fueros, y también el fundamento tradicional del empleo de las palabras Hermandad y Comunidad, así como el precedente histórico del concepto «comunal» en la Edad Media, con principio democrático, que surge como defensa del reino y deriva en movimiento subversivo de confederación de ciudades, con participación de todas las clases sociales. Y son precisamente estas confederaciones, de tan marcada orientación democrática, las que confieren legalidad a la revolución comunera, cuando eligen sus diputados y dan carácter de máxima modernidad a su viejo legado medieval.

Al leer las cartas donde las ciudades de Castilla hacen a Carlos V sus reclamaciones y quejas de los «contrafueros» realizados por los flamencos, vemos el paralelismo con los artículos del fuero antes citado como ejemplo. Así, en ambos casos, leemos: «Que

[9] La gran serie de disposiciones, a cual más interesante, de este fuero pueden verse completas en el cuaderno de dicha Hermandad, transcrito por Marina en *Teoría de las Cortes*, tomo III.

no se saque oro ni plata, ni caballos... que no se den cargos a extranjeros...»

Son derechos nacionales en los que se hallan de acuerdo los hidalgos, el pueblo trabajador y los clérigos. En realidad, en Castilla no se conocía la lucha de clases. En la psicología castellana, el concepto de «pueblo» tiene un sentido democrático tradicional, como ya hemos visto en *Las Siete Partidas.* Pero con la llegada de la nueva dinastía, que inaugura conceptos sociales y políticos nuevos en Castilla, se produce la desunión de las clases sociales, porque los consejeros de la Corona tuvieron la habilidad de trocar la oposición a Carlos, que era unánime, en un antagonismo entre los nobles y el resto del pueblo. Las dos fuerzas de Castilla quedaron desde entonces separadas, gracias a las intrigas de los gobernantes nombrados por Carlos. A partir de entonces, el pueblo y la nobleza quedaron colocados en polos opuestos, que el rey utiliza uno contra otro según su conveniencia. La fuerza de la representación popular ante el monarca sólo es tolerada como amenaza latente que compense la fuerza de la nobleza, y la Corona juega con ambos poderes según las circunstancias. El levantamiento de las Comunidades contra el reinado de los Habsburgo marca un hito en la historia social y política de España, no sólo por el intento de renovación reivindicatoria y luego revolucionaria que supone, sino también por la acción política de los consejeros de Carlos V, que desde entonces dividen al pueblo de Castilla e inauguran una lucha de clases, cuya latencia ha de persistir. Así resultó, como dijo el historiador López de Gómara en aquella época, que «los comuneros querían disminuir el poder del rey; pero en realidad aumentó mucho sobre la medida de lo que antes había sido».

La estrategia defensiva de los consejeros flamencos de Carlos fue dividir a los españoles, lo cual se vio ya bien claro en el soborno a algunos procuradores y las amenazas a otros, mientras procuraban atraer a los grandes nobles contra el resto del pueblo. Temían a la masa de aldeanos y artesanos agrupados en los gremios, pero más aún a la acción resuelta de los pequeños hidalgos de inquieta espada, a las pláticas de los clérigos que aprobaban el aspecto moral de las peticiones comuneras y, sobre todo, al prestigio de los intelectuales castellanos, profesores y alumnos de las universidades, que gozaban de grandes libertades a través de los fueros universitarios.

Para dar idea de los privilegios de que gozaban profesores y estudiantes, puede recordarse el fuero universitario o académico de Alcalá de Henares, por el que hubo un tiempo en que los estudiantes estuvieron facultados para elegir por votación, según la constitución cisneriana, a los catedráticos; privilegio que fue luego suprimido porque los estudiantes, divididos en grupos en torno a su profesor, le defendían como una verdadera guerrilla contra cualquier injusticia de los gobernadores. Los estudiantes estaban exentos de la jurisdicción ordinaria y sujetos a la autoridad y amparo del rector. De aquí procede el dicho popular, cuando alguien marchaba a Alcalá de Henares: «A Alcalá, que no hay justicia.» Lo cual no significaba que en Alcalá de Henares pudieran realizarse abusos o desmanes sin intervención de la justicia, sino que en esta ciudad los estudiantes disfrutaban, con sus profesores, de unos privilegios especiales [10].

Desde el principio, y durante todo el desarrollo del azaroso conflicto que se plantea en España a causa de las ideas de Carlos V y de sus consejeros flamencos, subsiste en los pueblos castellanos la esperanza de que el rey comprenda que lleva un camino equivocado y rectifique. A través de las car-

[10] Raymundo Tornero: *Datos históricos de Alcalá de Henares* (La Universidad Complutense, págs. 499-526).

tas que dirigen al rey las Comunidades, alienta un deseo de llevarle al terreno de lo que debe ser un rey de españoles. Es un punto inquietante de la cuestión, que deja entrever que el levantamiento fue provocado y constituyó una reacción lógica en un pueblo pleno de vitalidad. Menéndez Pidal, al plantear ese enfrentamiento de los idearios hispánicos ante la idea imperial de Carlos V, dice: «Los comuneros recuerdan al inexperto soberano continuamente el testamento de Isabel, impregnado de ideas contrarias a las de los flamencos de su Corte; el pueblo no es un rebaño esquilmable por el rey, sino que el rey se debe a la felicidad de su pueblo, el rey debe amoldarse a la índole de su pueblo» [11].

3. ATAQUE A SEGOVIA Y MEDINA POR LOS IMPERIALES. LA JUNTA SANTA DE LAS COMUNIDADES

Las Comunidades fraternizaban entre sí. Emisarios de unas y otras cruzaban al galope los caminos de Castilla para llevar cartas a los municipios. Ya había comenzado el levantamiento en Toledo, Segovia, Madrid, Avila, Salamanca, y se les sumaban progresivamente cada vez más villas y ciudades. Toledo era la cabeza, y a su iniciativa unificadora se formaría la Junta Santa comunera, cuya sede centralizadora se eligió por unanimidad que estuviese en Avila. Quizá por razones estratégicas, ya que se hallaba a mitad de camino entre las otras ciudades, por ejemplo, entre Madrid y Salamanca.

En principio, el levantamiento comunero era de carácter cívico, apoyado en sus derechos con arreglo a fueros, y pacífico hasta el extremo de esforzarse en hacer ver a Carlos V que debía reinar de acuerdo con los intereses de España y seguir una política de

[11] Ramón Menéndez Pidal: *La idea imperial de Carlos V*.

bienestar nacional, económico y social, por lo que no debía permanecer ausente, ni permitir que el gobierno estuviese en manos de extranjeros, esos codiciosos del oro español y ajenos al amor y costumbres tradicionales del pueblo, tan mirado por Isabel y Fernando, de quien, a fin de cuentas, Carlos había recibido la oportunidad de reinar en España a través de su madre doña Juana. A los españoles les resultaban indiferentes los problemas de Flandes o los anhelos imperialistas de los Austrias. La política exterior de Castilla ya tenía bastante que hacer en América y en Africa, a tenor del testamento político de la reina Isabel. El ansia tradicional de Castilla era abrirse horizontes a través de su realización: Castilla la Vieja, Castilla la Nueva, Castilla Novísima o Andalucía, para asomarse al Mediterráneo y al Atlántico en su camino reconquistador desde Santander a Cádiz, a las costas andaluzas de la Novísima Castilla. Y seguir siempre en busca de más horizontes, hasta América, donde sembrar a voleo la cultura, los ideales, el ansia de libertad que sería un legado, como la sangre transfundida sin prejuicios discriminatorios (Hernán Cortés apadrinó a dos de sus capitanes en su casamiento con las hijas de un cacique mexicano).

El pensamiento de Castilla en aquella época estaba muy lejos de la política del joven Carlos, el cual tenía los pies apoyados en España y el corazón en Flandes. Los comuneros querían que tuviera también el corazón en España, pero eso no lo entendían los consejeros flamencos, quienes pensaban, desde su punto de vista psicológico, que Carlos había heredado la «propiedad» de España, según el concepto del boato de Flandes y los Habsburgo, hasta sentirse como dueños y no como huéspedes en España, con todos los derechos y ningún deber respecto a los austeros españoles. Desde el punto de vista de las Comunidades castellanas, en cambio, Carlos heredaba la Corona, la facultad de reinar sobre los hombres de España «si ellos le proclamaban», requisito ineludible, con la condición previa de que jurase cumplir unas libertades y derechos o, en fin, unas normas constitucionales garantizadas en los fueros. Aferrado cada bando a su punto de vista, no podían entenderse. El regente Adriano de Utrecht decidió recurrir a las armas, y entonces las Comunidades se armaron también. La guerra era inevitable.

La ofensiva del regente Adriano comenzó desde Valladolid, ciudad que en apariencia permanecía tranquila, sin unirse a la sublevación comunera. Allí se reunió con Adriano el Consejo Real para estudiar las medidas que debían tomarse ante la creciente subversión de las Comunidades. Decidieron que un alcalde de Corte, llamado Ronquillo, fuese con mil jinetes a someter la ciudad de Segovia. En la ejecución de esta medida tuvo el alcalde Ronquillo ocasión de acrecentar su fama ya bien ganada de hombre duro e intransigente, que ya había acreditado mientras fue juez de Valladolid, donde era temido por el pueblo.

Las noticias llegaron veloces a todas las ciudades castellanas, llevadas por los emisarios de las Comunidades. Así fue como Segovia recibió informes del ejército que se le venía encima y se dispuso a defenderse contra Adriano y las huestes capitaneadas por el alcalde Ronquillo. Los segovianos no querían recurrir a las armas contra la autoridad real, pero no tenían ya otra alternativa, porque no estaban dispuestos a consentir que les tomasen la ciudad por asalto como si fueran enemigos o traidores a la nación, cuando el sentir unánime del vecindario en todas sus clases sociales era considerarse como defensores del prestigio castellano contra la invasión, más o menos legalizada, de gobernantes y expoliadores extranjeros. Solamente necesitaban un buen capitán, un hombre que organizase al pueblo en armas y dictase medidas ante los futuros acontecimientos que pudieran desencadenarse. Fue elegido Juan Bravo como jefe de la Comunidad segoviana. También escribieron a las otras Comunidades de Castilla en petición de ayuda. Toledo envió al capitán de su Comunidad, Juan de Padilla, al frente de dos mil hombres de infantería. De Madrid llegó Juan Zapata, con cuatrocientos hombres de a pie y cincuenta de a caballo. Estos tres capitanes comuneros reunieron en Segovia sus huestes y unificaron el mando supremo militar en el caudillo toledano, Juan Padilla. El pueblo se hallaba decidido a morir como en Numancia antes de rendir Segovia al alcalde Ronquillo, el cual llegó con su ejército ante las murallas segovianas y puso sitio a la ciudad. Allí pudo coger prisionero a algún vecino de extramuros, y así tuvo noticia de que Juan Bravo había levantado en la Plaza Mayor de Segovia una horca destinada al alcalde Ronquillo, según podía leerse en un letrero clavado en ella. En respuesta, el soberbio Ronquillo ahorcó a cuantos segovianos cayeron en sus manos durante los primeros intentos de tomar la ciudad. Pero al fin las huestes de Ronquillo fueron completamente derrotadas, y él huyó a galope tendido hasta la villa de Arévalo, donde tenía casa y hacienda.

Mientras tanto, el cardenal Adriano y el Consejo Real, residentes en Valladolid, acordaron enviar refuerzos al alcalde Ronquillo, para lo cual designaron al señor Antonio de Fonseca como capitán general de las huestes que se reclutasen entre la gente de la Corte y leales a la causa del rey. Pero al intentarse el reclutamiento en Valladolid, el pueblo, que ya estaba inquieto y celebraba sus «juntas», se alborotó mucho más de lo que estaba, se reunió en sus ayuntamientos y envió a decir al cardenal Adriano que suspendiese Fonseca el pretendido reclutamiento, porque de Valladolid no había de sacarse gente ni armas contra Segovia, y que diera orden a Ronquillo de que se retirasen él y sus gentes de las tierras de la comarca.

El cardenal Adriano simuló contemporizar. Fonseca salió disimuladamente de Valladolid con un grupo de leales al gobierno del rey, a los cuales había podido reclutar, y fue directamente a reunirse en Arévalo con el alcalde Ronquillo. Allí organizaron su ejército hasta que se consideraron con fuerza suficiente para intentar apoderarse del parque de artillería que había en Medina del Campo y sacar los cañones que la villa no había querido entregar a Ronquillo cuando supo que pretendía bombardear con ellos a Segovia.

Cuando amanecía sobre Medina del Campo el día 21 de agosto, los vigías de la ciudad dieron la voz de alerta. El ejército real, mandado por Fonseca, se acercaba a las puertas de las murallas. Pronto comenzaron las negociaciones de Fonseca para que los medineses entregasen los cañones sin resistencia. Estos deliberaron sobre la contestación que debían dar, y entre unas y otras gestiones transcurrió aquel día. Decidieron no ceder; y desde la Plaza Mayor enfilaron los cañones apuntados en las bocacalles hacia el exterior de la ciudad. En vista de tal actitud, Fonseca dio la orden de ataque y su gente intentó entrar al asalto, pero los de Medina dispararon desde las calles su artillería, lo que obligó a los asaltantes a replegarse. Así fracasaron varios intentos. Entonces los de Fonseca comenzaron a incendiar las casas de las afueras arrojando alquitrán inflamado. El incendio se propagó con tal fuerza que ardieron pronto varias manzanas de casas. Sin embargo, los vecinos no intentaban apagar los fuegos por no distraer sus fuerzas de la defensa; y así dice un cronista de la época que «parecía como si fueran las casas de sus enemigos las que así ardían; no hicieron caso dello, ni aflojaron un punto de pelear ni defender la entrada»[12].

Ardió entonces gran parte de Medina del Campo. El fuego llegó a la Plaza Mayor, al monasterio de San Francisco y a la iglesia de San Antolín, con todas las casas de los alrededores donde los mercaderes tenían gran riqueza en brocados, sedas, tapicerías, joyas de oro, de plata y perlas, pues entonces Medina del Campo era un centro comercial muy floreciente en Castilla, con grandes depósitos de mercancías, y en suma, una población insigne que había sido de las predilectas de la reina Isabel.

Se produjeron numerosas víctimas, sobre todo por el incendio más que por las armas; entre las personas abrasadas hubo bastantes mujeres y niños, a quienes sorprendió el incendio en el interior de las casas. Pero al fin los atacantes se retiraron sin haber conseguido entrar en Medina, ni apoderarse de los cañones. Fonseca y Ronquillo volvieron a la villa de Arévalo, y de allí a Valladolid. El resultado de su intento fue doblemente negativo para la causa real, pues promovió muchas adhesiones a los comuneros de otras ciudades que hasta entonces habían permanecido indecisas en unirse a la causa comunera, pero en las que ahora se había suscitado una gran indignación al conocer el incendio de Medina del Campo. El gran espíritu de solidaridad nacional iba en aumento, y la oposición subía de grado contra el gobierno del rey conforme se recibían en otros municipios las cartas de Medina en petición de ayuda.

Vistos los sucesos con la mirada desapasionada de un extranjero, el embajador veneciano Gasparo Contarini, en su informe a su gobierno sobre el levantamiento de las Comunidades, surgió éste en su opinión cuando Antonio de Fonseca quiso castigar a Segovia con la artillería que había en Medina

[12] Pedro Mexía: *Relación de las Comunidades de Castilla,* cap. VI.

del Campo y, como no se la dieron los medineses, prendió fuego a los terrenos. Al extenderse el incendio, quemó gran parte de la ciudad, que se hallaba celebrando sus ferias, por lo que gran número de mercaderías llevadas allí se perdieron también en el incendio [13].

4. REPERCUSIONES DEL INCENDIO DE MEDINA DEL CAMPO

Juan de Padilla, como caudillo de las Comunidades, fue el primero en recibir una carta del municipio de Medina del Campo donde se le informaba de lo sucedido y se le pedía venganza. Entre las numerosas cartas que escribió Medina del Campo a las demás villas y ciudades a raíz de su tragedia, puede servir de ejemplo ésta dirigida a Segovia, que decía así:

«Después que no hemos visto vuestras letras, ni vosotros, señores, habéis visto las nuestras, han pasado por esta desdichada villa tantas y tan grandes cosas, que no sabemos por do comenzar a contarlas. Porque gracias a Dios, nuestro Señor, aunque tuvimos corazón para sufrirlas, no tenemos lenguas para decirlas. Muchas cosas desastradas leemos haber acontecido en tierras extrañas, muchas hemos visto en nuestras tierras propias, pero cosa como la que aquí ha acontecido a la desdichada Medina, ni los pasados ni los presentes la vieron acontecer en toda España... (Describe a continuación esta carta el ataque a Medina del Campo por las tropas de Fonseca y Ronquillo, así como la heroica defensa.)... El hierro de nuestros enemigos en un mismo punto hería en nuestras carnes y por otra parte, el fuego que-

[13] Gasparo Contarini: *Op. cit.,* vol. II.

maba nuestras haciendas. Y de todo esto no teníamos tanta pena como de pensar que con nuestra artillería querían ir a destruir la ciudad de Segovia...

No os maravilléis señores, de lo que os decimos, pero maravillaos de lo que os dejamos de decir. Ya tenemos nuestros cuerpos fatigados de las armas, las casas todas quemadas, las haciendas robadas, los hijos y las mujeres sin tener do abrigarlos, los templos de Dios hechos polvo y sobre todo tenemos nuestros corazones tan conturbados, que pensamos tornarnos locos...

Entre las cosas que quemaron estos tiranos fue el monasterio del Señor San Francisco, en el cual se quemó de toda la sacristía infinito tesoro, y agora los pobres frailes moran en la huerta, y salvaron el Santísimo Sacramento cabe la noria en el hueco de un olmo; de lo cual todo podéis, señores, colegir que a los que a Dios echan de su casa, mal dejarán a ninguno en la suya...»

(Fechada a 22 de agosto de 1520.)

Esta carta, cuyo prolijo contenido impide transcribirla en toda su extensión, no es tan interesante y sobre todo rotunda como la contestación que promovió de la Comunidad de Segovia, cuyo espíritu de hermandad sirve a un fondo político cada vez más definido para oponerse a lo que ya comienza a llamarse «tiranía» entre las ciudades cuando se referían al gobierno de Carlos V y sus regentes. Así contesta la ciudad de Segovia fraternalmente:

«Tened señores por cierto que pues Medina se perdió por Segovia, o de Segovia no quedará memoria, o Segovia vengará la de su injuria a Medina... Y desde aquí os decimos, y a la ley de cristianos juramos y por esta escritura prometemos, que todos nosotros por cada uno de vosotros pondremos las haciendas e aventuremos las vidas; y lo que menos es que todos los vecinos de Medina libremente se aprovechen de los pinares de Segovia, cortando para hacer sus casas madera. Porque no puede ser cosa más justa que pues Medina fue ocasión de que no se destruyese Segovia, que Segovia dé sus pinares para que se repare Medina...»

En Valladolid tuvieron noticias del incendio de Medina el mismo día que Fonseca se retiraba derrotado. La justa furia de los vallisoletanos rompió ya todo disimulo y dejó de contemporizar con el cardenal Adriano y el Consejo Real, residentes allí. La campana del municipio y de las iglesias hicieron llamada de urgencia, y el pueblo corrió a la Plaza. Pronto se hicieron con las armas más heterogéneas, y cada vez llegaba más gente de todas partes de la ciudad, hasta reunirse unos cinco o seis mil hombres. Tumultuosamente se dirigieron al rico caserío del procurador Pedro de Portillo, acaudalado mercader, que huyó con el tiempo justo poco antes de que asaltasen su casa. Destruyeron todo a su paso por las habitaciones y al fin prendieron fuego al edificio, aunque luego apagaron el incendio para que no se propagase. Fueron después a la casa del otro procurador que había representado a Valladolid en las últimas Cortes de La Coruña y comenzaron a derribar la vivienda, hasta que unos frailes franciscanos les rogaron, ya a media noche, que cesasen en sus iras. De allí fueron los amotinados a la casa de Gabriel de Santiesteban y a la de Antonio Fonseca, que hicieron arder durante toda la noche.

A la mañana siguiente se reunieron los principales comuneros de Valladolid en la iglesia de la Santísima Trinidad, llamaron a los caballeros de la ciudad y, todos de acuerdo, eligieron nuevos regidores y diputados. El primer acto de gobierno fue enviar mensajeros a Medina del Campo para ofrecerles socorro. También reclutaron dos mil hombres de armas, a sueldo, y nombraron procuradores para que representasen a Valladolid en la Junta Santa de las Comunidades, instalada en Avila.

Ante tales acontecimientos, el cardenal Adriano temió excitar más las iras del pueblo de Valladolid, por lo que mandó pregonar que el capitán Fonseca debía abandonar la ciudad y licenciar a sus gentes de armas. Con tal orden, bien pregonada para que todo el mundo la oyese, pretendía el regente congraciarse con el pueblo, engañosamente, mientras ganaba tiempo; pues la verdad es que ya Fonseca y Ronquillo habían huido disfrazados hacia la frontera de Portugal para embarcarse en Lisboa rumbo a Flandes, donde harían presente a Carlos V las azarosas empresas en las que habían tomado parte y la necesidad de que el emperador dictase una enérgica represión.

Mientras tanto, en Burgos había tranquilidad gracias a la política conciliadora del regidor don Iñigo de Velasco, aunque en el fondo éste era partidario del gobierno realista; si bien no pudo impedir que, al conocerse los sucesos de Medina del Campo, volvieran a estallar motines de protesta. El obispo de Burgos era hermano del funesto capitán Antonio Fonseca, por lo que el pueblo burgalés acudió ante el palacio episcopal, en el que hicieron algunos destrozos. El obispo huyó sin más consecuencias.

Algo parecido ocurrió en Palencia, coincidiendo además con haber sido recientemente designado como obispo el que antes lo había sido de Badajoz y que había ostentado el cargo de consejero real en las Cortes de Santiago y La Coruña.

En todas las villas y ciudades de Castilla creció con renovado vigor la protesta general, lo mismo que su alistamiento en la Santa Junta de Comunidades, cuya simpatía se extendía en un radio cada vez mayor, fuera ya de Castilla, por Galicia, Extremadura, Andalucía. En León, Toro, Zamora y Salamanca, con su gran demarcación, hacía ya tiempo que se fraternizaba con Madrid, Toledo, Avila, Segovia, Valladolid, Guadalajara, Soria, Ciudad Rodrigo y Murcia, y se insistía en la necesidad de una acción patriótica y revolucionaria que instituyera una democracia nacional, no imprescindiblemente antimonárquica, según se planteaba al principio, pero sí contraria a la política flamenca e imperialista de Carlos V. Por eso las ciudades no dudaron en enviar representantes y procuradores a la Santa Junta de Avila, cuya acción reivindicatoria tenía cada vez menos carácter de revuelta y más significado de renovación política. No se trataba de anular al rey, sino de que el poder de éste fuese el que legítimamente le correspondía, sin merma de los derechos ciudadanos que garantizaban al pueblo los fueros. Pero alienta también en esta revolución comunera un impulso de continuar esa línea evolutiva que parece apuntar hacia una cierta transformación social sobre bases más justas. Es la época en que el humanismo se abre paso con una pujanza incontenible que nadie se atreve a contradecir; y su espíritu filosófico es como una progresión geométrica que sobrepasa el paralelismo de la progresión aritmética de la ruta política. Por eso la revolución comunera, con su alma humanística, tiene sus mejores defensores en los hombres de letras, celosos de la dignidad humana, y en los pequeños hidalgos que, a pesar de su debilidad económica, tienen un sentido heroico de la existencia. Es en todo caso el inconsciente impulso democrático que anhela el eterno afán de libertad humana; y por la misma causa, aquella alta aristocracia, palaciega y no heroica, tan ignorante como el señor de Chievres, que rayaba en lo anecdótico, y más dada a las fiestas cortesanas que a la difusión de la cultura, no ve con buenos ojos el auge de las ideas de los comuneros de Castilla, porque en todo ello se adivina un peligro de transformación de los valores sociales, políticos y económicos.

Al igual que existe una latente escisión entre la pequeña y la gran aristocracia, es decir, entre el hidalgo y el gran señor, también entre la gente de Iglesia se pone de relieve entonces un oculto antagonismo entre el opulento dignatario, el influyente en la política, que debe su cargo a la intriga, y el pobre fraile o el modesto clérigo que viven al pie de la fe. Estos, como el pequeño hidalgo, alientan en el sueño de acciones heroicas y desinteresadas y se encajan en el aspecto altruista y esforzado de militantes de las Comunidades. Toda revolución tiene su romanticismo, por muy positiva que parezca en sus aspiraciones y el movimiento de los comuneros de Castilla tuvo un gran porcentaje de idealismo democrático y acción humanística que se adelantaba filosóficamente a lo que daba de sí la época en su realidad política. Por eso el movimiento político de las Comunidades irrumpe de una forma similar a la del Renacimiento, en cuanto ambas revoluciones, una cultural y otra política, son ruptura y renovación, para lograr un nuevo orden de valores.

La rebelión no comenzó como antimonárquica, sino como antiabsolutista. Pero ante la intransigencia del gobierno de Carlos V, los ciudadanos evolucionaron hacia algo impreciso, que se parecía a un reino sin rey y caminaba sin clara conciencia hacia la República, como cauce más humanístico, evolucionado y viable del sentido político auténticamente nacional que propugnaban las Comunidades de Castilla, las cuales terminaron al fin por repudiar primero a un rey que no sabía hablar español, después a una dinastía extranjera. Finalmente llegaron a comprobar que no era imprescindible el régimen monárquico, que resultaba sólo aceptable con reyes como Isabel y Fernando, de feliz memoria en cuanto llevaron a cabo una política de auténticos intereses nacionales, por sus ordenanzas sociales y el acercamiento que lograron al pueblo, hasta hacerlo participar en cierto modo en la soberanía a través de los procuradores elegidos en los municipios de entre los hombres más capacitados, hombres de mérito y no de privilegio. Todo un programa genuinamente español que las Comunidades deseaban seguir adelante, con rey o sin rey, pero con auténtico sentido de modernidad política.

V

LA SANTA JUNTA EN TORDESILLAS

1. DOÑA JUANA, LOS COMUNEROS Y EL ULTIMATUM AL REY

Con el empaque de su nombre completo, Avila *de los Caballeros* era inexpugnable por sus altas y gruesas murallas, con las grandes puertas almenadas, tan bien conservado todo hasta nuestros días, que aún hoy son la sorpresa de quien por primera vez llega ante esta ciudad que tiene fama de ser la mejor amurallada del mundo.

La situación estratégica de Avila, a mitad justa del camino entre Salamanca y Madrid, era un buen emplazamiento centralizador para sede de esa corporación con aspiraciones de carácter nacional que las Comunidades de Castilla denominaron su Santa Junta; en realidad una fórmula para expresar la fuerza de los municipios frente al poder real. El presidente, don Pedro Lasso de la Vega, y el capitán general del ejército Juan de Padilla presidieron la primera asamblea de representantes enviados por las ciudades. Entre ellos figuraban los de Valladolid, no obstante ser dicha ciudad la corte del cardenal Adriano, máxima cabeza visible del antagonismo comunero; Burgos, a pesar de sus indecisiones originadas por la hábil política del regidor Velasco entre el pueblo y la nobleza; Madrid, cada vez más importante a partir de la capitalidad que le diera Cisneros; Toledo, germen del levantamiento de las Comunidades; León, con su tajante modo de actuar en pro de la causa comunera; Segovia, que había ya resistido con las armas el cerco de los imperialistas; Medina, la heroica; Salamanca, tan letrada; Avila, con representaciones municipales, aparte de residir en ella la sede de la Junta; Cuenca, a pesar de la sangrienta venganza de su regidor contra los comuneros conquenses; Soria, Toro, Guadalajara, Murcia, Ciudad Rodrigo... Aquello representaba un efectivo poder, un auténtico proyecto constitucional. No una revolución anárquica, como se ha dicho a veces, sino la puesta en marcha de un programa político. Eso ya supieron verlo el cardenal Adriano y el Consejo Real. Y temieron que los comuneros se apoyasen legalmente en doña Juana, como reina auténtica, con vigencia aún para salir de su aislamiento y figurar nominalmente como rehabilitada por las Comunidades. Por lo cual, parece ser que Adriano y su gobierno intentaron evitar todo contacto entre los comuneros y la reina, recluida en Tordesillas y al cuidado de los marqueses de Denia. Pero el primer acuerdo que tomó la Junta Santa fue adelantarse al cardenal Adriano y marchar con su ejército sobre Tordesillas, para establecer contacto con la reina doña Juana e intentar ponerla al corriente de los desgraciados acontecimientos en que se veía sumido el reino desde la muerte de su padre, el rey don Fernando. Quizá la reina necesitaba ser hasta cierto punto «liberada». Ante todo, los comuneros querían saber cuánto había de cierto en el supuesto estado mental de doña Juana y su imposibilidad para ser la reina efectiva.

Padilla y Bravo, con todos los jefes comuneros, al frente de sus gentes de armas, tomaron pacíficamente posesión de la villa de Tordesillas el 31 de agosto de 1520, sin que el marqués de Denia opusiera resistencia. Con banderas desplegadas y al son de tambores, llegaron ante la plazuela donde estaba el palacio en que residía la reina.

La leyenda dice que doña Juana los vio llegar desde un balcón que aún puede verse airosamente recortado en lo alto del torreón circular. El interior del torreón es un prodigio de escalera de caracol en piedra, por la que sólo cabe una persona, hasta llegar a lo alto, al mirador, donde solía asomarse doña Juana. Desde aquella altura es impresionante contemplar el curso del Duero y la gran campiña, hasta perderle en el horizonte. Hay en lo alto del torreón dos poyetes de piedra, pulida por el uso, a uno y otro lado del interior del balcón, donde se dice que solía sentarse a meditar doña Juana, perdida la vista en la inmensa llanura de Castilla. En la planta baja hay una capilla, con una magnífica escultura yacente sobre el sarcófago de don Fernando Aderete, comendador de la Caballería de Santiago, que murió en Granada y fue enterrado aquí. Contiguo a este antiguo palacio, hoy convertido en iglesia, se halla el edificio donde fue firmado el convenio de la famosa línea de Tordesillas. A cualquier persona que se pregunte en Tordesillas sobre la casa donde estuvo doña Juana, señala inmediatamente el palacio de la alta torre cilíndrica, que hoy, con su capilla, se halla unida a la iglesia del pueblo. Todo el mundo afirma, como legado de tradición oral de unas generaciones a otras, que «allí estuvo *presa* doña Juana» y que se la veía a veces, apoyada su figura junto al mirador del torreón. Pero también estuvo en el cercano palacio real de la Edad Media, convertido en monasterio de Santa Clara, donde aún se conserva el clavicordio que solía tocar. Es curioso igualmente otro clavicordio más moderno que le trajo su hijo Carlos cuando vino de Flandes. Pero este palacio que edificó don Pedro I de Castilla y que fue magnífico exponente del arte mudéjar y gótico, se desdibuja, pese a toda su gran prestancia histórica más antigua, ante el recuerdo emotivo y más reciente de doña Juana, esa legendaria figura atormentada, cuya evocación se sobrepone a todas las otras realidades históricas anteriores de este magnífico monasterio de Tordesillas, que tuvo como primera abadesa a doña Beatriz, hija de don Pedro I de Castilla y de doña María de Padilla. Porque, antes de ser monasterio, el edificio fue un palacio del rey don Pedro, donde estuvo antes de trasladarse a Sevilla con su amante María de Padilla y en cuyo recinto nacieron dos de sus hijos. Por eso, el lujo de este monasterio es el de un palacio de la época, y su patio árabe, cuadrado, con un corredor de columnas y arcos de herradura, recuerda el gusto que imperó en la construcción del Alcázar de Sevilla. Los baños árabes de sus sótanos desaguaban por una conducción en el Duero, el cual pasa por debajo y debió de bañar entonces los primitivos murallones, que sin duda encerraban un complejo de casas perteneciente al rey don Pedro, al igual que sucedía en el Alcázar de Sevilla. Luego, al ser convertido en monasterio y sufrir diversas reformas en el transcurso de los años, albergó sucesivamente notables damas de la realeza española, viudas ilustres como la de don Alvaro de Luna, que se recluyeron o se hospedaron tras estos muros. Pero ninguna dejó tan permanente incentivo evocador para la musa popular como la nostálgica enamorada doña Juana, que vivió allí más o menos «presa» dieciocho años; primero por reclusión forzosa en el palacio, y después, ya indiferente a todo interés mundanal, en el monasterio. Pero en tiempos de los comuneros, aún doña Juana debía esperar algo impreciso, quizá un cambio de su destino, cuando se asomaba al balcón a otear el horizonte de Castilla. Allí fue donde la vieron al llegar a Tordesillas los comuneros.

El cronista Mexía dice que los comuneros fingieron ver que la reina les hacía señas desde un balcón para que se apeasen de los caballos y entrasen los capitanes en el palacio. De una u otra forma, el caso es que los caudillos comuneros, a los dos días de su entrada en Tordesillas, fueron recibidos en el palacio por la reina, a la que besaron con respeto la mano. Seguidamente, le hicieron un prolijo relato de los acontecimientos, sobre todo respecto a la actuación de los consejeros y privados de su hijo el emperador, lo cual promovía grandes escándalos, según le explicaron. Ellos estaban allí para hacérselo saber y suplicarle que mandase poner remedio, en la seguridad de que sus órdenes las harían ellos cumplir, pues para eso traían ejército; así también le rogaron que mandase venir a Tordesillas a los procuradores de las villas y ciudades con voto en Cortes, que se hallaban reunidos en Avila.

Ya la Santa Junta había tomado el acuerdo en Avila de considerar destituido al cardenal Adriano, al que por ser extranjero le estaba taxativamente vedado ejercer el cargo de regente de Castilla. Así, la Junta de las Comunidades había comenzado a restablecer el estado de derecho, de acuerdo con los fueros y las más fundamentales leyes de Castilla.

Ahora, en Tordesillas, el apoyo legal que, desde el punto de vista de la realeza y de la aristocracia, podía suponer la entrevista con la reina doña Juana confería a las Comunidades el carácter de una sublevación legal y necesaria.

El que esta entrevista se celebrase el 2 de septiembre, a los dos días de haber entrado en Tordesillas (31 de agosto) los comuneros, parece probar que no fue un hecho forzado y sobre la marcha al irrumpir en la villa, como da a entender el cronista Mexía, atento a presentar los hechos desfavorablemente a los comuneros. Y aunque reconoce que doña Juana escuchó la plática de los comuneros, dice:

«Contestó con palabras humanas y generales, pero no que atase y concluyese cosa alguna en ellas, como aquella que por su falta de juicio no tenía cuenta en cosa que tocase a la gobernación y regimiento; pero ellos, por seguir su opinión, interpretaron lo que había dicho y añadiendo lo que no dijo, como les pareció, escribieron muchas cartas y publicaron por el reino que la Reina se había holgado con su venida, y que mandaba que los Procuradores de las ciudades que estaban en Avila viniesen allí; y enviaron falsos testimonios de notarios y escribanos que para ello llevaban...»

El hecho es que la reina se manifestó completamente cuerda y no desvarió en nada, quizá, como dicen los cronistas, porque casualmente se hallaba en uno de sus períodos de lucidez, pero es indudable que mostró interés por todo lo que los capitanes comuneros le informaban y ratificó el nombramiento de Padilla como capitán general. Este cursó un llamamiento a los procuradores de la Santa Junta de Avila para que viniesen a Tordesillas, adonde en lo sucesivo, junto a la reina, iba a ser trasladada dicha Junta.

El marqués de Denia fue destituido en su cargo de cuidar a la reina, reemplazado por un leal a las Comunidades. Hubo fiestas en Tordesillas para agasajar a la reina y celebrar el éxito de las Comunidades. Padilla reunió su ejército y se dirigió a tomar Valladolid, donde, a pesar de hallarse el cardenal Adriano y el Consejo Real, los comuneros esperaban ser bien recibidos por el vecindario.

Los comuneros entraron en Valladolid y se apoderaron del cardenal Adriano y de algunos miembros del Consejo Real que no lograron huir. Padilla dejó en libertad al cardenal Adriano, pero se incautó del sello real. A continuación, dejó la ciudad de Valladolid en manos de representantes de las Comunidades, con gran satisfacción popular, y emprendió su retorno a Tordesillas. En el camino de vuelta, al pasar por Simancas, cercana a Valladolid, cometió el error de subestimar su importancia y siguió de paso sin ocupar la importante fortaleza, donde más tarde organizarían los imperialistas el centro de las actividades gubernamentales contra los comuneros.

En Tordesillas, la reina doña Juana no rehusaba cambiar impresiones con los componentes de la Santa Junta y parecía que se identificaba con las aspiraciones de las Comunidades contra los abusos de los flamencos y su falta de respeto a lo que representaba la continuidad de la política española de sus padres, apoyados siempre en el afecto del pueblo. Pero la reina, que se manifestaba con tanto interés y buen juicio en pro de Castilla, entraba a veces en lagunas de abatimiento profundo. Y así, tras su vivaz actitud, después de haber mostrado gran simpatía por el movimiento de las Comunidades, como lo prueba su nombramiento a Padilla de capitán general, cayó luego en grave depresión de ánimo y se negó a firmar como reina de España los documentos que le presentaban los comuneros, quienes sin duda deseaban anteponerla de manera efectiva y con actos de gobierno a su hijo Carlos V, aunque hasta entonces, cuando Adriano firmaba una disposición, hacía que formulariamente no faltase al pie el nombre de doña Juana junto al de Carlos.

No podrá saberse nunca si los comuneros pensaron, al poner en actividad política a doña Juana, en anular a su hijo Carlos V; o si deseaban sólo que el rey volviese a España y se hiciera cargo del reino de forma directa y al gusto de los españoles. El caso es que la Santa Junta escribió en Tordesillas una carta a Carlos V de forma suplicatoria, pero que era en el fondo una enérgica coacción, de tal firmeza, que dejaba entrever la fuerza necesaria para imponer condiciones y hacer unos ruegos que más bien parecían órdenes. La carta, que fue enviada con dos emisarios a Flandes, era psicológicamente un ultimátum en sus tajantes capítulos, entre los cuales extractamos a continuación lo que parece más interesante por su carácter social y político:

Que el rey volviera pronto al reino para residir en él como sus antecesores, y que procurara casarse cuanto antes para que no faltara sucesión al Estado.

Que cuando viniera no truxera consigo flamencos ni franceses, ni otra gente extranjera, ni para los oficios de la real casa, ni para la guarda de su persona, ni para la defensa de los reinos.

Que se suprimieran los gastos excesivos, y no se diera a los grandes los empleos de hacienda ni del patrimonio real.

Que los gobernadores puestos en su ausencia fuesen naturales de Castilla y a contentamiento del reino.

Que no se cobrara el servicio votado por las Cortes de La Coruña contra el tenor de los poderes que llevaban los diputados...

Que los procuradores que fueren enviados a las Cortes no puedan por ninguna causa ni color que sea recibir merced de Sus Altezas, ni de los reyes sus sucesores que fueren destos reinos, de cualquier calidad que sea, para sí, ni para sus mujeres, hijos ni parientes, so pena de muerte y perdimiento de bienes... porque estando libres los procuradores de cobdicia y sin esperanza de recibir merced alguna, entenderán mejor lo que fuere servicio de Dios, de su rey y del bien público...

Que no se saque destos reinos oro ni plata labrada, ni por labrar.

Que separe los consejeros que hasta aquí había tenido, y que tan mal le habían aconsejado, para no poderlo ser más en ningún tiempo: y que tomara a naturales del reino, leales y celosos, que no antepusieran sus intereses a los del pueblo.

Que los alcaldes fueran residenciados cuando dejaran las varas, y que no hubiera corregidores sino en las ciudades y villas que los pidieren...

Que no se consintiera predicar bulas de cruzada ni de composición sino con causa verdadera y necesaria, vista y determinada en Cortes, y que los párrocos y sus tenientes amonesten, pero no obliguen a tomarlas.

Que a ninguna persona, de cualquier clase y condición que fuere, se dieran en merced indios para los trabajos de las minas, y para tratarlos como esclavos; y se revocaran las que se hubiesen hecho...

Que se revocaran igualmente cualesquiera mercedes de ciudades, villas, vasallos, jurisdicciones, minas, hidalguías, que se hubieren dado desde la muerte de la Reina Católica, y más las que habían sido logradas por dinero, y sin verdaderos méritos y servicios.

Que no se vendieran los empleos y dignidades.

Que se despidiera a los oficiales de la real casa y hacienda que hubieran abusado de sus empleos, enriqueciéndose con ellos más de lo justo, con daño de la República o del patrimonio.

Que todos los obispados y dignidades eclesiásticas se dieran a naturales destos reinos, hombres de virtud y de ciencia, teólogos y juristas, y que residan en las diócesis.

Que se anulara la provisión del arzobispado de Toledo, hecha en un extranjero sin ciencia ni edad...

Que los señores pecharan y contribuyeran en los repartimientos y en las cargas vecinales, como cualesquiera otros vecinos.

Que tuviera cumplido efecto todo lo acordado al reino en las Cortes de Valladolid y La Coruña.

Que se procediera contra Alonso de Fonseca, el licenciado Ronquillo... y los demás que habían destruido y quemado la villa de Medina.

Que aprobara lo que las Comunidades hacían para el remedio y la reparación de los abusos...

Al llegar los mensajeros a Flandes con esta carta, el rey se hallaba en Alemania. Uno de ellos fue hasta Worms y logró entregársela, mientras el otro permanecía en Bruselas. Lo primero que hizo Carlos al recibir esta carta fue encarcelar al mensajero. El otro logró huir y regresar a España al conocer la suerte de su compañero. No en balde el nefasto Fonseca y Ronquillo, a los que más perjudicaba la carta, estaban en Flandes y se habían adelantado para ofrecer al rey su versión de los hechos y disponerle en su favor. También había recibido Carlos otras misivas de España, enviadas por Adriano, en las que le aconsejaba que hiciera concesiones a los miembros de la alta aristocracia española para separarlos de las Comunidades. Era un consejo que también ratificaba el condestable Iñigo de Velasco en otra carta, fechada a 4 de septiembre, donde advertía al rey que los comuneros «os han tomado la justicia y las fortalezas y todo lo que hay».

La astuta maniobra para separar a los comuneros entre sí fue bien acogida en Flandes. Carlos envió disposiciones a España con la intención de atraerse a la alta nobleza, la cual se opondría desde entonces con toda su fuerza a los comuneros. La queja fundamental de los nobles era precisamente el verse apartados del gobierno a causa del favoritismo inicial de Carlos con respecto a los flamencos. El rey ordenaba ahora que, junto al cardenal Adriano, hubiese dos grandes magnates castellanos; uno, el condestable Iñigo de Velasco, cuya hábil política en Burgos, como regidor, había mantenido a la ciudad en una situación al menos nominalmente leal a Carlos, pese a los chispazos de reacción popular que de vez en cuando se habían producido. El segundo de los designados era don Fadrique Enríquez. Los dos recibieron el cargo de gobernadores de España para formar junto al cardenal Adriano una especie de triunvirato virreinal.

2. LA TENDENCIA DEMOCRATICA Y LA REACCION DE LA NOBLEZA

Diríase que en algunos momentos la orientación política del movimiento comunero parecía derivar inconscientemente hacia normas institucionales de tipo republicano. En el fondo lo que menos importaba ya era el rey, aunque entonces no se comprendía una nación sin monarca. La realidad era un reino sin rey, mientras los comuneros se hacían dueños de la situación. Quienes de veras tenían importancia social y política para el movimiento comunero eran los representantes de las provincias reunidos en junta, es decir, la fuerza unida de los diputados en Cortes, capaz de dictaminar lo que era preciso hacer o deshacer en el reino. Por otra parte, ya se habían pronunciado bien claramente y por escrito en el sentido de que no debía el rey conceder mercedes a los diputados, lo cual era tanto como advertirle que no intentase comprarlos; y que los grandes señores contribuyeran en las cargas vecinales «como cualquier vecino».

La tendencia democrática se hacía evidente. La orientación de los comuneros rebasaba ya las primeras peticiones al rey de que no hubiera extranjeros en el gobierno, que no se vendiesen los empleos, ni se sacase moneda. Ahora, querían no sólo anular todo lo hecho por el gobierno de Carlos V, sino instaurar nuevas normas de un carácter tan democrático que muchos elementos de la nobleza, al principio simpatizantes con el movimiento comunero, comenzaron a desconfiar. Otros que hasta entonces habían permanecido indecisos se inclinaron hacia la causa real, en la que, al menos, creían ver mejor garantizada su tradicional superioridad. Y aunque no faltaron apasionados partidarios de los comuneros entre las más ilustres familias aristocráticas, como, por ejemplo, en León, los inquietos Guzmanes, que con su influjo arrastraban tras sí comarcas enteras en pro del movimiento de las Comunidades, la actitud general de la alta nobleza fue interponer su poder en favor de la causa real, a compás de la mayor desviación de las Comunidades hacia la democracia. Un ejemplo bien claro está en el cambio de conducta de Burgos, en un lento proceso desviacionista de los comuneros para congraciarse finalmente con el rey y su gobierno.

Aquel don Iñigo de Velasco que había sido regidor de Burgos pero que tuvo que huir disfrazado para refugiarse en Briviesca se decidió a volver a Burgos cuando recibió el nombramiento de gobernador del reino. Para prepararse el terreno, envió mensajeros a los amigos que tenía en Burgos, quienes le ganaron partidarios entre el vecindario a fuerza de dádivas. Así puede explicarse cómo una ciudad fraternalmente vinculada a las Comunidades tributó a Velasco un favorable recibimiento cuando volvió a Burgos. Lo primero que hizo éste fue pregonar que serían perdonados los antiguos disturbios y que el rey haría concesiones.

Burgos escribió a la Santa Junta una extensa carta donde justificaba su actitud y declaraba quedar separada de dicha Junta (véase Apéndice 11). También se envió al rey una carta de adhesión. Carlos contestó que conocía todas las alteraciones acaecidas, pero que Burgos, como cabeza de Castilla, obedeciese a los gobernadores del reino y:

«... por lo que toca al perdón y a las otras cosas que esta ciudad pide como cabeza de Castilla para que se desagravien de las cosas de que los reinos están agraviados, que se diputen personas que vayan a hablar con el Condestable...»[1].

Roto ya el hielo, se cruzan varias cartas entre Burgos y el rey, el cual se manifiesta cada vez más satisfecho por la ruta tomada por Burgos. Los mensajeros van y vienen de Castilla a Flandes y Alemania con mayor asiduidad. En las últimas cartas, Carlos se refiere a Burgos ya con el nombre de «su ciudad más leal» y en la de fines de marzo llega a la redundancia de llamarla «muy más leal». En todas ellas el rey le promete mercedes y se muestra muy agradecido. Ya había recibido Burgos anteriormente un escrito del emperador en el que, después de enumerar todas las circunstancias, otorgaba un perdón general a la ciudad y a la provincia (véase Apéndice 12). Este perdón general había sido leído a voces por los pregoneros a través de toda la ciudad; una hábil medida de Velasco para que todos aquellos vecinos que permanecían remisos y temerosos depusieran su secreta oposición, al ver que ya nadie iba a ser castigado por los pasados desvíos. No tardó el gobernador Velasco en reunir varios altos nobles en Burgos; destacaban el duque de Medinaceli, el conde de Aguilar, el de Elche, el arzobispo de Granada y varios miembros del Consejo Real. El Ayuntamiento fue reorganizado, se nombraron nuevos regidores y se reclutaron tropas para formar un fuerte ejército contra los comuneros, cuya Junta seguía instalada en Tordesillas.

A partir de entonces se establece una pugna entre Burgos como cabeza tradicional de Castilla y las Comunidades. La fisura que la hábil política de los consejeros del rey había creado con el acercamiento de los nobles y la adhesión de Burgos, hizo más daño

[1] Primera carta del Emperador a los burgaleses. Véase la segunda, completa, en Apéndice 12.

a la causa de las Comunidades que los actos de fuerza. El impacto psicológico de Burgos en otras provincias limítrofes, tradicionalmente hermanadas, surtió un efecto muy desfavorable a los comuneros.

Velasco pidió artillería a Navarra, ya que el parque de Medina del Campo estaba por los comuneros. Al frente de las tropas puso a su hijo, el conde de Haro. El castillo de Burgos continuaba defendido por los hombres del municipio comunero, y su alcaide se negó a rendirse. Tras haberlo cercado, hubo negociaciones en las que parece que Velasco ofreció dádivas al alcaide. Sea como fuere, el castillo quedó, sin derramamiento de sangre, en manos de Velasco. Y aunque al vecindario de Burgos no le gustó la entrega del castillo y se oyeron algunas voces airadas en los corrillos de la Plaza, nadie se atrevió a meterse en verdaderos disturbios ni hubo levantamientos de protesta como en otras ocasiones. Sin embargo, más o menos secretamente, subsistían numerosos partidarios de los comuneros. Fuera de la ciudad, en los pueblos de los alrededores, el conde de Salvatierra, que era el caudillo de los comuneros, pretendió atacar la ciudad, pero tuvo que desistir. Así, con todo Burgos en su poder y el apoyo de gran parte de la alta nobleza, los gobernadores del rey iniciaron su campaña como una guerra auténtica contra la Santa Junta.

Mientras tanto, el cardenal Adriano, que había permanecido vigilado pero totalmente libre en Valladolid gracias a la magnanimidad de Padilla, en cuanto se enteró del buen cariz que tomaba la causa imperial en Burgos, escapó de Valladolid disfrazado de aldeano y se unió en Medina de Rioseco a varios nobles que allí concentraban sus gentes para formar ejército al servicio del rey. Habían llegado el marqués de Astorga, el conde de Benavente, el conde de Lemos, con todas sus gentes, que se unieron a los reclutados en Burgos por el conde de Haro, quien había tomado el mando supremo, recién concedido por su padre en Burgos, como capitán general de todas las fuerzas imperialistas.

Con Adriano en Medina de Rioseco y Velasco en Burgos, ya sólo faltaba el tercer regente del triunvirato, el más conciliador, Fadrique Enríquez, que intentó de buena fe negociaciones, fracasadas por la desconfianza que provocaban en los comuneros los actos de los otros gobernadores. Al fin, Fadrique Enríquez se encaminó a Medina de Rioseco para reunirse con Adriano. Se habían perdido todas las posibilidades de resolver las cuestiones por medio de palabras. No querían ya esta solución los comuneros, ni mucho menos los imperiales, sino la de las armas, ahora que se veían reorganizados y con una fuerza capaz de oponerse a los comuneros. A éstos sólo les quedaba rendirse sin condiciones o la guerra total y definitiva. Dadas las circunstancias, estaban lógicamente en condiciones de ganarla, y la hubiesen ganado sin el menor género de dudas a no ser por las cosas que luego pasaron.

3. HACIA LA ANULACION DEL REY

Llegó a Tordesillas uno de los dos emisarios que los comuneros habían enviado a Flandes y contó su huida desde Bruselas al saber el encarcelamiento de su compañero y la actitud intransigente de Carlos V. Ante tales noticias, ya no cupo duda a los comuneros de que debían situarse resueltamente frente al rey. Se hacía preciso imponer la voluntad de las Comunidades por las armas y reducir a los imperiales a la obediencia nacional. En la Junta se acentuaba el carácter antidinástico, marcadamente democrático, con derivaciones claramente antimonárquicas en algunos elementos, que parecían dejarse llevar por el espejismo de las Repúblicas de Venecia y Génova, capaces de un buen gobierno sin rey. Tal posibilidad, sobre todo por el hecho de prescindir de un rey como cabeza visible del país, era en aquellos tiempos algo casi incomprensible para los no muy letrados; pero constituía el ideario de un pequeño sector avanzado entre los comuneros. Uno de los más destacados en este sentido parece ser que fue el obispo Acuña. Oficialmente el movimiento siguió en la misma línea de respeto a la forma monárquica de gobierno, pero en las órdenes que dictaban los comuneros y en los pregones no se nombraba ya para nada al emperador, sino a la reina y al reino.

Los jefes comuneros, situados ya como depositarios de la autoridad del reino, pasaron a considerar como traidor al triunvirato de los gobernadores, por lo que le enviaron una notificación requiriéndole perentoriamente para que rindiese Burgos y Medina de Rioseco a los representantes de las Comunidades. Los mensajeros presentaron en Burgos la notificación comunera al gobernador Velasco, el cual, astutamente, entregó dichos emisarios al conde Alba de Liste, cuyas viejas cuentas con los levantiscos comuneros hacían prever una cruel represalia; y efectivamente mandó ahorcar a uno de ellos, que era precisamente camarero de la reina doña Juana.

La efervescencia iba en aumento en Tordesillas; los preparativos bélicos y el trajín de tantas personas concentradas en la villa y en los alrededores le daban aspecto de gran ciudad, del que normalmente carecía. Raro era el día en que no llegaban hombres a ponerse bajo las banderas de las Comunidades. La Junta había cursado aviso a las villas y ciudades para que enviasen gentes de guerra. Y todas respondieron en más o en menos, según sus posibilidades, con el envío de compañías de a pie o de a caballo. Algunas venían ya con sus capitanes, como los mil hombres que envió Salamanca al mando del capitán don Pedro Maldonado.

Cada procurador o representante en la Junta se

encargaba de escribir desde Tordesillas a su ciudad en demanda de recursos. Por ejemplo, el de León, don Antonio de Quiñones, pidió que enviasen con urgencia caballos, armas y ropas. En León se ocupó de procurarlo todo don Ramiro Núñez de Guzmán, cuya gran influencia en la ciudad le facilitó recabar pronto lo solicitado. Los incidentes que se produjeron alrededor de esta ayuda resultan muy anecdóticos y retratan el ambiente de la época.

El envío de caballos y armas se reunió en el palacio de los Guzmanes. Allí fueron a recogerlo los criados de don Antonio de Quiñones para llevárselo a Tordesillas. A primeros de noviembre, con un tiempo ya bastante fresco, los criados salieron del palacio con la recua de caballos y el cargamento de armas y ropas hacia las afueras. Por las calles de Ruviana y Ferrería atravesaron la Puerta Moneda, donde comenzaba ya la carretera de Valladolid que conducía a Tordesillas. Como iban todos embozados por el frío y sólo pendientes del orden de la caravana, les cogió completamente por sorpresa una emboscada que cayó sobre ellos cuando ya iban a entrar en el puente del Castro. El grupo de atacantes estaba capitaneado por un jinete con hábito de clérigo. Era el canónigo Diego Valderas, un intrigante y violento imperialista que había regresado de Roma y obtenido la jubilación del cabildo leonés, empleando su apartamiento de la catedral en actividades tan mundanas que hacía gala de cruzar al galope la ciudad, siempre mezclado en alguna conspiración contra los comuneros. Fue reconocido en seguida por las víctimas de su emboscada, que volvieron heridos y maltrechos a casa del señor de Guzmán para contarle cómo les habían robado los caballos, el armamento y las ropas. En vista de todo esto, el de Guzmán presentó denuncia contra el audaz canónigo ante el cabildo de la catedral. Exigía que le obligasen a pagar una indemnización de mil maravedíes en compensación de los caballos, armas y ropas apropiadas. Tras muy prolijas deliberaciones, el tribunal eclesiástico condenó a Diego Valderas a la restitución de los caballos, armas y ropas y a perder la jubilación que le pagaban entre todos los canónigos a razón de un ducado de oro por cabeza. Sin embargo, el retraso en llegar los caballos y las armas a los comuneros, que era lo que perseguía Valderas, fue un éxito que se apuntó el intrigante canónigo ante el gobierno del rey cuando llegó la época de las responsabilidades. Los demás canónigos, que en su mayoría habían simpatizado con la causa de los comuneros, fueron sancionados.

Esta participación de la gente de Iglesia en el conflicto comunero, en mayor proporción a favor que en contra, resulta un vivo testimonio que nos da idea de la trascendencia del problema en el que todas las clases sociales hubieron de sentirse inmersas, incluso la más aislada por el carácter de su vida, monacal y eclesiástica.

El obispo Acuña contribuyó a la causa de los comuneros con tal dinamismo que llegó a reclutar gentes de armas incluso entre los clérigos de su demarcación zamorana. Respondió al llamamiento de la Junta de Tordesillas presentándose a la cabeza de un pequeño ejército, formado por unos quinientos jinetes lanza en ristre y más de mil peones, cuatrocientos de los cuales eran clérigos de su diócesis. Había también gran número de aldeanos y gentes comunes de Zamora, que le seguían con entusiasmo.

Es totalmente equivocado pensar que, al producirse el movimiento, tal o cual sector de la vida social de aquel tiempo estuvo de parte de los comuneros mientras otros seguían a los llamados imperialistas. En uno y otro bando hubo nobles, clérigos, campesinos y artesanos, ya que el problema que se planteó a los españoles de aquel tiempo desbordaba todo sentimiento clasista, suscitando un apasionamiento por encima de los prejuicios tradicionales. No obstante, es indudable que hubo más pueblo, más hidalgos y más clérigos entre los comuneros, pero menos miembros de la alta nobleza, los cuales derivaron pronto hacia la causa imperialista por los motivos ya expuestos. Así se acentuó aún más el carácter popular de un bando y el aristocrático del otro, contrariamente a lo que piensan algunos autores, por ejemplo Marañón, que plantea el movimiento comunero como un levantamiento de la nobleza urbana y de los restos del feudalismo, como reacción del mundo medieval de los señores ante el miedo de perder sus viejos privilegios, puestos en crisis por la modernidad del unitario universalismo del emperador Carlos V y sus consejeros flamencos. Quizá el rey confundiera el problema español de las Comunidades con el problema de Flandes, cuyas comunas y gremios burgueses eran una oposición a la jerarquía del Estado monárquico centralizador; fenómeno tan comentado y característico de toda Europa en el paso del medievalismo al absolutismo de la Edad Moderna que es fácil incurrir en la generalización y tomar el levantamiento de los comuneros sólo por un caso más de la pugna entre el medievalismo feudal decadente y el triunfo del modernismo estatal. Así es como se llega fácilmente al espejismo de conceptuar al movimiento comunero como todo lo contrario de progresista y democrático, es decir, como reaccionario, que es la tesis de Marañón. Y es lógico, históricamente, que se incurra en este espejismo, si no se tienen constantemente presentes los matices políticos en los que se gestó la nacionalidad española, tan poco feudal en comparación al resto de Europa. El acentuado carácter social, la raigambre económica y la trayectoria distinta, evolucionada por la acción de los Reyes Católicos en ese paso del medievalismo al Estado moderno, hacía de España un país cuyo sentir político se adelantaba a la época, como un puente entre las viejas normas democráticas de la génesis española y la moderna democracia estatal, un puente que pasaba por encima del absolutismo imperialista de Carlos V, «moderno», sí, pero que no era sino una transición histórica en la que reactivamente habían de incubarse variaciones sociales como la de la Revolución francesa, hasta sucumbir todos los absolutismos. Y era precisamente todo esto lo que salvaba el puente político que los comuneros levantaban desde las viejas libertades hispanas hasta la moderna democracia estatal, que por entonces nadie comprendía en Europa.

A los comuneros sólo les faltaba un detalle decisivo para la legalidad oficial de su golpe de Estado; que la reina Juana firmase los documentos y cartas que le presentaron. Pero ella, que fraternizó desde un principio con los comuneros y que constituía un símbolo, eludió firmar documentos. Esto fue lo que salvó a Carlos V, gracias a los reparos legalistas de los dirigentes comuneros, pues, como escribió el depuesto Adriano a Carlos V: «Sólo con que ella hubiera firmado un sencillo documento, se acababa tu reinado en España.» A partir de entonces, a Carlos V no le quedaba otro recurso que atraerse a la alta nobleza española.

VI

RIVALIDADES, TRAICIONES Y ERRORES

1. EL NUEVO CAPITAN GENERAL DE LAS COMUNIDADES

A pesar de todos los preparativos en Medina de Rioseco y en Burgos, los imperiales se hallaban en situación de inferioridad militar, política y social, en comparación con los comuneros. Más o menos decididamente, todas las villas y ciudades de España simpatizaban con el levantamiento. El problema ya no se circunscribía a Castilla. Por ejemplo, en Andalucía, a la que llamamos Castilla Novísima, se levantaron las ciudades de Jaén, Ubeda, Baeza. En Valencia, las Germanías habían promovido grandes alborotos, que iban a degenerar en una verdadera guerra social. En Badajoz, las Comunidades se habían apoderado de la fortaleza. En Tordesillas, se recibían noticias todos los días de nuevas adhesiones. La causa de las Comunidades de Castilla y León comenzaba a tener un carácter nacional y una potencia ya muy difícil de sojuzgar.

Pero entonces comenzaron los errores de los comuneros. Todo hace suponer que hubo en Tordesillas infiltraciones de agentes secretos imperiales que fomentaron la desunión entre los comuneros. Suele decirse que el presidente de la Junta, don Pedro Lasso de la Vega, sentía cierta rivalidad ante el gran prestigio logrado por Padilla. Lo cierto es que se quejó de la lentitud con que se llevaban las operaciones militares, cuya responsabilidad recaía en Padilla como capitán general. Sobre todo, se quejaba el presidente de la pérdida de tiempo en inútiles negociaciones, por ejemplo aquellas con que el gobernador real don Fadrique Enríquez intentó evitar la guerra. Al parecer, don Fadrique Enríquez no era tan intransigente como los otros dos gobernadores del triunvirato. Pero los comuneros llegaron a pensar después que todos aquellos intentos de negociación y de paz habían sido una hábil artimaña para ganar tiempo y poderse reorganizar los imperiales. Cierto es también que los comuneros le exigieron la destitución de Adriano y de Velasco, cosa imposible de lograr por don Fadrique, quien a su vez, como gran señor que era, deseaba salvaguardar los privilegios de la alta aristocracia, sin oponerse a una gran parte de las otras exigencias emanadas de los fueros que reclamaban los comuneros. Es decir, deseaba negociar sobre la base de reconocer las viejas libertades, pero no las nuevas. El resultado fue, indudablemente, una pérdida de tiempo para los comuneros, pero involuntaria en lo que atañe a Padilla. Aunque es muy cierto que, si entonces se hubieran lanzado los comuneros resueltamente a una ofensiva relámpago, no hubieran dado lugar a que los imperiales ganaran la voluntad de los nobles y formasen un ejército potente.

Padilla, que contaba con la unánime simpatía del ejército, se sintió herido en su dignidad ante las críticas. No dijo nada, pero, con el pretexto de que su esposa estaba enferma, se marchó a Toledo. Al día siguiente marcharon tras él todos los combatientes toledanos. A pesar de esta pérdida, el ejército comunero contaba aún con dieciocho mil hombres, fuerza suficiente en aquellos momentos para ir sobre Burgos y apresar a Velasco, aislar a los de Medina de Rioseco y asegurar el triunfo definitivo de las

Comunidades. Pero no fue así, porque, sin saberlo, los comuneros seguían una trayectoria guiada desde la sombra por sus enemigos. Así, ante la necesidad de cubrir la vacante de capitán general, que habían obligado a que dejase Padilla, realizaron una elección desastrosa. En verdad, la persona que ostentase la jefatura militar comunera no podía improvisarse. Debía ser un hombre educado en la práctica de las armas y del arte militar. Por entonces había llegado a Valladolid don Pedro Girón, para ofrecerse a las Comunidades con el intento de ser elegido capitán general.

«Concluyóse también el trato que con don Pedro Girón se traía y fue elegido por Capitán General con título de la Reina y del Reino, paresciéndoles que por ser hombre tan principal y deudo de tantos grandes, ganaba su parte gran reputación, y de don Pedro creyeron todos entonces que había aceptado y seguido aquella opinión, teniendo por fin que en las alteraciones se descubriría camino para poder haber el ducado de Medina Sidonia que, como arriba está dicho, pretendía pertenecerle» [1].

Don Pedro de Girón era hijo segundo del conde de Ureña, un gran militar del tiempo de los Reyes Católicos, y nieto del maestre de Calatrava. Así pues, resultaba un hombre educado en las lides de las armas, muy a propósito para el cargo de capitán general. Cuando le vieron llegar a Tordesillas, con su escolta de ochenta lanceros, el efecto no pudo ser más satisfactorio. Se ha dicho que Girón ingresó en las Comunidades por convicción; otros aseguran que por resentimiento contra el rey, al no concederle el ducado de Medina Sidonia al que tenía derecho; pero

[1] Pedro Mexía: *Relación de las Comunidades de Castilla*, capítulo X.

fuera uno u otro el motivo que llevó a Girón a las Comunidades, suele darse por cierto que sus parientes le hicieron cambiar de proceder. De todos modos, el caso es que Girón traicionó a los comuneros.

En cuanto llegó a Tordesillas, Girón mostró gran dinamismo. Había alardeado de que pronto tomaría Medina de Rioseco, seguidamente Burgos, y que los gobernadores reales serían apresados. Era lo que todo el mundo deseaba. Hasta el inteligente obispo Acuña se dejó seducir por tan halagüeños propósitos del nuevo capitán general. Se reunió todo el ejército, en total más de diecisiete mil hombres. En Tordesillas quedó como guarnición un batallón de clérigos que dejó el obispo Acuña, aunque nadie podía temer un ataque de los imperiales contra Tordesillas, ya que éstos bastante iban a tener que bregar con el asalto a Medina de Rioseco, su lugar de concentración.

Pero los imperiales fueron avisados «ingenuamente» por tres heraldos que Girón les envió oficialmente a Medina de Rioseco para «intimarles a rendirse». Y así, no hubo sorpresa. Por el contrario, los imperiales sacaron buen partido estratégicamente de estos movimientos de tropas. Máxime cuando Girón se presentó ante Medina de Rioseco y, en lugar de tomarla al asalto o cercarla, hizo que el ejército galopase como en un torneo alrededor de la ciudad una y otra vez, mientras lanzaba desafíos furibundos y pueriles, para ofuscar a su propio ejército; en lo cual perdió dos días, sin que nadie llegase a explicarse su estrategia. Para colmo, dio orden de replegarse al pueblo de Villabrájima para acuartelarse allí inútilmente.

Más tarde se pensó que la «estrategia» de Girón sólo había tenido por objeto dar oportunidad a los de Medina de Rioseco para duplicar su ejército con los refuerzos que ya habían pedido y que efectivamente no tardaron en llegarles. Pero aún dilató Girón todavía más el entrar en acción, pues inició negociaciones con los gobernadores del rey a través de un fraile llamado Antonio de Guevara, que resultó ser un furibundo partidario de la causa imperial. Hasta que, al fin, el obispo Acuña empezó a sospechar. Primero, vio claro que el fraile los traicionaba, por lo que se hartó de contemplaciones y le amenazó con ahorcarle. Así quedaron rotas las supuestas negociaciones de paz. Y aunque la actitud de Girón dejaba mucho que desear para el astuto obispo, no podía tampoco sin certeza conceptuarle de traidor, ni oponerse a las disposiciones que diese como capitán general. Aunque parecía un disparate, quizá la orden subsiguiente de Girón tuviese cierto fundamento estratégico. Consistió tal orden en disponer que el ejército se retirase a pasar el invierno en Villalpando. La perspectiva de no pasar los rigores invernales de acá para allá en medio del campo, sino bien alojados, satisfacía a los hombres, por lo que la orden fue ejecutada con ingenua satisfacción de todos, ante el recelo del obispo y de algunos capitanes avispados que veían en aquello un proceder nada estratégico y sí muy sospechoso de intentar perder el tiempo y quizá algo peor. Mas la suerte ya estaba echada. A pesar de todo, los comuneros confiaban en su gran fuerza.

2. LA TRAICION Y LOS ENREDOS

La pérdida de tiempo y la sospechosa estrategia de Girón fue bien aprovechada por los imperiales, como era lógico de esperar. El ejército que tenían concentrado en Medina de Rioseco aprovechó el acuartelamiento de los comuneros en Villalpando para salir con presteza y realizar un ataque relámpago sobre la desguarnecida Tordesillas. A su paso, saquearon el pueblo de Peñaflor, cuyas iglesias quedaron desvalijadas. Y en seguida cayeron sobre Tordesillas. Los cuatrocientos clérigos armados que había dejado como guarnición el obispo Acuña defendieron con heroísmo la villa durante cinco horas de combate contra un fuerte ejército de hombres duchos en armas. Los atacantes colocaron las escalas, pero los de adentro se defendían con tal vigor que, al cabo de varios intentos infructuosos, los imperiales habían perdido ya ciento cincuenta hombres. Entonces emplazaron su artillería contra un boquete que había en la muralla y que estaba tapado con un tabique. Entre una descarga y otra, los hombres aprovechaban para cavar con picos y azadas junto a los cimientos, hasta abrir hueco suficiente por donde pasasen los hombres. Al fin consiguieron un portillo, aunque sólo permitía el paso de dos en dos personas. Pero también por el mismo procedimiento lograron desencajar una puerta; y como la guarnición de los de adentro era tan escasa no pudieron acudir a un lado y a otro. Al llegar la noche, parte de los asaltantes entraron por el portillo, otros por medio de las escalas y los demás por el hueco de la puerta finalmente derribada por la artillería. Los soldados imperiales se extendieron a través de las calles y se dedicaron a saquear las casas, aunque no causaron muertes entre el vecindario.

Los grandes señores se fueron derechos al palacio donde estaba la reina doña Juana y, después de besar sus manos con respeto, la pusieron a cargo del marqués de Denia para que todo volviera a ser como en tiempos anteriores. De la Junta Santa cayeron presos nueve a diez procuradores; los restantes huyeron. En realidad la Junta era bastante numerosa, porque de cada ciudad había dos o tres representantes.

La Junta Santa se reorganizó en Valladolid, y allá también fue Girón con el ejército comunero. Su entrada en la ciudad no pudo ser más afrentosa para él, pues mientras el pueblo aclamaba al obispo Acuña, lanzaba a Girón insultos y lo tachaba de cobarde o traidor. No hacía falta ser muy perspicaz para comprender que Girón sería destituido. A la mañana siguiente, fingió un pretexto para dirigirse a las afueras de Valladolid con unos pocos adictos como escolta y huyó a galope tendido. No obstante, su obra había sido ya lo bastante fructífera para los imperiales, en cuyas manos quedaban las fortalezas de Tordesillas, Rioseco y Simancas. Hubo cronistas que no lo juzgaron traidor, sino cobarde e inepto. Lo más probable es que intentase jugar a la mejor oportunidad en uno y otro bando, porque a fin de cuentas la verdad es que Carlos V no le indultó.

Cuando Padilla recibió en Toledo noticias de los desastres ocurridos y de la mala actuación de Girón, decidió olvidar sus antiguos resentimientos. Reunió a toda prisa sus partidarios toledanos; pero el armamento no era muy bueno y faltaba artillería. Una tradición toledana explica cómo solucionó Padilla aquella necesidad. Refiere que los reunidos en la Plaza del Concejo, hoy del Ayuntamiento, acordaron fundir dos grandes campanas y hacer con ellas varios cañones. Se dirigieron con tal propósito a la plazuela de San Lucas, donde mandaron descolgar una gran campana que se hallaba en lo alto de la torre de la parroquia mozárabe; luego hicieron igual con otra en la esbelta torre de la parroquia de Santo Tomás, fundada por el conde de Orgaz. Tal era el peso de la campana que, a pesar de utilizar cuerdas y garfios para descolgarla, cayó en la entrada de la calle y medio se incrustó en el suelo. Mas no tardaron en ser fundidas ambas campanas y convertidas en cañones, que luego pasaron con el tiempo a poder de las tropas imperiales. Desde entonces, las dos torres proclamaron con el hueco que se notaba a falta de las campanas aquel recurso de los comuneros toledanos para acudir en socorro de las otras ciudades. Dice otra leyenda que doña María de Pacheco, la esposa de Padilla, fue autorizada por el clero toledano a disponer de una custodia de plata, que pesó trescientos veintiocho marcos, y de tres lámparas y algunos candelabros de plata, para hacer dinero con el que atender a los gastos de las huestes comuneras [2].

Reunió Padilla en total unos dos mil combatientes, al frente de los cuales marchó hacia Medina del Campo, con intención de recuperar Tordesillas. Antes mandó aviso a Valladolid para que se enviasen tropas desde esta ciudad hacia Tordesillas, donde se reunirían con él y darían una ofensiva conjunta.

Padilla llegó con sus tropas a Medina del Campo. Aún le faltaban cuatro leguas para llegar a Tordesillas e iniciar su ofensiva. Mientras tanto, los refuerzos de Valladolid deberían unírsele en las inmediaciones o destacar emisarios para informarle de su cercana presencia. Pero en este breve espacio de tiempo los agentes secretos de los imperiales avisaron a Tordesillas, desde Valladolid, el cerco que preparaban los comuneros. En Tordesillas acordaron entonces los grandes señores que el general en jefe, conde de Haro, saliese a cortarle el camino a Padilla, antes de que pudiera llegar a Tordesillas. A pesar de lo acordado, el conde de Haro no quiso arriesgarse a una salida en descubierta o, como dice el cronista Mexía (que siempre justifica todos los actos de los imperiales), no quiso salir de Tordesillas por haber tenido noticia de que los vecinos de esta villa, muy adictos a los comuneros, habían dado contraaviso a Padilla de los intentos del conde de Haro, y éste temía que el caudillo comunero diera un rodeo y cayera sobre Tordesillas mientras él intentaba cortarle el camino. Una explicación demasiado elaborada. De una u otra forma, lo cierto es que los imperiales no se decidieron a salir de Tordesillas y procuraron fortificarse lo mejor posible.

A pesar de todo, las precauciones eran infundadas,

[2] Moraleda y Esteban: *Tradiciones y recuerdos de Toledo*, págs. 22-23, Toledo, 1888.

porque los comuneros de Valladolid no se decidieron a enviar el ejército que debía reunirse con el de Padilla. No comprendieron la maniobra estratégica del caudillo comunero, o no quisieron correr el riesgo de secundarle, porque en Valladolid la Junta estaba llena de incertidumbre, provocada quizá en la sombra por los agentes secretos de los imperiales o por los que aún confiaban en una negociación de paz. Ante tales dilaciones y titubeos, Padilla marchó directamente a Valladolid a poner las cosas en claro.

El recibimiento que Valladolid tributó a Padilla fue apoteósico. Cabalgaba despacio al frente de su ejército, a través de las calles donde se agolpaba la multitud a uno y otro lado para vitorearle, a pesar del frío de aquellos primeros días de enero del año 1521, cuyas inclemencias no habían arredrado a Padilla ni a sus hombres, según se comentaba, para cruzar los campos desde Toledo a Valladolid, y aun había intentado dar una batalla que frustraron las indecisiones de Lasso de la Vega. Por eso, cuando la Junta se reunió para elegir capitán general, cargo que estaba vacante desde la huida de Girón, el pueblo apoyó efusivamente a Padilla, de quien esperaban solución para todo. Mas la hidalguía de Padilla le llevó a sostener que la persona más indicada por sus indudables dotes militares era Lasso de la Vega. Padilla quería a toda costa suavizar en pro de la causa las viejas rivalidades de Lasso de la Vega; el cual parece ser que aceptó el sentir general, pero influyó en la Junta para que al lado de Padilla fueran elegidos en razón de igualdad el obispo Acuña, de Zamora, y Gonzalo Guzmán, de León. Sin embargo, en la práctica quedaba Padilla de nuevo como capitán general. A partir de entonces Lasso de la Vega perdió todo entusiasmo. Comenzó a influir en la Junta para que se realizasen negociaciones con los imperiales. Hay quien piensa que Lasso de la Vega traicionó a los comuneros; pero sin tomar en consideración tal denuncia [3], sólo es preciso tener en cuenta la soberbia e intransigencia nacida de una rivalidad cuando ésta se ha convertido en una psicosis.

Lo cierto es que Lasso de la Vega, que había sido discípulo de Pedro Mártir de Anglería, creyó en la sinceridad de este hábil prelado milanés cuando le habló de la conveniencia de someter el conflicto de los comuneros e imperiales al juicio del nuncio, monseñor Vianesi, para concertar un arreglo diplomático y evitar la guerra civil. Los negociadores, «tan espontáneos», que estaban en Medina de Rioseco con los altos dignatarios imperiales, se trasladaron a Valladolid para negociar con la Junta representada por Lasso de la Vega como su presidente. Más tarde se descubrió que todo aquello era un enredo para hacer perder el tiempo a los comuneros y frenar sus preparativos de contraofensiva sobre Medina de Rioseco y Tordesillas, mientras los imperiales reclutaban más fuerzas. Tan hábil fue el engaño a la Junta, que incluso el obispo Acuña sólo desconfió de la sinceridad de ambos prelados cuando ya habían logrado su propósito de mantener quietos a los comuneros con sus floridas dilaciones.

3. PADILLA Y ACUÑA REEMPRENDEN LAS CAMPAÑAS

Mientras las falsas negociaciones frenaban a la Junta comunera, Padilla se hallaba ya en tierra de Campos para rechazar a los imperiales de las posesiones del conde de Salvatierra, aquel aliado de los comuneros que intentó una vez tomar Burgos y había perdido ahora varias de sus propias villas, entre ellas Ampudia, la de mayor importancia. Padilla la liberó

[3] Eusebio Martínez de Velasco en su obra sobre las Comunidades dijo: «Don Pedro Lasso de la Vega, otro traidor como Pedro Girón...»

tras infligir una seria derrota a los imperiales. Pero en vista de que la Junta no reanudaba sus campañas, y que el señor de Saldaña no se le unía, sino que se había dirigido al norte, Padilla tuvo que regresar a Valladolid.

El obispo Acuña emprendió entonces personalmente una campaña contra el prior de San Juan, don Alvaro de Zúñiga, que recorría las tierras toledanas a caballo, al frente de sus huestes y con el estandarte imperial en alto, con la pretensión de recabar adhesiones y formar un ejército capaz de tomar la ciudad de Toledo a los comuneros. Las actividades de don Alvaro de Zúñiga iban dirigidas principalmente hacia aquellos pueblos importantes que tenían castillo, como Orgaz, cuyo vecindario se había levantado contra el conde de dicho nombre y puesto la villa a disposición de los comuneros. Otro pueblo muy destacado era Ocaña. Por todas estas tierras andaba afanoso Zúñiga, hasta lograr reunir un ejército de seis mil hombres de a pie y de a caballo, con algunos señores de la comarca. Con ellos partió de Corral de Almaguer con intención de apoderarse de Ocaña. El obispo Acuña, con su ejército no menos numeroso, les salió al encuentro. No se entabló batalla, sin embargo, porque algunos religiosos que venían entre ellos propusieron treguas con motivo de la Semana Santa.

En vista de la tregua, el obispo Acuña dejó su ejército a dos o tres leguas de Toledo, entrando él en la ciudad. En cuanto fue reconocido por el vecindario, comenzaron las aclamaciones, hasta que al fin lo condujeron a la catedral y lo sentaron en la silla arzobispal, cuya vacante, según los comuneros toledanos, nadie podía ocupar mejor que este obispo tan leal, sin pararse a pensar si podían hacer tal nombramiento o si era el papa el único que tenía autoridad para ello. Ajenos a todo protocolo, los toledanos habían visto cómo esta vacante ocasionada por el fallecimiento de Cisneros era cubierta por un sobrino del favorito de Carlos V, sin edad para tan alto cargo y además extranjero, máximo argumento que siempre salía a relucir en las reclamaciones comuneras. Ahora, ellos sentaban en la silla arzobispal a su obispo Acuña, suponiendo que el papa lo daría por bueno, como en el caso anterior. Una lógica demasiado natural, pero rotunda.

No obstante, el obispo Acuña tuvo que dejar su paseo triunfal por Toledo al recibir apremiantes noticias de las correrías de Antonio de Zúñiga por los pueblos de la provincia. Había faltado a la tregua y puesto cerco a Mora de Toledo, una villa muy adicta a las Comunidades, pero sin gente de armas para resistir un ataque de los seis mil hombres que llevó Zúñiga ante las tapias donde se habían fortificado los vecinos con barricadas. Zúñiga les invitó a rendirse. La contestación fue llamarle traidor y descargar un arcabuzazo. Comenzó el asalto. Se defendieron con tiros de saetas y arcabuces, pero no tuvieron más remedio que replegarse poco a poco hasta la iglesia, donde se refugiaron. Tras la puerta bien atrancada colocaron una culebrina a punto de dispararla si los asaltantes intentaban forzar la entrada. Pero los hombres de Zúñiga llevaron ante la puerta varios haces de leña e incendiaron el edificio, cuyas vetustas maderas ardieron pronto como yesca al llegar las llamas a la pólvora de las culebrinas. Como el fuego comenzó en las puertas, nadie pudo salir y murieron abrasados o asfixiados no sólo los defensores, sino también gran número de mujeres y niños, pues el vecindario había tenido la esperanza de que allí no serían atacados por tratarse de un lugar sagrado.

El obispo Acuña no llegó a tiempo de salvar al vecindario de Mora. Al entrar en el pueblo sólo quedaba ya el desastre y el trajín de los supervivientes para atender a los heridos y recoger a los muertos. Los atacantes se habían apresurado a marchar al saber que se acercaba Acuña con sus huestes. En su huida se refugiaron en el castillo de Aguila. No tardaron en llegar tras ellos las huestes del obispo, con el afán de vengar la barbarie cometida en Mora de Toledo; pero los muros del castillo resistieron todas las acometidas y el obispo Acuña hubo al fin de dar orden de retirada al comprender la inutilidad de un largo asedio.

En el incendio del templo de Mora perdieron la vida asfixiados o quemados unos tres mil vecinos, pues el templo, que era de gran amplitud, estaba lleno de familias. La noticia no tardó en propagarse, como ya había ocurrido antes con el incendio de Medina. Estos feroces escarmientos realizados por los imperiales, en lugar de amedrentar a los pueblos, lograban más adhesiones a la causa de las Comunidades que la acción política y la difusión del ideario, difícil de explicar como un programa concreto. En el levantamiento comunero había diversos matices, según es consustancial al carácter de los españoles, tan dados a interpretar en su individualismo cualquiera idea política e incluso religiosa, de tal modo que, aunque parezca esencialmente la misma para todos, aquellos matices la hacen derivar a una serie de interacciones, hasta proliferar en varios programas distintos que producen la división del primitivo ideario y le restan efectividad.

En esta diversidad interna de matices —la tendencia republicana de Acuña y el acendrado sentido monárquico de Lasso de la Vega, por ejemplo, o la tradicional aspiración democrática de los caudillos Padilla, Bravo, Maldonado, Zapata, etc.—, y aun dentro de la más general trayectoria, que no deseaba salirse de los cauces políticos de la monarquía, existían dos posibilidades: persistir en la fidelidad al emperador Carlos V, hasta llevarle al convencimiento de que debía respetar los fueros y libertades, o dejar de acatarle con vistas a elegir otro rey más idóneo para las costumbres y leyes de Castilla. Así se explican las dilaciones y titubeos tras los triunfos comuneros. A pesar de su mayoría aplastante, cuando alcanzan el momento decisivo no siguen adelante, no se imponen ni rematan la culminación de su empresa. Todo queda como en suspenso por intentar una y otra vez la concordia con el rey, por el deseo de llevar a Carlos V a su propio terreno. Porque la idea del respeto a todo aquello que representa el rey como cabeza de la nación se halla tan aferrada en las conciencias que, al llegar el momento de arrojarlo del trono, parecen atemorizarse o retroceder, no por las consecuencias, sino como quien se anonada ante una herejía que está a punto de cometer.

4. REANUDACION DE LAS NEGOCIACIONES

La actitud indecisa de las Comunidades, hasta el punto de desaprovechar cada victoria, y su candidez o buena fe para oír nuevos intentos de reconciliación, eran muy bien explotadas por los consejeros reales, que veían a los pundonorosos comuneros angustiados entre su deseo de respetar al rey legítimo y la necesidad de oponerse a él y a su gobierno. Los imperiales, más avezados a la intriga política, manejaban psicológicamente estos escrúpulos de las Comunidades y proponían treguas, conversaciones, ofrecimientos de arreglos para evitar la guerra; todo lo cual parecía razonable a las Comunidades. Pero mientras caían en la esperanza de que al fin iban a ser reconocidas sus pretensiones y suspendían toda acción bélica, esa pausa era aprovechada por los imperiales para organizarse en la preparación de una guerra total. La ingenuidad y falta de costumbre en el poder de los comuneros les impidió darse cuenta de que en cierto momento habían dominado rotundamente la situación. Después fue más difícil, conforme los imperiales lograban reagruparse y tomar posiciones sólidas.

La última de las proposiciones de negociación fue

realizada por Adriano y el gobernador Enríquez, de una parte, y Lasso de la Vega y el bachiller Alonso de Guadalajara, procurador comunero de Segovia, de la otra. Estos últimos salieron de Valladolid y fueron al monasterio de la Orden de Santo Domingo, cercano a Tordesillas. Acudió a la cita el gobernador regente acompañado de algunos señores. Como eran muy prolijas las disquisiciones y se requería mucho tiempo para tratar uno por uno los puntos, acordaron que a determinada hora todos los días acudiesen a la cita los representantes de ambos bandos. Se nombraron como mediadores a los priores generales de la Orden de San Francisco y de Santo Domingo. Comenzaron entonces una serie de conversaciones que se hacían interminables, porque cada uno de sus capítulos promovía muchas aclaraciones sobre lo que estaban dispuestos a otorgar los imperiales y lo exigido por los comuneros. La cuestión transcendió al pueblo vallisoletano, que intuitivamente sospechó el juego engañoso de los imperiales para mantener envueltos a los representantes comuneros en un mar de conjeturas, sin decidirse a romper unos tratos que nunca se cerraban.

Mientras tanto, los imperiales daban órdenes para reclutar gente con premura. Así, en Burgos se redactó una lista de repartimiento en la que consta el número de hombres que debía enviar cada pueblo de la provincia, totalmente armados y pagados por tres meses. Los ayuntamientos y principales señores de la provincia recibieron una carta donde se mandaba cumplir el curioso repartimiento, tan sugeridor en el aspecto social y económico, que merece leerse a pesar de su monotonía:

Presencio, virtuosos señores	12
Barbadillo, vasallos	8
Burueba é Pancorbo, muy virtuosos señores é vasallos.	20
Miranda, muy virtuosos señores é vasallos	20

Covarrubias, muy virtuosos señores	20
Juarros y la Mata, muy virtuosos señores	30
Balbás, virtuosos señores	20
Los Arauzos, virtuosos señores	20
Río de Urbina, virtuosos señores	40
Santibáñez y su partido, virtuosos señores	30
Mahamud, virtuosos señores	15
Santa María del Campo, virtuosos señores	40
La merindad de Campoo, magníficos señores	100
Villasandino, virtuosos señores	20
Villahoz, virtuosos señores	15
Candemuñó [4], virtuosos señores	70
Las siete merindades, magníficos señores	100
Lara, vasallos	30
Aloz de Burgos, mandamiento de justicia é regimiento.	40
Melgar, muy virtuosos señores	40
Aranda, muy virtuosos señores	70
Arlanzón é sus aldeas, virtuosos señores	10
Santo Domingo de la Calzada con la merindad de la Rioja	100
Logroño, magníficos señores	100
Villafranca é sus aldeas, virtuosos señores	40
Villafribela, virtuosos señores	10
Torresandino, virtuosos señores	10
Tórtoles, virtuosos señores	10
La merindad de Santo Domingo de Silos, muy virtuosos señores	70
Yudego y su partido, virtuosos señores	6
Balbases, virtuosos señores	10
Los Padillas, virtuosos señores	6
Villamayor de Río Pisuerga, virtuosos señores	4
Villegas y Villamorón, virtuosos señores	6
Las Hormazas y su partido, virtuosos señores	8
La villa de Oña, virtuosos señores	20
Total	1.170

[4] Candemuñó consideró excesivo el repartimiento para su merindad, por lo que se le concedió que diese sesenta peones, o su equivalente en dinero, como paga al rey, esto es, 54.000 maravedíes.

Resulta interesante esta lista para darnos idea del nivel económico de los pueblos en aquella época, máxime cuando dicho repartimiento produjo vivas protestas al ser considerado por los contribuyentes como muy excesivo, no sólo en lo que al número de hombres se refiere (pues se daba la opción de enviar el equivalente en dinero «a precio cada peón de novecientos maravedíes»), sino también por la penuria económica de toda Castilla. La región burgalesa no había sido nunca pobre, y los pueblos citados tenían un buen nivel de vida sobre base agrícola, con ganados, algo de industria, como la derivada de la lana, y un activo comercio. Pero el comercio se hallaba paralizado ahora por la inquietud, y de rechazo la industria; los campos no estaban tan cultivados como antes, porque muchos hombres militaban en uno u otro bando. Por si fuera poco, toda Castilla arrastraba la penuria ocasionada por las anteriores contribuciones y prestaciones al rey ordenadas en Cortes, que tantos alborotos habían promovido, y lo que es peor, las extracciones de oro, plata, caballerías y toda clase de riqueza por los codiciosos flamencos. Los mercaderes, agricultores, ganaderos, artesanos, hombres comunes y señores, habían sido esquilmados ya cuando Burgos presentaba esta nueva petición para una causa que resultaba muy poco simpática, aunque nadie se atreviese a oponerse resueltamente.

5. PADILLA VUELVE A LA OFENSIVA

En vista del cariz que tomaban las negociaciones, decidió Padilla asumir la iniciativa otra vez con las armas, harto ya de tanta dilación de la Junta. El 16 de febrero salió de Valladolid al frente de quinientos jinetes y siete mil peones, con algunas piezas de artillería, decidido a tomar a los imperiales el castillo de Torrelobatón, una importante fortaleza y una villa rodeada de murallas, que, por estar sólo a tres leguas de Tordesillas, era de gran importancia estratégica. La victoria supondría un gran impacto en la moral del ejército de los imperiales. Además, dicha plaza pertenecía como heredad propia al gobernador Enríquez, ese dubitativo negociador a quien Padilla deseaba llevar al terreno más verídico de los hechos.

El ejército comunero había recibido refuerzos de Toledo, Segovia, Avila, Salamanca y Madrid. Iba Padilla de capitán general; las gentes de Segovia eran mandadas por Juan Bravo; las de Salamanca y Avila, por Francisco Maldonado; las de Madrid, por Juan de Zapata. Otros muchos hidalgos figuraban como jefes de compañías. El ejército comunero representaba una fuerza muy bien conjuntada, a no ser por los consabidos matices ideológicos. Y así, durante el camino hacia Torrelobatón, al llegar a Zaratán, no lejos de Valladolid, interrumpieron la marcha más para discutir que para descansar. Estuvieron a punto de regresar a Valladolid, y si no lo hicieron fue porque el obispo Acuña, aunque estaba enfermo, llegó a Zaratán a marchas forzadas para evitar disensiones. Al fin quedaron sosegados los ánimos, y Padilla dio la orden de emprender el camino hacia Torrelobatón. Salieron el 21 de febrero, a medianoche; una precaución útil para evitar que llegasen noticias a los enemigos. Además se utilizó la habilidosa estratagema contra posibles espías de hacer correr la noticia de que iban contra Medina de Ríoseco.

El ejército caminó lo más aprisa que pudo, y a las diez de la mañana del día siguiente estaban ya ante los arrabales de Torrelobatón. En seguida iniciaron los primeros tanteos contra la fortaleza. Lo primero fue arrimar las escalas, pero era muy difícil subir por ellas porque los de adentro defendían los muros desde lo alto y disparaban sin cesar ballestas y arcabuces. Durante todo el día los atacantes dieron varios asaltos, en los que sufrieron un número mucho mayor de bajas que los defensores, ya que éstos se protegían tras las murallas. Por si fuera poco, las escalas resultaban cortas en su mayoría. A veces, cuando parecían a punto de lograr su propósito, los asaltantes caían al suelo muertos o heridos, flechados desde lo alto de las murallas. Al anochecer Padilla dio la orden de suspender el asalto. Durante la noche, mientras descansaba el ejército, mandó emplazar la artillería, para intentar al día siguiente abrir boquete en los muros a cañonazos.

Aquella misma noche los imperiales recibían aviso en Tordesillas del ataque de los comuneros a Torrelobatón. Mandaron llamar a las guarniciones que tenían en Simancas y Portillo, pero no se decidieron a enviar un ejército de socorro a Torrelobatón, porque, como dice el cronista Mexía, no se consideraban con fuerzas de infantería suficientes para combatir a los comuneros, aunque los imperiales contaban con mucho mayor número de jinetes. Es lo más probable que no deseasen entonces aventurarse en una batalla que podía resultar decisiva. Sin embargo, a la mañana siguiente, el conde de Haro y los señores que había en Tordesillas salieron con la caballería de Simancas y Portillo contra los comuneros, dejando en Tordesillas una guarnición al mando del gobernador. Tenían el propósito de distraer a los comuneros con un ataque por un lado, mientras por el arrabal introducían refuerzos en Torrelobatón. La caballería imperial llegó a la vista de Torrelobatón y se situó en un alto del terreno. Desde allí bajaron algunos caballeros y entablaron escaramuzas con jinetes comuneros, pero nadie logró entrar como refuerzo en Torrelobatón. El conde de Haro no se decidió a dar batalla, y los imperiales volvieron grupas hacia Tordesillas.

Las baterías que Padilla había emplazado comenzaron bien de mañana a disparar contra un punto de las murallas, el cual resultó muy macizo, por lo que se cambiaron las baterías de sitio para tantear un punto más débil. Al fin se abrieron algunos boquetes, por donde entraron con arrojo los hombres de Valladolid y Toledo. Pronto se generalizó la lucha cuerpo a cuerpo en el interior de la villa, que fue ocupada. Sus defensores terminaron por rendirse; visto lo cual por los hombres del castillo, perdieron todo ánimo y ofrecieron a los comuneros entregarles la fortaleza si respetaban sus vidas y «les dejaban la mitad de las ropas y haciendas». Al caer así Torrelobatón en manos de Padilla, se auguraba el triunfo total de los comuneros, porque, si habían logrado apoderarse con las armas de tan importante fortaleza, era lógico que pronto cayese en sus manos Simancas y Tordesillas, lo cual sería prácticamente el fin de la guerra y la instauración de un gobierno de las Comunidades en España. No fue así porque Padilla dejó en suspenso la ofensiva y permaneció en Torrelobatón con el ejército. Un grave y decisivo error que todos los historiadores no dejaron de señalar, como si hubiera sido una equivocación de los capitanes comuneros. Así lo explica el cronista Mexía, y luego todos los historiadores que siguen su relato. Y, sin embargo, esta paralización, por muy desacertada que fuese, tuvo una causa.

6. POR QUE NO SE CONTINUO LA OFENSIVA

Las negociaciones para la paz entre la Junta Santa, que continuaba en Valladolid, y el gobierno de los regentes, que seguía en Tordesillas, habían quedado rotas porque, al cabo de cinco días, los imperiales mostraron enojo y no quisieron hacer más tratos. Se creían ya lo suficientemente fuertes y habían aprovechado el tiempo, como sabemos, para organizarse. Pero al conocer la toma de Torrelobatón por el ejército de Padilla y comprender lo que vendría a continuación sobre Tordesillas, pidieron treguas a la Junta Santa de Valladolid para reanudar negociaciones de paz. La Junta volvió a incurrir en el engaño, en su eterna duda, en el temor de negarse a los ofrecimientos de negociación con el gobierno; porque, a fin de cuentas, lo que toda Castilla deseaba era la paz y no la guerra civil. Así, Lasso de la Vega y los mediadores reanudaron las pláticas en el monasterio cercano a Tordesillas. Ahora bien, para continuar las negociaciones los procuradores de la Junta, con su presidente Lasso de la Vega, necesitaban que Padilla no prosiguiese la ofensiva. Por eso se trasladaron a Torrelobatón, con objeto de acordar con Padilla la tregua que se iba a conceder a los imperiales. Les debió costar trabajo a los de la Junta convencer a los capitanes comuneros. Dice el cronista Mexía, que se refiere a este episodio como si la reanudación de las negociaciones la hubieran solicitado las Comunidades, que hubo entre los comuneros durante esta entrevista «muy diversos pareceres».

Al fin acordaron conceder una tregua a los imperiales, pero sólo de ocho días. Lasso de la Vega se fue de nuevo al monasterio a continuar las negociaciones. La actitud de los gobernadores reales era conciliadora. Daban el visto bueno a muchos de los capítulos presentados por la Junta Santa, mientras rechazaban otros como injustos, con el ruego de que no entrasen a discutir sobre ellos. Sin embargo, los de la Junta desconfiaban; no sabían si el emperador daría luego como bueno lo acordado por sus gobernadores o regentes. Así es que terminaron por pedir a éstos una seguridad, una entrega de rehenes en garantía de lo acordado, según era costumbre en aquella época; de tal forma que los imperiales dejasen en poder de las Comunidades algunas personas o castillos en prenda o, en su defecto, que se comprometiesen formalmente a defender con las armas lo acordado con los comuneros si el emperador no aprobaba lo pactado. Los imperiales, a pesar de su hábil política conciliadora para ganar tiempo, se vieron al fin en la precisión de negar. Pero tan avanzadas estaban las negociaciones que a todos les pareció bueno acordar una prórroga de las treguas. Por este motivo, Lasso de la Vega se dirigió de nuevo con los religiosos mediadores a Torrelobatón, para dar cuenta a Padilla y a los demás capitanes comuneros del punto a que habían llegado las negociaciones. Allí acordaron ir con los capitantes a la villa de Zaratán, cercana a Valladolid, donde en unión de los miembros de la Junta pudiera discutirse la conveniencia de prorrogar la tregua. En esta asamblea Lasso de la Vega y algún miembro de la Junta votaron a favor de la tregua, pero la gran mayoría lo hizo en contra. Entonces Lasso de la Vega abandonó a los comuneros y se fue a Tordesillas con los gobernadores reales. El cronista Mexía, que cita este extraño proceder aunque lo relata desde el punto de vista de los imperiales, ofrece al leerlo despacio, entre líneas, la realidad engañosa que alentaba en el fondo de estas negociaciones:

«... estaban tan soberbios, y por otra parte temían tanto dejar los cargos que tenían, especialmente los Capitanes, que no se pudo acabar con ellos que viniesen en tregua ni paz, aunque algunos de la Junta votaron por ella, el principal de los cuales fué don Pero Laso, que desde allí por esta causa los dejó y se apartó de aquel propósito, y se vino a Tordesillas a los Gobernadores; de manera que la tregua y tratos fueron sin fruto ninguno, *salvo que a Juan de Padilla en aquellos ocho días se le disminuyó parte de su gente.*»

El emperador había ofrecido ya un indulto a los que abandonasen a los comuneros. Más tarde, el gobernador Iñigo de Velasco había hecho pregonar un edicto, firmado por el emperador en Worms, según el cual declaraba traidores a los comuneros, citando expresamente a 249 de ellos. Fue Iñigo de Velasco quien abiertamente cortó cualquier intento de nuevas negociaciones. El gobierno se creía ya con fuerza para ganarlo todo con las armas. Gracias a una mano traidora consiguió que una noche fuera fijado el citado edicto de condenación en el interior de Valladolid. El impacto psicológico en los vallisoletanos al levantarse una mañana y ver aquel edicto del emperador en las esquinas de sus calles era un buen golpe de efecto logrado por los imperiales. En aquel edicto se condenaba no sólo a los comuneros más destacados en la lista, sino a toda persona que hubiera tomado parte en el alzamiento, desde los capitanes a los simples artesanos; comprendía penas de muerte para los seglares y pérdida de los bienes temporales para los clérigos, así como el castigo a todo cómplice y simpatizante con el levantamiento de las Comunidades.

La Junta replicó al edicto con otro semejante, en el que declaraba traidores y reos de muerte a los gobernadores regentes y a cuantos nobles mandaban las tropas imperiales.

VII

EL OCASO DE LAS COMUNIDADES

1. LA DERROTA DE VILLALAR

El regente Iñigo de Velasco salió de Burgos con sus tropas para reunirse a los altos señores que en Tordesillas se habían congregado en espera de órdenes. Al paso, logró ocupar la villa de Becerril. Desde aquí continuó su camino y se presentó en Peñaflor, una villa de excepcional situación estratégica en esta contienda, porque se hallaba próxima a Torrelobatón, donde Padilla permanecía acuartelado. Además, Peñaflor estaba cerca de Valladolid, capital de la Junta, y no lejos de Tordesillas, plaza fuerte de los imperiales. Por eso, cuando en Valladolid se tuvo noticia de la salida del gobernador regente Iñigo de Velasco y de su llegada a Peñaflor, sospecharon que comenzaban los imperiales una total ofensiva. Y ante la posibilidad de que atacasen a Valladolid, los comuneros dudaron si salir contra los imperiales o atrincherarse en la ciudad. Al fin optaron por esto último. El ejército de los comuneros se había quedado en Torrelobatón, donde Juan de Padilla esperaba recibir refuerzos de varias ciudades; pero la situación estratégica que ahora dominaban los imperiales, situados en medio, estorbó la llegada a Torrelobatón de mil hombres que la Comunidad de Palencia y Dueñas enviaba a Padilla.

El ejército imperial de Tordesillas se reunió al

de Iñigo de Velasco en Peñaflor. El domingo 20 de abril se concentraron todas las fuerzas imperiales de varios lugares en Peñaflor, mientras en Tordesillas quedaba una pequeña guarnición, suficiente para defender la plaza de una sorpresa, ya que los muros habían sido reforzados durante los dos meses que el ejército comunero permaneció inmovilizado en Torrelobatón a causa de las negociaciones. De Simancas, la otra plaza fuerte de los imperiales, no quisieron éstos sacar refuerzos, porque la gente de caballería acuartelada debía estar allí dispuesta para cortar el posible envío de refuerzos a Padilla desde Valladolid. Así pues, la ofensiva imperialista tenía su estrategia; todo hacía prever que irían sobre Torrelobatón para cercar al único verdadero ejército de los comuneros, si bien ya menos numeroso, sobre todo con una inferioridad de uno a diez respecto a la caballería imperial.

Padilla decidió sacar a su ejército de la posible ratonera de Torrelobatón, rápidamente y en el mayor secreto. Antes del amanecer del martes día 23 de abril mandó que se armase toda su gente y saliese en buen orden con la artillería delante, la infantería en dos escuadrones y la caballería a retaguardia. Era necesario llegar lo antes posible a Toro, cuyos vecinos eran buenos partidarios de las Comunidades, y que, por ser ciudad grande, bien amurallada y abastecida, tenía la mejor posición geográfica para aguardar los refuerzos de León, Zamora y Salamanca.

A pesar de todas las precauciones tomadas por Padilla, la salida de su ejército hacia Toro fue advertida por los espías corredores de los imperiales, situados en los alrededores con los ojos fijos en Torrelobatón, que salieron al galope hacia Peñaflor para llevar la noticia a los gobernadores regentes, quienes hicieron sonar de inmediato el toque de alarma. Con la mayor presteza salió todo el ejército imperial para alcanzar a los comuneros antes de que pudieran hacerse fuertes en Toro. Como les llevaban ya gran ventaja, los imperiales comprendieron que no alcanzarían a Padilla si marchaban al paso de la infantería, por lo que se adelantaron con toda la caballería y la artillería de campaña tirada por caballos, mientras la infantería continuaba detrás a buen paso.

Al fin se vieron ambos ejércitos. Padilla eligió un buen lugar para dar la batalla y quiso hacer alto, pero los demás capitanes aconsejaron seguir hasta el pueblo de Villalar, que ya se veía muy próximo, aunque la caballería imperial les daba ya alcance.

El peor enemigo de los comuneros era el terreno, embarrado por la lluvia, que no cesaba de caer y que había hecho la marcha penosísima. El ejército comunero era todo infantería, excepto algunos jinetes. La caballería imperial, que contaba unos dos mil quinientos jinetes, por lo que era superior sin comparación, comenzó a hostigar en pelotones a los comuneros por la derecha y por la izquierda, en tanto otros los rebasaban y cerraban el paso, y el grueso de la caballería cargaba con las lanzas sobre los peones, que no podían defenderse porque a cada paso se les hundían los pies en el barro. La artillería de los comuneros yacía medio enterrada en unos lodazales; la infantería estaba desvinculada. Los capitanes gritaban para animar a sus gentes: «¡Santiago y libertad!» Y los imperiales arengaban a sus tropas con voces de: «¡Santa María y Carlos!» La desbandada de los comuneros empezó a generalizarse al intentar imitar a los que procuraban refugiarse en Villalar. Los capitanes no lograron que los hombres de las picas hicieran línea para resistir las cargas de la caballería imperial. Todo era ya inútil para los comuneros; sólo quedaban los actos desesperados y heroicos de los más arrojados. La batalla era un rotundo éxito de los imperiales, más bien una matanza desde lo alto de los caballos. Ni los ruegos ni las amenazas de los capitanes comuneros lograron poner en orden su infantería, que se debatía entre los barrizales, calados hasta los huesos, con la lluvia de cara al enfrentarse al enemigo que tenía el viento a la espalda. Padilla, desesperado, lanzó su caballo en medio de un escuadrón de jinetes imperiales, lanza en ristre, seguido tan sólo de cinco escuderos de su casa. Peleó hasta caer herido del caballo, cuando ya tenía rota su lanza. Los otros capitanes principales, Juan Bravo, de Segovia, y Francisco Maldonado, de Salamanca, resistieron hasta ser abandonados por los suyos. Así cayeron prisioneros Padilla, Bravo y Maldonado, mientras su ejército huía a la desbandada en un intento desesperado pero inútil de refugiarse en Villalar, porque la caballería imperial los mataba y hería a capricho. Con razón dijeron algunos historiadores que lo ocurrido entonces no se debiera llamar batalla de Villalar, sino *matanza de Villalar*. Parece ser que los imperiales sólo perdieron quince hombres.

La alta nobleza combatió con brío en defensa de sus privilegios, puestos en un brete por el rumbo político a que habían derivado las Comunidades. Y Carlos V, que aún seguía en el extranjero, recibió servido en bandeja un triunfo decisivo, incluso sobre la misma nobleza española, que en un principio le fue hostil más o menos abiertamente. Al fin, lo que ya en tiempos procuró evitar Cisneros se había producido. Entonces no le entendieron ni los nobles ni el pueblo. Ahora ya no se podía hacer nada, solamente callar y esperar tras la matanza de unos castellanos por otros. Desde luego, hubo ensañamiento desde el principio de la derrota comunera hasta sus finales consecuencias. Así, por ejemplo, la matanza por la espalda desde los caballos a los hombres que huían entre el barro hacia Villalar. Cuando Padilla estaba ya desarmado y prisionero, alguien preguntó quién era, y, al saberlo, le cruzó la cara con la espada. Luego, el apresurado juicio a los prisioneros, porque sin duda corría prisa el ejecutarlos para dejarlo todo solucionado y cortar de raíz nuevos intentos de recuperación de las Comunidades.

2. LAS CONDENAS

Los prisioneros fueron encarcelados en la fortaleza de Villalar. A la mañana siguiente juzgaron a Padilla, Bravo y Maldonado. El presidente del tribunal fue don Iñigo de Velasco, cuyo apresuramiento no precisa comentario alguno. La sentencia, guardada a través de los siglos en el archivo de Simancas, dice así:

«En Villalar, a veinte é cuatro días del mes de Abril, de mil é quinientos é veinte e un años, el señor alcalde Cornejo, por ante mi Luis Madera, escribano, recibió juramento en forma debida de derecho de Juan de Padilla, el cual fué preguntado si ha seido capitán de las Comunidades, é si ha estado a Torre de Lobatón peleando con los gobernadores destos reinos contra el servicio de SS. M. dijo que es verdad que ha seido capitan de las gentes de Toledo e que ha estado en Torre de Lobatón con las gentes de las Comunidades, é que ha peleado contra el condestable é almirante de Castilla, gobernadores destos reinos, e que fué a prender a los del Concejo e alcaldes de Sus Magestades.

Lo mismo confesaron Juan Brabo * é Francisco Maldonado, haber seido capitanes de la gente de Segovia é Salamanca.

Este dicho día, los señores alcaldes Cornejo, e Salmerón, é Alcalá, dijeron: que declaraban e declararon a Juan de Padilla, a Juan Bravo, e a Francisco Mal-

* En el original, el escribano puso *Brabo* y no Bravo, la primera vez.

donado por culpantes en haber seido traidores de la corona Real de estos reinos, y en pena de su maleficio dijeron que los condenaban e condenaron a pena de muerte natural, é a confiscación de sus bienes e oficios para la cámara de Sus Magestades, como a traidores, é firmáronlo.

Doctor Cornejo.—El licenciado Garci Fernández. el licenciado Salmerón.»

A Padilla apenas le dejaron tiempo para escribir dos cartas: una a la ciudad de Toledo y otra a su esposa, doña María de Pacheco. Dichas cartas nos acercan al corazón de Padilla, nos adentran en su auténtica psicología ante esos últimos instantes, que afronta con serenidad y entereza, hasta decir a su esposa que no escribe más «por no dar sospecha que por alargar la vida alargo la carta». Es una breve misiva que debe leerse íntegra:

«Señora: si vuestra pena no me lastimara, más que mi muerte, yo me tuviera enteramente por bienaventurado. Que siendo a todos tan cierta, señalado bien hace Dios al que la da tal, aunque sea de muchos plañida, y de él recibida en algún servicio. Quisiera tener más espacio del que tengo para escribiros algunas cosas para vuestro consuelo; ni a mi me lo dan, ni yo querría más dilación en recibir la corona que espero. Vos, señora, como cuerda, llorad vuestra desdicha, y yo mi muerte, que siendo ella tan justa, de nadie debe ser llorada. Mi ánima, pues ya no tengo otra cosa, dejo en vuestras manos. Vos, señora, lo haced con ella, como con la cosa que más os quiso. A Pero Lopez mi señor no escribo, porque no oso, porque aunque fuí su hijo en osar perder la vida, no fuí su heredero en la ventura. No quiero dilatar más, por no dar pena al verdugo que me espera, y por no dar sospecha que por alargar la vida alargo la carta. Mi criado Losa, como testigo de vista é de los secretos de mi voluntad, os dirá lo demás que aquí falta, y así quedo dejando esta pena, esperando el cuchillo de vuestro dolor, y de mi descanso.»

La otra carta, la dirigida a la ciudad de Toledo, es la siguiente:

«A ti, corona de España y luz de todo el mundo, desde los altos godos muy libertada. A ti, que por derramamientos de sangres extrañas como de las tuyas, cobrastes libertad para ti e para tus vecinas ciudades. Tu legítimo hijo Juan de Padilla, te hago saber como con la sangre de mi cuerpo se refrescan tus victorias antepasadas. Si mi ventura no me dejó poner mis hechos entre tus nombradas hazañas, la culpa fué en mi mala dicha, y no en mi mala voluntad. La cual, como a madre te requiero me recibas, pues Dios no me dió más que perder por ti, de lo que aventuré. Pero mira que son veces de la fortuna que jamás tienen sosiego. Solo voy con un consuelo muy alegre, que yo, el menor de los tuyos, morí por ti: e que tu has criado a tus pechos a quien podrá tomar enmienda de mi agravio. Muchas lenguas habrá que mi muerte contarán, que aun yo no la se, aunque la tengo bien cerca: mi fin te dará testimonio de mi deseo. Mi ánima te encomiendo, como patrona de la cristiandad, e del cuerpo no hago nada, porque ya no es mío, ni puedo más escribir, porque al punto que esta acabo, tengo a la garganta el cuchillo, con más pasión de tu enojo, que temor de mi pena.»

Padilla solicitó un confesor, pero un confesor letrado. Le contestaron que le enviaban un fraile franciscano que entonces estaba en Villalar. Y cuando pidió un escribano para hacer testamento, le dijeron que no precisaba hacer testamento quien tenía sus bienes confiscados por la cámara del rey.

En las afueras de Villalar, junto al viejo rollo, habían levantado un cadalso para las ejecuciones. Los tres capitanes comuneros fueron conducidos allí, montados en mulas tapadas con lienzo negro. El primero iba Juan Bravo, después Padilla y detrás Francisco Maldonado. Junto a ellos caminaba el pregonero, que comenzó a recitar a gritos su aviso:

«Esta es la justicia que manda hacer Su Majestad y los gobernadores de estos reinos en su nombre. A estos caballeros mandóles degollar por traidores.»

Al oír esto, Juan Bravo exclamó, encolerizado, al pregonero:

«¡Mientes tú y quien te lo manda decir! Traidores no, sino celosos del bien público y defensores de la libertad del reino.»

Entonces terció Padilla, con la mejor serenidad, para replicar:

—Señor Juan Bravo: ayer fue día de pelear como caballeros, y hoy es día de morir como cristianos.

Cuando llegaron junto al viejo rollo de Villalar, se dispuso el verdugo a cumplir su cometido; y entonces, Juan Bravo pidió ser degollado antes que Padilla. Dijo al verdugo:

—Degüéllame a mí primero, para no presenciar la muerte del mejor caballero de Castilla

Fue complacido. Después Padilla y seguidamente Francisco Maldonado ofrecieron su cuello con el mismo ánimo, sin perder un momento la serenidad. Las tres cabezas fueron colgadas en lo alto del rollo.

3. TOLEDO Y LA VIUDA HEROICA

Sin ejército ya, la causa de los comuneros había terminado prácticamente, aunque hubo ciudades que intentaron resistir. Los gobernadores reales enviaron a todas las ciudades heraldos acompañados de gran trompetería para anunciar el triunfo de los imperiales e invitarlas a una rendición sin condiciones. El cronista Mexía, al referir estos últimos momentos del levantamiento de las Comunidades, extrema sus juicios condenatorios cuando dice:

«... ansí acabaron los vanos pensamientos destos caballeros con título y nombre de traidores, por haberse puesto en armas contra su rey, que no puede ser mayor deshonra ni afrenta. Perdieron, juntamente con la vida, la nobleza y hidalguía que heredaron de sus padres, ganada por ser leales, en lo cual pueden tomar ejemplo todos los caballeros y hidalgos para nunca apartarse del servicio de su rey por ninguna cosa que acontezca, pues no solamente lo mandan así las leyes humanas, pero las divinas y santas lo disponen también...»

Consignar esta especie de alocución de un cronista de la época no sirve aparentemente para nada en cuanto a los hechos históricos; mas esta clase de alegatos nos adentran en el ambiente de aquellos tiempos y en la psicología de los vencedores. En todo caso, nos sirven para determinar con qué mentalidad se escribieron los hechos, cuyo entusiástico desbordamiento sobrepasó en muchas ocasiones las mejores apetencias y sueños de cesarismo de los propios reyes.

Los heraldos anunciaron a las ciudades que se entregasen a los gobernadores en nombre del emperador, porque si no les harían «cruel guerra y castigo como merecían». A los tres días llegaron a Tordesillas, donde residían los gobernadores, algunos frailes para solicitar en nombre de Valladolid el perdón general. En vista de ello fueron a dicha ciudad los gobernadores y los grandes señores, donde ajusticiaron a unos, exculparon a otros y encarcelaron a la mayoría de los comuneros, excepto a los que lograron huir. Lo mismo sucedió en Medina del Campo, Toro, Zamora, Salamanca, Avila y otras ciudades. Algunas resistieron aún, como Segovia y Toledo.

En ninguna ciudad hubo manifestaciones de simpatía hacia los triunfadores, ni ante la visita de los gobernadores y grandes señores intentó nadie contemporizar con agasajos. La repulsa era imposible, y el duelo unánime de las ciudades comuneras sólo podía expresarse con el silencio. No obstante, en Segovia, al ser recibido el cadáver de Juan Bravo, salieron al encuentro del féretro hombres enlutados con hachones negros encendidos, procesionalmente reunidos en cofradías, con las cruces en alto, y un grupo de doncellas plañideras, a la antigua usanza, que gritaban en la comitiva:

> «¡Doleos de los pobrecitos,
> que este murió por la Comunidad!» [1].

En esta y otras manifestaciones populares hay que deslindar su aspecto político de las posibles ramificaciones de carácter social. No son gritos de venganza de los pobres contra los ricos, porque el contenido revolucionario del levantamiento de los comuneros se basa en un orden institucional y unos derechos políticos. El concepto de Comunidad, como el grito de «este murió por la Comunidad», se refiere a todo el vecindario, y no a los desheredados de la fortuna,

1 *Memorial* de Juan de Vozmediano, y en Danvila: *Comunidades,* cap. III, págs. 767-769.

como pudiera colegirse al atribuirle un sentido de desquite social. Por eso se hace también evidente la diferencia entre el predominio político de las Comunidades de Castilla y el predominio social en las Germanías de Valencia. Cuando en las Germanías se produce una derivación política bajo el espejuelo de las Repúblicas italianas, su base es más de revuelta social de clases inferiores que de revolución política sobre bases legales o históricas como en las Comunidades, donde abundan letrados e hidalgos como dirigentes, en fraternidad con labriegos y artesanos en el verdadero sentido de Comunidad.

Toledo fue la ciudad que más persistió en su tenaz oposición al absolutismo monárquico, manteniendo la bandera de las Comunidades en lo alto de sus torreones cuando ya toda lógica hacía ver la inutilidad material de tal esfuerzo, como un suicidio en realidad, pero también como un legado espiritual para la historia política de los españoles.

El juego adulador de los cronistas palaciegos supone uno de los más graves quebrantos para la historia. Al cabo de los siglos se recogen en sus relatos los sucesos, pero entretejidos con una serie de tergiversaciones. Para justificar y enaltecer los hechos de un gobernante desprestigian la fama de sus contrarios y difunden apreciaciones partidistas que llegan a la posteridad. Así dijo el cronista Mexía de doña María Pacheco, viuda de Padilla:

«... endurecida más con la muerte de su marido, como estaba apoderada del Alcázar y de las puertas (de Toledo) procuraba echar fuera de la ciudad a todos los que eran sospechosos; y teniendo cerca de sí hombres traviesos y facinerosos, amigos de guerras y bullicios, estaba hecha señora y tirana de la ciudad, de manera que aunque se asentó tregua por ciertos días con el Prior (Antonio de Zúñiga) que les hacía guerra, por tratar de reducirse al servicio del Rey, no se pudo asentar otra cosa, porque llegada la nueva que los franceses venían sobre Navarra, doña María y sus valedores se ensoberbecieron de nuevo y duró lo de Toledo muchos días y padeció aquella ciudad por sus durezas grandes daños... [2].

Doña María de Pacheco, hija del conde de Tendilla, fue una de esas grandes mujeres estudiosas, versadas en lenguas clásicas, que en la época del Renacimiento prestigiaron, como Isabel de Castilla, Beatriz Galindo y tantas otras, la acción femenina en la hispanidad. Doña María de Pacheco tenía un gran prestigio en Toledo entre el pueblo y la aristocracia. No fueron «facinerosos ni hombres bulliciosos», como dice el cronista Mexía, quienes la siguieron unánimemente, sino el vecindario toledano. Al ser ajusticiado su esposo, ella recibió la adhesión de todos, hasta colocarla simbólicamente como caudillo de la resistencia de Toledo.

Inmediatamente de ser recibidas las dos cartas testamentarias de Padilla en Toledo, doña María se puso al frente de un grupo de los más destacados comuneros, entre los que figuraban el obispo Acuña y Hernando Dávalos. Así tomó ella posesión del gobierno civil de la ciudad, para lo cual dejó su casa y se trasladó al Alcázar. Desde aquel momento se convirtió en la gobernadora de Toledo. Su primera disposición fue concentrar en la capital las fuerzas que se hallaban dispersas por los alrededores y organizar la defensa de puertas y murallas, porque esperaban ser atacados en Toledo de un momento a otro por los imperiales.

No tardó en presentarse el prior don Antonio de Zúñiga, ese furibundo antagonista del obispo Acuña, frente a los muros de Toledo, con un ejército de unos siete mil peones y tres mil jinetes. A pesar de la superioridad numérica de los atacantes, doña María

[2] Pedro Mexía: *Comunidades de Castilla,* cap. XVIII.

y Toledo resistieron durante seis meses heroicamente. El cerco quedó pronto reducido a una serie de intentos y escaramuzas. En una de ellas pudo comprobarse el carácter magnánimo de doña María de Pacheco. Todo comenzó un día en que los de Toledo decidieron salir al campo en busca de ganado. Eran unos seiscientos hombres de a pie con algunos jinetes. En cuanto el prior Antonio de Zúñiga tuvo noticia, envió contra ellos doscientos jinetes y mil peones para que les cortasen el retorno a Toledo. Efectivamente, ya estaba de vuelta el grupo toledano en las cercanías de las murallas cuando se vieron rodeados. Pero desde Toledo salió en su auxilio un grupo de gente armada por la puerta de Alcántara. Se trabó batalla, y los de Zúñiga huyeron al fin hacia donde tenían el campamento, al que llegaron con tan gran alarma que Antonio de Zúñiga cargó contra sus propios hombres fugitivos y ordenó a todas las tropas un contrataque a los toledanos. Fue entonces cuando cayó prisionero un sobrino del jefe de los atacantes. Se le introdujo preso en Toledo, y doña María le hizo curar las heridas y que lo tratasen con toda bondad. Un incidente del que doña María hubiera podido sacar utilidad para coaccionar a don Antonio de Zúñiga. Y no solamente desaprovechó tal ocasión, sino que dio órdenes de que el prisionero no fuera conceptuado como enemigo. Estos y otros detalles establecieron un nivel moral respecto a los comuneros que no pudo ser desvirtuado ni por sus mayores detractores.

Por entonces, el obispo Acuña decidió salir de Toledo secretamente, disfrazado de vizcaíno, para rebasar el cerco enemigo. Es difícil saber si esta determinación fue tomada de acuerdo con doña María y el resto de los dirigentes toledanos. Lo que es seguro es que no se trataba de una huida, sino de una misión. Se proponía atravesar España hasta lograr llegar junto al papa e invocar su clemencia para que interviniese en un armisticio o en una rendición honrosa de los comuneros. Acuña se había dado perfecta cuenta de que el heroísmo de Toledo no significaba ya nada positivo para la causa perdida de las Comunidades. Por otra parte conocía la saña vengativa de los vencedores, que tarde o temprano se dejaría sentir cuando entrasen en Toledo. Sin embargo, no estuvo acertado al elegir la ruta para su viaje de incógnito, porque, en vez de ir hacia Portugal, en busca de un puerto, decidió, quizá considerándolo más corto, cruzar hacia Francia por Navarra, entonces invadida por los franceses que la apoyaban en sus reivindicaciones dinásticas contra Carlos V. Así fue como al llegar a Villamediana, en la frontera navarra, Acuña pudo ser reconocido por un alférez de las tropas imperiales, que le condujo preso al castillo de Navarrete. De allí le trasladaron al de Simancas.

Los enemigos de los comuneros hicieron gran hincapié en este suceso de la salida de Toledo del obispo Acuña y su viaje en dirección a Francia para tildarle de traidor. Unos dieron a entender que huyó de Toledo cuando vio que la ciudad iba a caer en manos de los imperiales, y que traicionó al fin a los defensores. Otros, y es lo más frecuente en los relatos de las historias generales, suponían que intentó establecer contacto con los tropas franconavarras, como si hubieran existido unas secretas relaciones entre los dirigentes comuneros y los franceses invasores, con lo cual se intentaba sembrar una difamación contra la causa comunera, de tal forma que pasasen a la historia con la duda de ser traidores a su patria, al tiempo que la figura de Carlos V cobraba un motivo más para ser enaltecida.

Los comuneros colocaron los intereses nacionales por encima de cualquier otra cuestión. No tuvieron tratos con otros países, y mucho menos atentatorios a la integridad nacional, en cuyo interés sucumbieron según sus ideales y su positivo derecho a intentar hacer que la patria recuperase su genuina personalidad, sin espejismos extranjeros como los que traía Carlos V de importación.

Sin embargo, nada se opone a que los comuneros, ya al fin de su contienda y desengañados de tantos intentos de conciliación por atraer a Carlos V a unos puntos de vista de tradición española, considerasen roto todo vínculo con un rey al que juzgaban contrario a los intereses españoles y proyectasen en un futuro el establecimiento de buenas relaciones precisamente con los franceses. Es ésta una cuestión sobre la que volveremos más adelante, al tratar de las repercusiones internacionales de las Comunidades, a partir de la alianza de Carlos V con Enrique VIII de Inglaterra.

Es muy posible que los de Toledo esperasen instaurar un nuevo régimen, o al menos otra dinastía. Cuando ya habían mediado batallas como la de Villalar, incendios como el de Medina y cercos como el de Toledo, Carlos V no podía ya ser rey para los comuneros, sino su enemigo, y, por tanto, enemigo de España. Quizá lo que esperaba Toledo, último baluarte de los comuneros, era ganar tiempo con la esperanza de ver a Carlos V en apuros. Sin embargo, los sitiadores de Toledo habían logrado apretar el cerco, y la ciudad ya no podía recibir víveres de los pueblos cercanos. Y cuando el hambre comenzó a amenazarlos, doña María decidió negociar la capitulación. A su vez, los imperiales encontraron muy satisfactorio acelerar los tratos, para no distraer fuerzas ante la perspectiva de la guerra en Navarra. El 25 de octubre de 1521, entre doña María en nombre de Toledo y el prior Antonio de Zúñiga en nombre de Carlos V, se firmó el acuerdo. La ciudad de Toledo sería puesta en manos de los representantes del rey. Los toledanos alcanzarían un indulto general. El buen nombre de Padilla sería rehabilitado, los bienes de su viuda respetados, levantada la confiscación, como era la sentencia de Villalar. Se reconocerían a Toledo todos sus viejos fueros. Una vez firmado el tratado, el arzobispo de Bari y el doctor Gumiel entraron en Toledo como justicias, cargo que ejercerían mientras el rey continuase ausente de España.

Doña María se fue a vivir a su casa, anulada ya toda actividad política. Pero la población era la misma y por tanto no podía cambiar radicalmente sus convicciones, sino mantenerse pacífica y a la expectativa. Había un estado latente de antipatía y descontento hacia las autoridades reales y sobre todo una disconformidad respecto al destino político de España que la derrota les había hecho acatar. Era de esperar que surgiese el chispazo cuando menos se esperase, como suele ocurrir en estas cuestiones sociales, hasta prender y revolucionar lo que ya se creía pacífico y sojuzgado. Según el cronista Mexía, al que ya conocemos por su intransigencia, todo sucedió porque la rendición de Toledo se aceptó por los imperiales con demasiada benevolencia. Quizá lo que añoraba el adulador cronista era un ajusticiamiento masivo cuando dice:

«... como quedasen dentro y sin castigo muchos malos e inquietos hombres, y la soberbia y ambición de Doña María Pacheco no se pudiese apagar, cada día avía ruydos y alborotos y la justicia no era tan enteramente acatada ni obedecida, y destos desacatos llegaron a términos que vinieron a librarse por armas... [3].

Lo sucedido fue algo tan espontáneo e imprevisible como promovido por el grito de un muchacho impulsivo. Todo empezó cuando la catedral se ha-

[3] Pedro Mexía: *Historia del emperador Carlos V,* libro III, cap. V.

llaba abarrotada de gente con motivo de las fiestas celebradas en homenaje al cardenal Adriano de Utrecht, de tan mal recuerdo como gobernador de Carlos V, que había logrado ser elegido papa, según se dijo por influencia del emperador, con el nombre de Adriano VI. Precisamente cuando más satisfechos y orgullosos se hallaban los imperiales, para quienes psicológicamente aquel acto ratificaba su partido, se oyó un grito bien claro y fuerte que resonó bajo las bóvedas de la catedral: «¡Viva Padilla!» Era el momento cumbre para que la soberbia consolidada de los imperiales, dueños del poder y ansiosos de ese escarmiento masivo que añora el cronista Mexía, estallase en furor, en histerismo vengativo. Encarcelaron al padre del impulsivo muchacho y lo condenaron a muerte.

El pueblo toledano quiso impedir la ejecución y se desparramó por las calles ya en plena rebeldía, pero fue barrido por las fuerzas de los gobernantes. El prior Antonio de Zúñiga declaró que doña María era la instigadora, e intentó apresarla. Derogó los capítulos que se habían acordado en el convenio de capitulación de Toledo. Doña María se había fortificado en su casa, hasta que al fin consiguió huir a Portugal disfrazada con traje de aldeana[4].

Ante la frustración de los imperiales por la fuga de doña María, creció la ira vengativa y se abrió proceso a esta señora como reo evadido. La casa de Padilla fue «mandada derribar por la justicia real y ararla de sal». Huelga pues todo comentario. Sólo puede añadirse que fue colocado en el lugar un letrero insultante. Si a todo aquel ensañamiento delezna-

[4] Según una leyenda, doña María salió con su hijo en brazos por la puerta de las murallas llamada de las Cambroneras, cuyos vestigios visigodos y restauraciones por los alarifes del califato es hoy una más de las evocaciones de la tradicional Toledo.

ble se le llamó justicia, hay que sospechar no ya una mezquindad irascible, sino en el fondo, psicológicamente, el convencimiento de una impotencia moral y política inconfesable. Principalmente ese rociamiento de sal significa un temor al posible resurgimiento de lo que Padilla y doña María significaron para la dignidad y el prestigio humano, social y político de los españoles.

4. DERIVACIONES INTERNACIONALES

Las rivalidades imperialistas entre Francisco I de Francia y Carlos V databan ya de la elección de éste como emperador de Alemania. Por eso, al salir Carlos del puerto de La Coruña, tras las agitadas Cortes en que se puso de manifiesto la oposición de las Comunidades, no fue directamente a Flandes y Alemania, como todo el mundo creía, sino que desembarcó primero en Inglaterra para tener una entrevista con Enrique VIII, bajo el pretexto de saludar a la reina Catalina, tía del emperador. El navío de Carlos V entró en el Canal de la Mancha y se dirigió directamente a Dover, frente al puerto francés de Calais. Le esperaba el cardenal Wolsey, favorito y primer consejero de Enrique VIII. Esa misma noche llegó en coche el rey inglés a Dover, y ambos monarcas firmaron una alianza política. Ahora bien, quien decidía y gobernaba en realidad en Inglaterra era el cardenal Wolsey, cuya voluntad supo captarse Carlos V con el ofrecimiento de influir a su favor cuando presentase su candidatura al quedar vacante la silla pontificia. No esperaba el cardenal Wolsey entonces que sería defraudado en sus aspiraciones. Al llegar la ocasión, el emperador apoyó la candidatura de Adriano de Utrecht, su gobernador en España. No es de extrañar que las Comunidades de Castilla, en lo que respecta a política exterior, inclinasen su simpatía hacia los franceses.

Carlos V prosiguió su viaje. Desde Inglaterra fue a desembarcar en el puerto holandés de Flesinga, y de aquí pasó a Flandes. El 23 de octubre de 1520 era coronado en Aquisgrán con una magnificencia nunca vista. Se trataba de evocar el imperio de Carlomagno, cuya histórica capa llevó Carlos sobre los hombros durante todo el acto. Después, en Worms, ante la Dieta germánica, cedió el ducado de Austria a su hermano Fernando. En dicha Dieta hizo comparecer en abril del siguiente año al reformador Martín Lutero. Era la época en que no cesaba de recibir cartas de las Comunidades de Castilla, apremiándole a decidir sobre las garantías y derechos solicitados con arreglo a fuero. Poco después, el rey francés ayudaba al duque de Bouillon a sublevarse como señor feudal de Luxemburgo contra Carlos V, por lo que el emperador mandó atacar las fronteras francesas desde Flandes. El rey francés ayudó asimismo al depuesto rey de Navarra, Enrique de Albret, en el intento de recuperar su trono. Las tropas francesas entraron en Pamplona, cruzaron el Ebro y llegaron hasta poner sitio a Logroño. Por entonces los comuneros de Castilla habían sido derrotados en Villalar, y Toledo, después de la heroica resistencia de doña María, se había rendido. Fue en estos días cuando el obispo Acuña salió de Toledo secretamente para dirigirse hacia Navarra, con el intento de entrar en contacto con los franconavarros y seguir después camino de Roma para solicitar el apoyo del papa en favor de los comuneros. Mas como hemos dicho, al llegar a Logroño fue reconocido por las fuerzas del emperador y hecho prisionero. Poco después, los franconavarros eran derrotados, y el mes de julio de 1521 se retiraban a Francia.

Lo más curioso, porque la historia tiene sus paradojas, es que, después de tantas acusaciones como se han vertido sobre los comuneros por un supuesto antipatriotismo, al atribuirles tratos secretos con los franceses, se ha comprobado que precisamente aquellos que figuraron en el ejército de las Comunidades pasaron después a engrosar los batallones que lucharon contra los franceses y contribuyeron decisivamente al triunfo de Carlos V sobre Francisco I de Francia en tierras de Navarra. Y no es tan desconcertante esta actitud de muchos comuneros, ni atribuible a venalidad o inconsciencia política, sino todo lo contrario. Los comuneros se habían levantado primero contra la injerencia de austríacos y flamencos en la política española. Pero tampoco podían dudar en alistarse para luchar contra la invasión de los franceses en Navarra. En la pugna secular por el dominio imperialista de Europa entre los Austrias y los Borbones, que más tarde arrastraría a España a varias guerras sucesivas y al fin a su decadencia, a compás de una dinastía y luego de otra, los comuneros *solamente* se sentían españoles.

Desde enero de 1522 a septiembre de 1523 duró el pontificado de Adriano de Utrecht, tan favorable a Carlos V, ya que el Estado pontificio influyó en la alianza de los enemigos de Francisco I de Francia. Así, los ingleses y flamencos atacaron a Francia por un lado, los alemanes por otro y los españoles por la frontera de Hendaya. Al morir el papa Adriano fue elegido Julio de Médicis, con el nombre de Clemente VII, con lo que nuevamente se vio defraudado el cardenal inglés. El nuevo papa varió el rumbo de la política pontificia al apartarse de la Liga contra Francia. El rey francés cayó prisionero de los españoles en la batalla de Pavía y fue llevado a España, donde quedó recluido en la famosa Torre de los Lujanes, que aún puede verse en la plaza de la Villa frente al Ayuntamiento de Madrid. Carlos V le hizo firmar un tratado de paz muy oneroso, pero que no fue cumplido por Francisco I, que en cuanto se vio en libertad reanudó las hostilidades. El papa organizó la Liga Clementina en favor de Francia y las naves del rey francés se unieron a las del Papa y las de Venecia. Las tropas mercenarias de Carlos V en Italia saquearon Roma en mayo de 1527 y apresaron al papa Clemente VII, que se había refugiado en el castillo de Sant Angelo, de donde consiguió fugarse una noche. Por entonces el rey inglés Enrique VIII, que deseaba la autorización del papa para divorciarse de su esposa Catalina de Aragón, tía del emperador, se sintió defraudado ante la actitud del papa, que le negó tal autorización, y decidió no reconocer la autoridad papal y separarse de la Iglesia católica. Así nació la Iglesia anglicana. Pero mientras tanto, ya el cardenal Wolsey había negociado en nombre de Enrique VIII una alianza con Francia. El papa, que había sido el miembro más destacado de la Liga Santa o Clementina contra Carlos V, se puso luego en relaciones amistosas con el emperador. En realidad Clemente VII, como italiano, veía con desagrado la ocupación de las provincias italianas por los españoles. En cambio, en cuestiones religiosas se hallaba de acuerdo con Carlos V, con el que tuvo numerosas entrevistas, como la que el pintor Vasari dejó plasmada en un fresco de la sala de Clemente VII en el Palazzo della Signoria de Florencia.

Con estas brevísimas notas, como chispazos psicológicos del ambiente de la época, tan plena de versatilidad política, podremos comprender mejor el alcance de la política nacional de los comuneros de Castilla, atenidos a los exclusivos intereses sociales y económicos de España y sin más apetencia de salida al exterior que la gran aventura de la colonización de América. Los intereses de España no estaban en Alemania, en Francia o en Inglaterra. Los comuneros deseaban vivir puertas adentro, deseaban vivir su realidad nacional, con sentido democrático y ajenos a esa larga sucesión de enredos dinásticos, de ligas y de alianzas matrimimoniales de reyes y princesas, con miras a la intriga diplomática, que durante aquellos tiempos azarosos tuvieron en jaque la tranquilidad de Europa Sin embargo, cuando los historiadores han reconocido un ideario en la orientación política de los comuneros de Castilla, ha sido para tacharlos de feudalistas, de retrógrados, ante el pensamiento moderno de Carlos V, cuando la trayectoria política de las Comunidades iba mucho más allá del «modernismo» imperialista y absolutista, pues, en el orden político, conducía directamente a la monarquía constitucional o a la República, y en el orden social a los derechos humanos, a través de los fueros. Pero no los comprendieron en su época, ni se deseó en ninguna de las monarquías europeas que esas ideas limitadoras de la autoridad del rey pudieran triunfar, transcender y tomar un carácter de legalidad. Parecía entonces que la política de Carlos V era la del *mañana,* iniciadora del modernismo. La realidad es que la de los comuneros iba mucho más lejos; era la política de *pasado mañana.* El ocaso del absolutismo llegaría a Europa siglo y medio después, a partir de la Revolución inglesa de 1688 y de la francesa de 1789. Por eso cuando se quiera hacer una historia de los revoluciones en Europa, dotadas de auténtico carácter social y político, renovador y constructivo para la instauración de un tiempo nuevo con base en los derechos humanos, habrá que partir de la revolución de las Comunidades de Castilla.

Para aquellos hombres del Renacimiento, tan impresionados por el retorno al pensamiento griego y por la ruptura con el medievalismo, resultaba incitante el legado democrático heleno, que marcaba una clara diferencia entre monarquía y tiranía, diferencia que incluso el monárquico Jenofonte dejó bien planteada al afirmar que es rey quien gobierna con el consentimiento del pueblo, de acuerdo con las leyes, y es tirano quien gobierna no apoyado en las leyes y sin el consentimiento del pueblo. Porque el pensamiento griego, que oscila entre la República y la monarquía, se halla siempre dotado de un profundo sentido democrático, que a veces adquiere matices heroico-caballerescos, en la paradójica fusión de lo aristocrático y lo democrático, por el gobierno de los mejores. Porque el verdadero sentido de la aristocracia es el mérito entre los ciudadanos y no el privilegio gratuito. Punto de vista político que se adapta muy bien al sentido de nobleza tradicional de los españoles durante una Edad Media más heroica que feudal. La nobleza nace en Castilla y Aragón como acreedora a una deuda de gratitud por parte de los demás, como acreedora al distintivo del mérito. Este es el concepto hispánico de hidalguía.

Así, el planteamiento político de los comuneros de Castilla es un reencuentro entre las ideas democráticas griegas resucitadas y tan en boga en la literatura renacentista, con las normas fundacionales de los pequeños reinos hispanos, como el viejo fuero de Sobrarbe, según el cual el rey, para ser elegido y acatado, había de jurar el respeto a unas libertades populares y unos derechos constitucionales. Esta era la ambivalencia de la base histórica que actualizaba el levantamiento de los comuneros, para los que el emperador Carlos V, con su postura imperialista, su poco respeto a los fueros y a lo constitucionalmente hispánico, aparecía como un proyecto de tirano, según el patrón absolutista de la Europa de la época, en la que el emperador Carlos es uno de los grandes monarcas que surgen frente al poder del feudalismo europeo. Por eso, al «nivel europeo» de aquel tiempo, es fácil ver en Carlos V un emperador *moderno,* un monarca que transforma la vetusta política posmedieval y la hace dar el paso a la Edad Moderna. Desde este punto de vista, cerrado a otras perspectivas menos generalizadoras, se confunde el momento político de España con el feudalismo alemán, flamenco, que tiene igualmente supervivencias en Francia e Inglaterra. Eso supone ver las cosas desde fuera, sin adentrarse en la realidad particular de la España de aquellos tiempos, que culminó en una tendencia marcadamente democrática, a través de la herencia de los fueros logrados por el pueblo en el transcurso de los siglos y ratificados con modernismo centralizador por los Reyes Católicos al llegar la Edad Moderna, como una realidad política constructiva en esta época abierta, que se caracteriza por las unificaciones nacionales y los grandes descubrimientos geográficos.

Pero Carlos V, cegado por el espejuelo del feudalismo flamenco y alemán, en el que se ha educado, no puede ver ni desea comprender a los comuneros, como tampoco hubieran querido transigir Francisco I de Francia o Enrique VIII de Inglaterra en sus respectivos pueblos. Los comuneros suponen para Carlos V la frustración de su absolutismo imperialista, de su sueño cesarista y casi de divinidad, a pesar de todo su catolicismo de fondo político. Los hombres de letras de su tiempo supieron profundizar en la psicología de Carlos, en sus ambiciones, y pretendieron halagarle llamándole *César* en los poemas y narraciones. Así, el poeta Hernando de Acuña dice en un soneto:

Invictísimo César, cuyo nombre
el del antiguo Carlo ha renovado,
al sonido del cual tiemble y se asombre
la tierra, el mar y todo lo creado.

Desde entonces hasta nuestros días se han escrito numerosos versos sobre el esplendor de la época de Carlos V. Pero hubo también poetas que supieron calar más hondo en las repercusiones históricas de aquellos tiempos, en cuyo aparente poderío universalista se gestaba precisamente la decadencia nacional. Por ejemplo, Chaves decía de aquella época que:

> *Sólo legaba a la historia*
> *el sudario de su gloria*
> *sepultada en Villalar.*
> *Triste grandeza a fe mía*
> *la de aquellos siglos fue;*
> *triste la grandeza a fe*
> *de la austriaca dinastía,*
> *raza que no más misión*
> *tuvo en su suerte rastrera*
> *que encender la misma hoguera*
> *que alumbrara su ambición;*
> *sin ver que sus resplandores*
> *que a los necios fascinaban*
> *sólo un porvenir mostraban*
> *lleno de ruinas y horrores.*
> *En vano la adulación*
> *quiere aún hoy contar su gloria*
>
> ....
>
> *De aquellos siglos traidores*
> *quieren las glorias cantar*
> *mas por doquier que la historia*
> *registro, fuerza es decillo,*
> *encuentro falso su brillo*
> *y hallo mentida su gloria* [5].
>
> ....

Se comprende que los dos reyes más imperialistas de aquella época de los comuneros, Carlos V y Francisco I, habían de chocar en sus ambiciones y arrastrar a los europeos a estériles guerras.

[5] Angel R. Chaves: *Recuerdos del Madrid Viejo (Leyendas de los siglos XVI y XVII)*, Madrid, 1879.

5. EL ENCONO DEL EMPERADOR

No podían esperar los comuneros que fueran tan desastrosas para ellos las consecuencias de su fracaso en Villalar y la total capitulación del levantamiento. A pesar de la magnanimidad ofrecida por los imperiales, hubo saña y fobia, que los vencidos achacaron a los gobernadores reales. Pero la inquina vengativa fue superada por Carlos V en cuanto volvió a España. Así, algunos que habían sido condenados a prisión y llevaban encarcelados varios meses, no fueron sacados de las mazmorras para indultarlos, sino para ser ajusticiados. Los castellanos vieron claro entonces que los contrafueros y despotismos atribuidos a los gobernantes cuando las Comunidades esperaban que el rey las atendiese no habían sido oficiosidades de intermediarios, sino que respondían a la intransigente línea de conducta del emperador. Comprendieron los comuneros lo infructuoso de tantas cartas dirigidas a Flandes cuando conservaban todavía la duda de que el rey estuviese mediatizado. Ahora, en la práctica, Carlos V se mostraba más enconado aún que sus gobernadores, a pesar de la teórica y tardía magnanimidad a toque de clarines, ostentosamente escenificada en un acto público en Valladolid, tres meses después de su retorno a España.

Al regresar a España en el mes de julio de 1522, desembarcó Carlos V en Santander, acompañado nuevamente de una gran corte de consejeros flamencos y una escolta de cuatro mil soldados alemanes, cosa que resultaba extremadamente afrentosa para los españoles. Parecía un afán de contrariar las peticiones hechas por los españoles en cuantas Cortes llegaron a celebrarse cuando el rey sólo estaba pendiente de recabar fondos para los gastos de su elección como emperador de Alemania.

Al llegar Carlos V a Vitoria, los regentes le hicieron entrega oficial del gobierno de España. Después continuó viaje a Palencia, donde permaneció varios días. Allí comenzaron sus indagaciones para llegar al fondo de lo que había significado el levantamiento de las Comunidades y sobre los castigos impuestos, que debieron parecerle insuficientes porque en seguida ordenó nuevos encarcelamientos. Hubo varios ajusticiados, pero sobre todo muchas confiscaciones de haciendas y propiedades. Entre los seguidores de la causa de las Comunidades había gran cantidad de hidalgos y familias acomodadas, cuyas tierras y casas pasaron al patrimonio real o sirvieron para que el rey recompensara a los que habían permanecido en su bando. En éstos, y no sólo en los flamencos, se desató la codicia. Por ejemplo, el conde de Luna, don Francisco Fernández de Quiñones, pretendió que se le adjudicara la hacienda de su tradicional enemigo, el destacado aristócrata comunero don Ramiro Núñez de Guzmán, así como las propiedades de sus familiares y demás culpados leoneses. Pidió también la tenencia de todas las casas fuertes y torres de León. Por entonces, el caudillo leonés don Ramiro Núñez de Guzmán se hallaba en Portugal. A raíz de la derrota de los comuneros en Villalar, el conde de Luna se había encaminado directamente a León con ánimos vengativos; sin embargo, mientras él entraba con su ejército por una de las puertas de León, el de Guzmán salía por otra camino de Portugal, acompañado de cuantos leoneses se habían distinguido en el levantamiento comunero [6].

Muchos comuneros que habían sido condenados a prisión por los gobernadores, y hacía ya un año que cumplían su condena, fueron ajusticiados por orden del emperador. Pedro Maldonado, que se había

[6] Eloy Díaz-Jiménez y Molleda: *Historia de los comuneros de León,* cap. VIII, pág. 139.

librado de la muerte cuando fue ajusticiado Francisco Maldonado, murió ejecutado en el castillo de Simancas (agosto de 1522), donde cumplía su condena. Y lo mismo que a este capitán comunero de Salamanca ocurrió a Francisco Mercado, de Medina del Campo, y a ocho procuradores comuneros, entre los que figuraba Alonso de Sarabia, los cuales llevaban en prisión año y medio.

Hasta la viuda de Padilla estuvo a punto de ser alcanzada por la ira vengativa. Doña María, que primero se refugió en su casa y después en el convento de Santo Domingo, había conseguido llegar a Portugal y hacía casi un año que vivía en Oporto. Carlos V solicitó del rey portugués su extradición y la de numerosos comuneros. Sin embargo, el rey de Portugal no accedió a la petición de Carlos. Doña María falleció pocos años después en Oporto sin conseguir el indulto del emperador para regresar a España. Más le valió, porque algunos fueron engañados, como el conde de Salvatierra, que al entrar en Castilla fue apresado y luego apareció en su celda con las venas abiertas.

Algunos altos señores españoles, sobre todo el gobernador don Fadrique, que tanto había intentado la concordia con los comuneros durante la guerra, procuraron convencer a Carlos V para que no persistiese en los castigos. Entre las razones invocadas, la más apremiante en un hombre de palabra como él fue el haber prometido un indulto a todos los que depusieran las armas. No le parecía bien rebuscar ahora antiguas culpabilidades, para sorpresa de los que en tiempos se entregaron pacíficamente a los gobernadores del rey y creíanse ya a salvo (véase Apéndice 15).

Acuciado quizá por estas sugerencias, Carlos V quiso dar una sensación de universal clemencia y mandó instalar en la Plaza de Valladolid un gran estrado, en el que tomó asiento, rodeado de sus consejeros flamencos y de muchos altos señores de España. Ante la expectación popular hizo leer a un escribano de cámara el manifiesto de perdón y la lista de las personas exceptuadas de su clemencia: en total trescientas, cuya prolija enumeración fue pregonada ante el sobrecogido auditorio.

Quizá uno de los ejemplos más definidores para calar en el estado de ánimo del emperador y de su conducta general con los castellanos fue su actuación en Burgos, precisamente la única ciudad de Castilla que se había apartado de las Comunidades y se había puesto bajo la obediencia de Carlos. Entre éste y la ciudad se habían cruzado muchas cartas amistosas, en una de las cuales el rey le adjudica el calificativo de su ciudad más leal. Indudablemente, Burgos pesó mucho en el ánimo de Castilla a favor de un acercamiento al emperador. Pero he aquí lo inaudito: al año siguiente de tantos elogios a Burgos, en cuanto el monarca se vio bien asentado, expidió una provisión fechada y firmada en Granada por el Real Consejo emplazando a Burgos para que compareciese ante dicho Real Consejo a fin de responder de lo que resultaba contra dicha ciudad en la causa que estaba en curso contra los comuneros. También revocó el rey la merced que había ratificado a Burgos respecto al mercado del martes y la exención de costear los huéspedes del gobierno. Dice un historiador burgalés al resumir la conducta del rey Carlos V en Castilla: «Agravió al principio a los pueblos, por convenir así a sus negocios; se rindió luego a Burgos, acaso porque Burgos le hacía falta; trató más tarde de desagraviar al reino, cuando vio que en él ardía una guerra que podía costar muy cara, y no se mostró muy clemente ni muy generoso así que sus amigos le regalaron el triunfo y le aseguraron en el dominio» [7].

[7] A. Salvá, cronista de Burgos y académico de la Historia, en su obra *Burgos en las Comunidades de Castilla.*

El castigo que recibió el obispo Acuña fue uno de los más sonados, muy a propósito para ser narrado en los tabladillos de aquellos recitadores ambulantes que recorrían los pueblos con sus pancartas llenas de historietas terroríficas, cuyas pinturas señalaba por medio de un puntero el recitador, mientras contaba los sucesos con un sonsonete que era una reminiscencia de los juglares medievales. Fue la del obispo Acuña una historia trágica, que tuvo primero su realidad histórica y después una continuación fantástica que acabó por incorporarse a los romances y leyendas.

Lo que se ha comprobado históricamente respecto al final del obispo Acuña es que, al ser detenido en Logroño cuando se disponía a seguir viaje hasta Roma, fue encerrado en el castillo de Simancas. Se entabló a continuación un proceso contra él que resultó interminable, porque Adriano de Utrecht, antagonista suyo cuando sólo era cardenal y gobernador de la España de Carlos V, solicitó ahora como papa el indulto de este gran caudillo de las Comunidades, cuyo matiz político se inclinaba más hacia la República que al cambio de dinastía. Pero el papa falleció muy pronto, y su sucesor, Clemente VII, no ratificó la petición de indulto, sino que ordenó que respecto al juicio sobre el obispo Acuña se atuviesen todos a lo que el rey y la justicia civil decretasen. Acuña intentó fugarse de la fortaleza de Simancas. Sorprendido cuando escalaba los muros, luchó con el alcaide de la fortaleza y le dio muerte, pero fue apresado nuevamente. Le sometieron entonces a juicio sumarísimo por asesinato. El juez fue aquel alcalde Ronquillo tan odiado por el pueblo a causa de su terrible fama de sanguinario, enemigo personal del obispo Acuña. Designar para juez del obispo Acuña al alcalde Ronquillo era tanto como entregarlo al verdugo. Pero Ronquillo dilató la ejecución para someter a tormento al obispo, ya que todo el mundo sospechaba que, entre todos los personajes políticos de las Comunidades, era él quien poseía los más importantes secretos. Ronquillo no consiguió, sin embargo, que el obispo Acuña perdiese su proverbial entereza y declarase en el tormento; en visto de lo cual, lo hizo colgar de una de las almenas de la misma fortaleza de Simancas.

Ahora bien, la leyenda cuenta las cosas de otra manera, según nos la transmitió el doctor Cristóbal Lozano, medio siglo después, en su recopilación de leyendas históricas. Según dicho relato, el alcalde Ronquillo quiso salir al paso de tantas dilaciones como se sucedían respecto a la ejecución de Acuña en espera de la opinión del papa, ya que se trataba no de un reo civil, sino de un personaje eclesiástico. Por lo tanto, puso en ejecución un plan diabólico. Dejó prevenidos para acudir a su llamada a un grupo de guardianes junto a la estancia donde se hallaba encarcelado el obispo, y entró él solo para hablar amistosamente. El obispo nada sospechó. Entabló con su enemigo una larga conversación, en el curso de la cual sacó Ronquillo un cordel con disimulo y, cuando más descuidado estaba el obispo, se lo echó al cuello y comenzó el forcejeo mientras daba voces en petición de ayuda. Acudieron los guardianes. El obispo se debatía, pero entre todos le arrastraron por el corredor y lo dejaron colgado al exterior, donde murió ahorcado. Se echó tierra sobre aquel suceso por temor a que interviniese la autoridad papal. Pero desde entonces, el alcalde Ronquillo no tuvo un día tranquilo, hasta que acabó por caer enfermo. Se llamó al médico, al confesor y al notario. Las medicinas no le valieron porque su estado depresivo lo provocaba su propia conciencia. El notario redactó su testamento, el confesor le dio la comunión. Pero Ronquillo continuaba inquieto y su preocupación iba en aumento al sentir que se moría. Entonces pidió como algo decisivo para la salvación de su alma que llamasen al príncipe Felipe. El hijo de Carlos V escuchó con su calma proverbial la confidencia del moribundo. Le dijo Ronquillo que se hallaba sumido en graves preocupaciones y remordimientos a causa de la muerte dada al obispo Acuña y a tantos otros. Pero como todo aquello lo había hecho en servicio de Su Majestad y según las órdenes recibidas, esperaba ahora que el rey tomase sobre su conciencia los hechos cometidos. El príncipe respondió que, si las órdenes habían sido dadas por su padre y Ronquillo las había cumplido, no debía tener escrúpulos de conciencia, porque las comisiones de un rey siempre se procura que se ajusten a lo que puede extenderse su jurisdicción.

No debió, sin embargo, de quedar muy tranquilizada la conciencia de Ronquillo, porque murió debatiéndose entre crueles remordimientos y espantos. El entierro se efectuó con gran pompa en un convento de capuchinos, donde Ronquillo se había hecho construir un rico sepulcro en mármoles. Al fin todo quedó en silencio. Al llegar la media noche, los frailes oyeron que alguien llamaba con grandes golpes en la puerta del monasterio. Cuando el prior envió al portero para indagar quién llamaba tan intempestivamente, el fraile volvió asustado para decir que dos visitantes aseguraban ser ministros de la justicia de Dios y que, aunque podían pasar sin que se les abriese la puerta, deseaban la conformidad de los buenos frailes. El prior, con la cruz en alto y seguido de toda la comunidad, bajó a recibir a los que se titulaban embajadores de la justicia divina. Los visitantes eran dos embozados que se hicieron acompañar hasta el sepulcro de Ronquillo. Allí mandaron retirar la lápida de mármol y que trajesen un cáliz. Uno de los embozados levantó un poco la cabeza del cadáver, a cuya boca aproximó el cáliz, y recogió la Sagrada Forma administrada a Ronquillo con los últimos sacramentos. Seguidamente el embozado dijo al prior: «Lleve este cáliz al sagrario y guárdese con toda reverencia.» Ronquillo había comulgado sin arrepentirse y sin confesar sinceramente sus crímenes. Luego, los embozados hicieron despojar al cadáver del hábito que lo amortajaba, porque, según dijeron, no era digno de llevarlo. Por último, añadió uno de los embozados: «Lo principal a que fue nuestra venida se ha ejecutado; sólo resta, prestando consentimiento de Vuestras Reverencias, que saquemos este cuerpo de aquí y nos lo llevemos donde tenemos ya su alma.»

El interés de ésta y otras leyendas reside en la disconformidad popular que dejan transcender respecto a la injusta actuación de Carlos V y al celo adulador de los hombres que le sirvieron en la represión de las Comunidades. Alientan en las leyendas el recurso a la justicia divina y la esperanza de que nadie escaparía sin su merecido.

La ira vengativa de Carlos V, que se prolongó durante varios años después de haber sido vencidos los comuneros, pese a no tener ya nada que temer de ellos, resulta innecesaria e injustificable. A algunos los mantuvo presos durante cinco años, como a Acuña, contra el que se celebraron tres procesos sucesivos porque en los primeros hubo intervención papal de clemencia. Solicitó la extradición, sin conseguirla, de los que se hallaban en Portugal, como en el caso de doña María de Pacheco, que murió en Portugal, o en el del escritor Gonzalo de Ayora. Y en general, Carlos no cejó en su empeño de que se indagase el paradero de los comuneros escondidos. Fueron buscados en todo el territorio español, con orden de apresarlos y llevarlos inmediatamente al rollo de la localidad, donde serían ajusticiados. Los que volvieron confiados en la clemencia imperial fueron apresados en el acto. Así, al conde de Salvatierra, que se había decidido a volver del destierro en la creencia de que todo había sido ya olvidado con arreglo a la carta de perdón general, lo metieron en la cárcel, donde le abrieron las venas. Más aún, su cadáver fue colocado en el ataúd con los pies fuera, para que se viera al enterrarle que llevaba los grillos puestos.

Los historiadores han pasado siempre como sobre ascuas al eludir esta saña vengativa de Carlos V contra los comuneros. Con un celo monárquico incomprensible han soslayado a toda costa herir el prestigio del rey. Por ello, resulta poco conocida la muy significativa plática de fray Guevara, dirigida a Carlos V con motivo de la batalla de Pavía. En esta plática, llamada *De las alegrías,* aprovecha las felicitaciones por la victoria para incitarle a la clemencia con los perseguidos, a cejar en sus venganzas contra los que siguieron a las Comunidades. Así dice:

«... Los que a Vuestra Magestad ofendieron en las alteraciones pasadas, dellos son muertos, dellos son desterrados, dellos están escondidos y dellos están huidos: razón es, serenísimo príncipe, que en albricias de tan gran victoria (se refiere a la batalla de Pavía contra Francisco I) se alaben de vuestra clemencia y no se quejen de vuestro rigor. Las mujeres de los infelices hombres están pobres, las hijas están para perderse, los hijos están huérfanos y los parientes están afrentados, por manera, que la clemencia que se hiciese con pocos, redundaría en remedio de muchos... A un príncipe disoluto no le llamaremos sino que es vicioso; mas si es cruel y vindicativo, llamarle han todos tirano, que como dice Plutarco no llaman a uno tirano por las ropas que toma, sino por las crueldades que hace...»

VIII

LAS GERMANIAS DE VALENCIA

1. LA REVOLUCION POPULAR

La semejanza entre el levantamiento político de las Comunidades y las revueltas sociales de las Germanías de Valencia es muy relativa. El hecho de producirse al mismo tiempo no acredita idénticas causas ni los mismos fines. Tampoco hay un nexo, ni acción conjunta. Ambas sublevaciones obedecen a un impulso sociopolítico; pero, mientras en las Comunidades predominan las aspiraciones políticas, en las Germanías ocupan el primer lugar las sociales. En las Comunidades, los miembros de la Junta Santa, los procuradores y los caudillos militares hay que buscarlos entre los hombres de profesiones cultas, los hidalgos y los burgueses. En las Germanías, los dirigentes pertenecen a la clase artesana, y el contingente al que arrastran a la revolución se halla formado por el sector económico y social más bajo dentro de las clases populares. El hecho de que entre los agermanados pueda contarse algún escribano y ciertos clérigos no desvirtúa el carácter popular predominante y el cauce de bajos fondos sociales por donde los hechos evolucionan en el transcurso de la revolución. Del mismo modo, tampoco las revueltas populares surgidas en algunas ciudades comuneras, con el carácter de esporádicos estallidos, cambian el cariz cultural que los procuradores castellanos imprimen al levantamiento de las Comunidades. Pero mientras la renovación política a que se orientan las Comunidades de Castilla tiene una derivación social y popular ineludible, las revueltas de las Germanías, que nacen como desquite de los no privilegiados y tienen un marcado carácter social, adquieren un matiz político. Es posible que, entre las múltiples facetas de cada una de estas dos revoluciones, tengan una en común: el espejuelo de las Repúblicas italianas. Pero no pueden relacionarse directamente las Comunidades de Castilla con las Germanías de Valencia, ni en su origen, ni en sus procedimientos, ni en su evolución revolucionaria.

Dice Sandoval que la situación de las clases populares en Valencia era tan desgraciada que motivaba un odio silencioso contra los privilegios de los nobles, cuyos actos escapaban a toda justicia, de tal forma que, si un sastre se atrevía a exigirle a un noble el pago de la hechura de un traje, podía recibir a cambio una tanda de palos. Y si reclamaba a la justicia, le costaba más la querella que el valor del importe de su trabajo. Este y otros ejemplos, como el del magnate que arrebató a una desposada al salir de la iglesia, mantenían un estado latente de odio que no existía en Castilla, terreno abonado para que se produjese el estallido en cuanto lo provocase una circunstancia propicia.

En aquel tiempo eran muy frecuentes los asaltos a los pueblos de la costa de los piratas argelinos, cuyas naves infestaban el Mediterráneo con sus atracos y rapiñas a las naves y a las poblaciones indefensas. No es extraño que los valencianos obtuviesen autorización de Carlos V para armarse. Por entonces se hallaba el rey en las Cortes de Barcelona, pendiente de recabar el subsidio, como ya quedó referido anteriormente.

Las Germanías o Hermandades de Valencia confeccionaron sus banderas por gremios, y el pueblo nombró trece síndicos, número que según Argensola en sus *Anales de Aragón* se eligió en memoria de Jesucristo y los doce Apóstoles. No obstante, se atribuye también a una imitación de la República de Venecia. La primera bandera que se constituyó fue la de los pelaires o cardadores, la segunda la de los carpinteros, la tercera de los sederos, y así los demás oficios, hasta llegar ya en el carnaval de 1520 a cuarenta banderas, que daban en total unos ocho mil hombres armados.

Hay en todo esto de la autorización de Carlos V al pueblo valenciano para organizarse militarmente un porqué mucho más profundo, que suele pasar inadvertido. Y es el momento psicológico en que se produce, cuando el rey se halla en Barcelona y ha tenido que debatirse sucesivamente en las Cortes de Valladolid, de Aragón, de Barcelona, ante la reticencia de los caballeros españoles a concederle los subsidios y la desconfianza de las municipalidades, que secundan la frialdad general con que le acogen en los pueblos. Ya en Castilla ha podido observar Carlos cierta desconfianza, manifiesta a través de la insistencia de los procuradores en hacerle jurar los fueros como condición ineludible para otorgarle el acatamiento a su realeza, que él creía indiscutible y de valor *absoluto.* Luego, en su viaje a través de Aragón, hemos visto cómo en las ciudades, apenas recibido, le presentan los fueros para que se comprometa en juramento a respetarlos. Sin embargo, son los caballeros y hombres doctos quienes llevan la voz cantante en la expresión del sentir unánime del pueblo respecto a los derechos y en los reparos a conceder al rey las sumas pedidas para sus gestiones sobre la candidatura al imperio de Alemania. Por eso Carlos y sus consejeros reciben con satisfacción el posible apoyo de cualquier fuerza, como la de las Germanías valencianas, que represente un poder que oponer a los descontentos caballeros españoles, bajo el pretexto de armar al pueblo artesano contra las posibles incursiones de los piratas. Es el momento psicológico en que el monarca se halla propicio a concesiones que *para él* no representan peligro, sino en todo caso una advertencia a los caballeros. No es extraño, pues, que el cardenal Adriano, que se encontraba en Valencia para preparar unas Cortes, presenciase con satisfacción el desfile ante él de unos ocho mil artesanos armados y organizados con sus enseñas gremiales. Los gritos de «¡Viva el rey!» que salían de las formaciones suponían una garantía para Adriano y un impacto para los caballeros y hombres de letras. Pero olvidaba que, si bien el pueblo lanzaba vivas al rey, los unía a otros vivas a los caudillos de las Germanías.

La nobleza desconfiaba de aquellas Hermandades, sobre todo cuando los agermanados de Valencia invitaron a otras ciudades de la región a que creasen también sus Germanías armadas. Játiva, Alcira, Murviedro, nombraron sus *treces* en solidaridad con los de Valencia. A su vez los nobles crearon una Junta, a prevención de la actitud que frente a ellos pudieran adoptar las Germanías, armadas y organizadas bajo el pretexto de la amenaza berberisca, pero que en el fondo constituían una gran fuerza en potencia, animada por una tradicional hostilidad contra la alta burguesía y la aristocracia. Asimismo enviaron una comisión al rey, que se enfrentaba ya a las agitadas Cortes de La Coruña, para informarle del ambiente de agresividad popular que se incubaba en Valencia. En vista de ello, el rey envió a Valencia como virrey al capitán general don Diego Hurtado de Mendoza, conde de Mélito. Pero las Germanías habían mandado a su vez una comisión al rey para rogarle que, con arreglo a los fueros y privilegios de la ciudad, autorizase que hubiese dos «jurados» nombrados por los gremios populares entre los seis que se debían elegir en la corporación valenciana. Carlos V contestó que accedía a ello.

En las elecciones de jurados triunfaron los dos miembros que presentó la Junta de los Trece. Ni uno solo de los nobles que el virrey presentó como candidatos fue votado. Los nobles se negaron a reconocer a los dos representantes populares. Ante este dilema, el virrey se puso de parte de los nobles. Uno de los más destacados miembros de los Trece, el tejedor de lana Guillén Castelví, conocido con el alias de *Sorolla,* se presentó en el palacio del virrey cuando se hallaban reunidos los nobles y les planteó este ultimátum: «O se reconocen los dos jurados plebeyos que han sido elegidos por el pueblo, o tened entendido que la sangre de los nobles inundará el pavimento del palacio.»

Sólo faltaba un pretexto que hiciera saltar al pueblo, y éste se produjo por el intento de ajusticiar a un malhechor sentenciado por el virrey, pero que no había sido juzgado con arreglo a los fueros. Esta fue la señal para que *Sorolla,* al frente de tres mil agermanados, atacase el palacio del virrey. Los defensores resistieron durante dos horas. Al fin desistieron los asaltantes. *Sorolla* desapareció e hizo circular la noticia de que lo habían matado. Todas las Germanías respondieron a tal noticia con la violencia esperada. La mayoría de los nobles huyeron; el virrey puso a salvo a su familia enviándola a Denia. Los agermanados, que pedían su cabeza, dieron otro asalto al palacio. Entonces intervino el obispo de Segorbe, a quien habían llegado noticias de la verdad sobre la desaparición de *Sorolla,* el cual no salía de su casa para dar verosimilitud al bulo de su muerte. Allí se presentó el obispo, rogando a *Sorolla* que se hiciese visible ante las turbas enloquecidas. Y, en efecto, al aparecer *Sorolla* junto al obispo por las calles, el uno a caballo y el otro en su mula, la multitud aplacó sus iras y prorrumpió en gritos de «¡Viva el rey! ¡Viva *Sorolla!*»

No obstante, los gobernantes desaprovecharon la oportunidad que brindaban aquellos gritos para aunar la autoridad real y las peticiones populares. Pensaron que era más seguro poner tierra de por medio en aquel paréntesis de calma, e incluso el virrey se trasladó sucesivamente a Concentaina, Játiva y Denia. No hay que perder de vista que los agermanados no se manifestaban contra el rey, sino que sus iras se concentraban contra la alta nobleza. Una vez la ciudad en manos de las turbas, sin autoridades populares que impusieran el orden, éstas se entregaron a una serie de actos sanguinarios y tumultuosos, perdida toda meta social y política, lo que hizo exclamar al presidente de la Junta de los Trece cuando vio pasar a las turbas capitaneadas por el terciopelero Vicente Peris:

«¡Nunca para esto se inventó la Germanía! ¡Tú y otros como tú, seréis la perdición de Valencia!» [1].

Vicente Peris iba al frente de los que en aquel momento arrastraban por las calles el ensangrentado cadáver de un infeliz llamado Francín, salinero de oficio, al que se le había escapado un comentario desfavorable a los desmanes. Y dicen los cronistas que Juan Lorenzo, ese presidente de los Trece paladín de las libertades que tan cívicamente había querido actuar como destacado miembro de las Germanías, falleció esa misma noche en su domicilio a causa de una depresión terrible, como se decía entonces, y que hoy hubiéramos atribuido a un infarto de miocardio.

[1] Gaspar Escolano: *Historia de Valencia,* lib. X, cap. IX.

2. LA REACCION DE LOS NOBLES

Casi todas las ciudades levantinas, entre ellas Játiva, Murviedro, Concentaina, Elche, Mogente, Orihuela, Onda, Jerica, Segorbe, Paterna, Benalguacil, La Pobla, Aspe, Crevillente, Biar, se unieron a los agermanados de Valencia. La expansión llegó incluso a la isla de Mallorca. Solamente Morella se mantenía leal al virrey. Este y los nobles se refugiaron en el castillo, situado en lo alto de una montaña, con ese acierto estratégico de las antiguas fortalezas de los templarios. Pero hasta allí fue *Sorolla* con sus fuerzas populares para dar un asalto, que resultó infructuoso. El vecindario de Morella colaboró con los nobles en la defensa de la ciudad. Después de expulsar de las inmediaciones a los atacantes, fueron contra los agermanados de la cercana villa de San Mateo, de la que se apoderaron y donde ajusticiaron a seis hombres que habían asesinado al alcalde.

En cuanto llegó noticia al emperador, por entonces ya en Aquisgrán, del comportamiento de los vecinos de Morella, envió a esta ciudad una carta elogiosa. Poco a poco varias ciudades vacilaron entre la presión de los agermanados y la influencia de los nobles. El virrey logró reunirse en Gandía con muchos nobles y formar un importante ejército. Mientras tanto, para ayudar a los señores valencianos, la nobleza de Andalucía formó otro ejército, a las órdenes del marqués de los Vélez, que se apoderó de Elche y llegó triunfalmente hasta Orihuela, donde, el 20 de agosto de 1521, tuvo lugar una de las grandes batallas que decidieron el ocaso de la revolución, en la que perecieron cuatro mil agermanados.

El marqués de los Vélez prosiguió su avance hacia Játiva. Y mientras este ejército andaluz avanzaba desde el sur, había recibido el virrey en el norte socorros de don Alfonso de Aragón, duque de Segorbe, quien derrotó al ejército agermanado que mandaba el carpintero Estellés, cerca de Oropesa. Fue ésta otra de las batallas decisivas. Conforme las tropas reales ganaban una batalla o tomaban una ciudad, ahorcaban o degollaban a los que mandaban los ejércitos de las Germanías. Se rindieron después Aspe, Crevillente, Onda, Alicante. En Valencia todas las campanas tocaron a rebato y en la plaza de San Francisco se concentraron tres mil agermanados a las órdenes del confitero Juan Caro, para salir hacia el castillo de Corbera, y seguidamente contra el de Mogente. En ambos lugares fueron rechazados, por lo que se retiraron hacia Játiva.

Un detalle muy curioso en esta guerra fue el hecho de que los mudéjares valencianos se pusieran de parte de los nobles. En represalia, en cuanto alguno de ellos caía en manos de los agermanados lo bautizaban a la fuerza. Así, cuando el virrey fue derrotado por las tropas del terciopelero Vicente Peris, cayeron prisioneros dos mil mudéjares de la comarca, a los que Peris hizo bautizar y después degollar porque, según dijo: «Así se dan muchas almas al Cielo, y a las bolsas de los agermanados mucho dinero.» Si la frase que transcriben los cronistas es cierta, no debe extrañarnos lo del dinero, porque los mudéjares solían gozar de buenos medios económicos. Hay que desechar la idea, tan frecuente, de que los mudéjares eran míseros braceros y campesinos explotados, sin tener en cuenta que había entre ellos numerosos artesanos, agricultores y comerciantes acaudalados. Precisamente por eso la imaginación popular les atribuía tesoros escondidos, y era frecuente sospechar que muchos de ellos se hallaban en tratos secretos con los piratas berberiscos.

Cuando los ejércitos de los nobles se acercaron a Valencia, los populares decidieron ofrecer al virrey la rendición de la ciudad. Las tropas de los nobles desarmaron a los agermanados de Valencia, que fueron arrojando las armas en la plaza de San Francisco. Mientras tanto Vicente Peris se retiraba con sus partidarios hacia Alcira. El día 1 de noviembre de 1521 el virrey hizo su entrada oficial en la ciudad de Valencia, ya en manos de un delegado. Y, paradójicamente, fue recibido entre grandes aclamaciones del vecindario.

Con la capitulación de Valencia estaba ya decidida la suerte de las Germanías; mas la guerra no había terminado. La resistencia duró un año más en Alcira y Játiva. El virrey atacó varias veces ambas ciudades, pero allí se habían congregado los agermanados dispersos, y, sin poderlas conquistar, sufrió sucesivas derrotas que le costaron miles de hombres.

Mientras el virrey se hallaba con su ejército entre Alcira y Játiva, salió de esta ciudad Vicente Peris y fue a Valencia, donde se introdujo secretamente, aprovechando quizá que era carnaval, con intención de amotinar de nuevo al pueblo. Pronto fue secundado por numerosos partidarios. Cuando llegó noticia al gobernador de lo que se preparaba, reunió un pequeño ejército en la plaza de la Seo, mientras la campana de la catedral hacía sonar con insistencia su toque de rebato. Desde allí fueron a la casa de Vicente Peris, en la calle de Santa María de Gracia, cerca de la calle del Fumeral, que luego se llamó de Quevedo. Ese día, 3 de marzo de 1522, Peris quedó cercado y, tras una batalla encarnizada en la que murieron más de cien hombres, fue apresado y muerto por un artesano llamado Juan Cano. Luego, arrastraron el cadáver de Vicente Peris por las calles de Valencia y lo colgaron de una horca suspendido por los pies; finalmente, la cabeza quedó colgada dentro de una especie de jaula, en lo alto de la puerta de San Vicente [2]. La casa de Vicente Peris fue

[2] *Relación de las cosas de la Germanía de la ciudad y*

demolida y el solar sembrado de sal. Quedó prohibido terminantemente que se volviera a edificar casa alguna en dicho solar, por lo que desde entonces fue una plazuela, que se llamó sucesivamente de Galindo y de Vicente Peris.

Los representantes del virrey se distinguieron por la ferocidad de sus escarmientos. Antes de ser colocada la cabeza de Peris en la puerta de San Vicente, había sido clavada en lo alto de una pica, paseada así por las calles de Valencia y llevada hasta Onteniente, en donde estaba el virrey, para que la viese. Pero aún fue más sanguinaria la forma de ajusticiar a los que fueron apresados con Peris. Nueve hombres, supervivientes de la batalla, después de ser ahorcados por la tarde en la cárcel, a la mañana siguiente fueron descuartizados y colocados sus restos en los caminos. Igual suerte corrieron otros tres hombres y una mujer. Luego, en nombre del virrey, los descendientes de Vicente Peris quedaron estigmatizados como traidores a la patria hasta la cuarta generación [3].

3. EL MISTERIOSO «REY ENCUBIERTO»

Con la ejecución de Vicente Peris quedó Valencia definitivamente amedrentada. Sin embargo, aún persistían en la resistencia las ciudades de Alcira y Játiva, donde apareció el misterioso personaje a quien se llamó *El Encubierto,* porque no quería revelar su verdadero nombre, aunque había hecho circular

reino de Valencia, ordenada por Miguel García, notario de esta época, y traducida del original valenciano que se conserva en la Biblioteca Universitaria y Provincial de Valencia.

[3] Luis de Quas: *La Germanía,* cap. XVI, compuesta en 1580 en lengua lemosina o valenciano antiguo y traducida en 1822 al castellano.

secretamente la disparatada idea de que era nieto de los Reyes Católicos. En realidad, según se averiguó después, era un judío nacido en Castilla, embaucador, que había ya sido una vez condenado a ser azotado públicamente. También se llegó a saber al cabo del tiempo que había servido en Cartagena a un rico mercader, posiblemente judío, llamado Juan Bilbao, a quien acompañó a Orán, donde sedujo a la mujer y a la hija de su amo. Seguidamente entró al servicio del gobernador de Orán, quien le sorprendió en otra fechoría y lo entregó en manos de la justicia, que le azotó públicamente. Posteriormente llegó a la huerta de Valencia, donde alguien le vio hacer vida de ermitaño hasta que se unió al levantamiento de las Germanías.

El Encubierto dejó suponer entre los agermanados que su ascendencia ilustre procedía de ser hijo del príncipe don Juan de Castilla y de su esposa doña Margarita de Austria, con derecho por tanto al trono. El cardenal Cisneros le había ocultado en Gibraltar para evitar perturbaciones. Allí vivió en casa de una pastora bajo el nombre de Enrique Enríquez de Ribera. La verdad es que se ignoraba su verdadero nombre. Decía él que había salido de su oscuro aislamiento por mandato divino para restaurar a España, amenazada de perdición. Por eso los de Játiva comenzaron a llamarle *El Rey Encubierto.* Era de mediana estatura, con escasa barba roja, la nariz aguileña, ojos azules, las manos gruesas y cortas, los pies muy grandes, los cabellos más oscuros que la barba, casi castaños, la boca pequeña y las piernas estevadas. El tono de su voz era dulce, sus maneras reposadas. Se refería con gran frecuencia a la misericordia universal, con cierto tono profético que llegó a impresionar a los agermanados. Al principio se presentó vestido modestamente, pero después, y dado el prestigio que no tardó en adquirir entre los agermanados, se vistió con un sayo de terciopelo rojo, calzas del mismo color forradas de seda, gorra de terciopelo y espada sobredorada. Marchaba siempre a caballo y se rodeó de una pequeña escolta personal que le acompañaba a todas partes, aunque *El Encubierto* no rehuía dar muestras de valor en las refriegas en que tomó parte contra los imperiales.

No obstante, sus pláticas tenían más carácter profético y místico que político. Y aunque procuraba halagar a los agermanados al incitarlos a proseguir la rebeldía, en sus charlas les imbuía conceptos teológicos incomprensibles para la gente sencilla, que jamás había oído cosas tan paradójicas como atribuir a la Trinidad, no tres personas, sino cuatro. Sin duda, *El Encubierto* tenía sus visos de instrucción heterodoxa y, al hablar de la *cuarta persona,* se refería al Mal, a la personificación diabólica. La tétrada o cuaternidad fue motivo de discusiones filosóficas y teológicas en el transcurso de los siglos. Hoy constituye un tema estudiado en la psicología profunda. Estos mitos filosófico-teológicos fueron transmitidos desde el viejo helenismo filosófico a través de ciertas teorías gnósticas, en las que Satanael, en realidad el diablo, se considera el primer hijo de Dios, y Cristo, el segundo. En consecuencia, en estas teorías medievales de ascendencia helenística prevalece la sustitución de la idea trinitaria por la de cuaternidad. Ni qué decir tiene que fueron combatidas ya desde la patrística cristiana; pero la idea de que el diablo es, como dice San Juan, príncipe mundanal, es decir, príncipe de este mundo, se mantiene a pesar de su derrota, como un cuarto poder. La cuaternidad es un arquetipo psicológico ya planteado por la escuela pitagórica en la antigüedad al referirse al concepto del alma. Pero el planteamiento pitagórico sólo fue problema psicológico, metafísica humana, y no problema teológico. Fue el gnosticismo el que le dio ese cariz en su fórmula de la cuaternidad, donde el *cuarto* fue a veces representado como el demiurgo imperfecto.

Estos breves recuerdos de las especulaciones tan en boga en las escuelas heterodoxas, semisecretas, del siglo XVI, que en España eran legado de antiguas escuelas de maestros mudéjares y hebreos, nos ayudan a calar más profundamente en la verdadera personalidad del fabuloso *Encubierto;* indudablemente hombre culto, o a lo menos con un barniz y retazos de conocimientos captados aquí y allá, con despierto ingenio y una capacidad de sugestión suficiente para embaucar a los sencillos agermanados, que sólo habían aprendido a conocer el mundo desde un punto de vista muy limitado.

El Rey Encubierto adoptó una personalidad profética, fabulosa, al asegurar que él no podría ser herido jamás, y que les proporcionaría tantas gentes, vituallas o armas como necesitaran, además de tener facultades como rey para dar títulos de nobleza a los de Játiva y Alcira.

El ejército del virrey que cercaba estas dos ciudades tenía ya noticias sobre aquel *Rey Encubierto.* En varios ataques intentaron apoderarse de él cuando salía, siempre a caballo, entre los de Játiva. Así fue cómo cierto doctor en leyes llamado Micer Pons, que iba junto al virrey, halló la muerte, porque tanto se adelantó entre los enemigos para intentar apoderarse de *El Encubierto* o descubrir su personalidad, que cuando quiso regresar junto al virrey y sus tropas fue demasiado tarde.

Los cercados de Játiva se vieron al fin tan necesitados de ayuda para resistir el asedio, que enviaron secretamente a Valencia a su *Rey Encubierto* con el intento de reclutar gente y recabar víveres. El fantástico personaje se dirigió a la huerta valenciana, donde reunió un buen contingente de hombres armados. En vista de su éxito, *El Encubierto* concibió el mismo propósito en el que ya fracasara Vicente Peris, es decir, entró en Valencia con ánimo de sublevar nuevamente la ciudad, pasar a cuchillo a los gobernantes y apoderarse de las riquezas de monasterios, palacios e iglesias, con lo cual ofrecía a su gente que todos serían ricos, a más de señores de las tierras.

El Encubierto tenía buenas dotes persuasivas, y al atardecer del domingo 18 de mayo de 1522, logró reunir en la rambla quinientos hombres, cuyo distintivo era la camisa blanca. Pero esa noche el gobernador de Valencia tuvo noticia de lo que se tramaba y mandó poner fuerte guarnición en las puertas de la ciudad, por lo que los encamisados blancos no pudieron entrar en Valencia. En vista de ello, *El Rey Encubierto* se dirigió al pueblo de Burjasot para solicitar refuerzos. Cuando estaba él solo hablando con el antiguo capitán de las Germanías de aquel lugar, sin apearse del caballo que siempre montaba, aparecieron unos siete vecinos de Burjasot que lo derribaron del caballo y, una vez en tierra, le cortaron la cabeza. El cadáver fue llevado a Valencia y luego quemado en la rambla, como hereje, excepto la cabeza, que se colocó en lo alto de la puerta de Cuarte [4].

El Rey Encubierto no dejó sucesor entre los agermandados, ni sus teorías profético-gnósticas, que no fueron comprendidas, hicieron escuela. Los agermanados veían en él una figura magnetizante para las masas, lo cual fue utilizado indudablemente al máximo con objeto de mantener las esperanzas de los sublevados en una victoria final. Sin embargo, le reconocieron después un discípulo o correligionario llegado de Aragón, llamado Bernabé y platero de profesión, que reclutaba gente en las huertas en pro

[4] Según la Memoria del notario valenciano Miguel García que tomó parte en los sucesos y nos legó su relato en manuscrito titulado *La Germanía de los artesanos de Valencia,* cap. XIX, XX, XXI.

de los revolucionarios de Valencia, pero que terminó por caer en manos de la Inquisición. Parece ser que poco después hubo también en Valencia otro individuo que se hacía llamar *El Encubierto* y se reunía secretamente con otros en la casa de un calderero. Descubiertos, en el tormento declararon que estaban conjurados para promover un gran alboroto en Valencia el día de Jueves Santo. Fueron ajusticiados, descuartizados y exhibidas sus cabezas al vecindario valenciano.

Aún surgió otro *Encubierto* en el campo de los que aún resistían a las tropas imperiales fuera de Valencia. En realidad, no fue sino una estratagema para levantar el ánimo de los agermanados. Se hizo correr la noticia en los campamentos de que el primitivo *Rey Encubierto* no había sido ajusticiado en Valencia, sino que estaba vivo. En cierto modo parecía sugerirse a los más ignorantes que *El Rey Encubierto* era invulnerable por su misteriosa personalidad. Para evitar las dudas de los escépticos, hicieron que un hombre parecido en la figura al *Rey Encubierto* adoptase su personalidad y su atuendo, procurando no hacerse muy visible y permaneciendo alojado en una habitación semioscura con el pretexto de no fatigarle con el trato de las multitudes. La farsa no tardó mucho en ser descubierta por los agudos levantinos, y fueron los propios agermanados quienes apresaron y ahorcaron al falso *Rey Encubierto.*

4. LA SUBLEVACION DE LOS MUDEJARES

Aún persistían en su resistencia las ciudades de Játiva y Alcira cuando regresó Carlos V a España. Como había ya terminado el levantamiento de las Comunidades de Castilla, pudo enviar numerosos refuerzos al virrey de Valencia, de tal forma que la sublevación de las Germanías quedó sofocada totalmente en septiembre de 1522. La represión fue mucho más enérgica que en Castilla, y el número de los ejecutados entre los agermanados ascendió a cientos, si bien otros lograron huir.

Surgió entonces un problema de conciencia con respecto a los mudéjares que habían sido bautizados a la fuerza por los agermanados. Con el triunfo de la nobleza volvían a su antigua libertad de practicar la religión musulmana, según les estaba autorizado mediante el pago de tributo. Sin embargo, los curas párrocos de la región valenciana comenzaron a sentir reparos sobre si habría apostasía en el hecho de que unos bautizados practicasen la religión musulmana. El dilema residía en saber si aquellos bautizos eran válidos. Se pidió a la Inquisición su dictamen. Carlos V convocó una junta de teólogos en Madrid. Las deliberaciones resultaban interminables y, aunque hubo teólogos que no consideraron dichos bautizos con efectividad por haber sido forzados, la mayoría los declaró válidos. Se mandó además que toda mezquita donde se hubiese dicho misa una sola vez quedase como iglesia. El papa recomendó gran prudencia en tan delicado asunto, antes de castigar como apóstatas a los mudéjares bautizados. Carlos V envió al obispo de Guadix a Valencia con asesores de la Inquisición. El resultado fue que a todos los mudéjares en general, bautizados o no, se les diese el plazo de un mes para acogerse a la religión católica, bajo pena de confiscación de bienes a los reincidentes. Los mudéjares huyeron a miles y se refugiaron en la sierra de Bernia. Los señores eran partidarios de la tolerancia, antes que de imponer la religión a la fuerza. Pero Carlos V se mantuvo en su punto de vista, al dictado de lo ya previsto por la votación de los teólogos. Algunos mudéjares transigieron ante lo inevitable. A los que decidieron emigrar no se les permitió embarcarse en Alicante, como era su deseo, sino que se les señaló expresamente el puerto de

La Coruña, el más distante, quizá para obligarles a viajar con el mínimo bagaje e impedir así la evasión de bienes, sobre todo los pesados cofres cargados de monedas de oro, ya que las leyendas populares atribuían a los moros fabulosas riquezas ocultas.

No hay que pasar por alto el ambiente de aquel siglo XVI respecto a los mudéjares, la desconfianza que originaban los derechos de que venían usando, legados por las antiguas capitulaciones, como el de vestir el traje árabe, portar armas y hablar la «algarabía», o sea, el árabe hispanizado; detalles que acreditaban la libertad de que gozaban incluso fuera de sus *aljamas,* verdaderos poblados moros dentro del territorio nacional. No es extraño, pues, que varios miles de mudéjares, ya en franca rebeldía, se hicieran fuertes en la sierra de Espadán, donde eligieron un reyezuelo llamado Zelim Almanzor. Desde estos parajes comenzaron a realizar una serie de asaltos y racias, que motivaron una expedición represiva que salió de Valencia mandada por el duque de Segorbe, al frente de dos mil hombres. Pero aun así fueron necesarios refuerzos, y Carlos V envió los cuatro mil alemanes que había traído de escolta, más nuevos refuerzos valencianos. Al fin los mudéjares quedaron derrotados. Llegaron a morir unos tres mil en las batallas, lo cual prueba la envergadura de la sublevación. Las tropas del rey recogieron un botín valorado en doscientos mil ducados de oro. Los mudéjares que se acogieron a la clemencia del rey se salvaron previo bautizo; otros fueron ayudados a huir por las naves de los piratas berberiscos, que los pasaron al Africa.

La sublevación morisca de Valencia produjo un nuevo brote en las tierras de Granada. Desde entonces, según orden del emperador, los conversos perdieron sus antiguas libertades, aunque lograron, mediante donativos, que no se les confiscasen los bienes de todo género y pudieran continuar en el uso de traje moro, así como llevar espada y puñal en las ciudades, o lanza si cabalgaban en despoblado.

Al fin toda la región valenciana quedó en paz, al cabo de los agitados y sangrientos sucesos originados por la revolución de las Germanías y la sublevación de los moriscos. La época será recordada siempre en el transcurso de la historia como una de las peores atravesadas por aquellos hombres del Levante español, donde fueron talados miles de árboles de las huertas y los alimentos alcanzaron precios inasequibles; por ejemplo, el aceite llegó a pagarse durante el año de 1522 a un ducado de oro la arroba, porque durante la revolución se habían destrozado los depósitos de aceite y las guerras impidieron la normal recolección y transporte de la aceituna. El pan llegó a faltar totalmente en algunos lugares que carecían de trigo, y la peste se extendió por la región, agravando todos los males que durante esos años diezmaron la población valenciana. A pesar de todo, al otro lado del mar, en Mallorca, la cuestión alcanzó características más terribles por su desarrollo enconadamente sangriento.

IX

LA REVOLUCION DE MALLORCA

Paralela a las Germanías de Valencia, la revolución de Mallorca se inició como protesta de los artesanos contra los privilegios y la opresión de los nobles. No obstante, al extenderse la revuelta a los campesinos, se generalizó en una encarnizada persecución de las clases acomodadas. El mando recayó al principio en el pelaire Juan Crespi, mayordomo del gremio de pelaires o cardadores, gracias a su enardecedor discurso contra la opresión de los altos señores, en el que incitó a los artesanos y plebeyos dependientes de su mismo oficio a no aguantar más la soberbia de los nobles y los abusos de los ricos, ni sus humillaciones e injusticias contra los pobres. Las palabras de Juan Crespi en aquella asamblea gremial fueron una sugestiva invitación a secundar a los agermanados de Valencia. Prácticamente, fue en aquella memorable sesión de principios de diciembre de 1520 cuando comenzó la revolución de Mallorca.

La indudable facilidad oratoria de Juan Crespi, así como su aptitud para sugestionar a las masas, quedaron en punto muerto cuando se enfrentó a la realidad de gobernar. Así se deduce claramente de las cartas [1] que dirigió a las Germanías de Valencia,

[1] Véanse algunas de estas interesantes cartas en el Apéndice 11.

cuando ya la revolución había puesto el poder en sus manos, para pedirles consejo sobre cómo llevar adelante y organizar Mallorca.

La confusión, el desorden, las incautaciones, los degüellos, los robos se extendieron pronto por la isla, de manera incontrolable para el propio Juan Crespi, cuya autoridad como jefe de la revolución había sido ratificada con el título de capitán de las Germanías. Una vez que los señores abandonaron sus propiedades y el triunfo popular fue un hecho, los revolucionarios celebraron una asamblea general para formar gobierno, en la que otorgaron a Juan Crespi el cargo de «instador del beneficio común», en vez del anterior de «capitán» o jefe, que les sonaba a los agermanados de manera desagradable, por evocarles el antiguo orden ya derrocado. Comenzaban a gestarse claros indicios de disensiones ideológicas y trayectorias sociales entre los dirigentes agermanados. Todo lo que representase una cabeza autoritaria fue soslayado por la mayoría y, al fin, la propia cabeza de Juan Crespi terminó por caer. El popular «instador del beneficio común», que había sido encarcelado, fue ajusticiado a los pocos días tras un proceso popular. Para el cargo vacante fue elegido por unanimidad Juan Colom, botonero de oficio, que mostró más habilidad que su antecesor en sujetar las riendas de la revolución, cuando las masas se hallaban ya en general anarquía.

La más importante de las disposiciones de Juan Colom consistió en establecer un cauce para la administración pública. Sin los tributos abusivos que habían provocado la parte más decisiva de la revolución, intentó compaginar la estructuración revolucionaria con el sentido de lo justo y que los éxitos logrados sirvieran para encauzar un nuevo orden social. Por ejemplo, ante la acuciante necesidad de abastecimientos para la población, no dudó en dar órdenes de que varias barcas armadas se apostasen en el mar para apoderarse del cargamento de los barcos que pasaban cerca de las costas mallorquinas. Una acción pirática que él compensaba, en esa difícil simbiosis suya de revolución y legalidad, mediante el riguroso pago a los capitanes de los bajeles detenidos del importe de las mercancías aprehendidas.

Se había creado un gobierno de trece síndicos a imitación de Valencia, con la que ya tenían contacto. El virrey de Mallorca, Miguel Gurrea, despojado de su cargo por los revolucionarios, había huido de Palma. Algunos caballeros lograron refugiarse en el castillo de Bellver, pero fueron cercados y, al verse obligados al fin a entregarse, cayeron asesinados por las turbas. Toda la isla quedó asolada por el terror. Unos cuantos caballeros pudieron embarcarse y cruzar a la isla de Menorca; otros, como el virrey Miguel Gurrea, consiguieron arribar a la isla de Ibiza; y los que huyeron por tierra se refugiaron en la ciudad fuerte de Alcudia, situada al este de Mallorca. Los revolucionarios cercaron Alcudia, para lo que emplearon la artillería, pero los caballeros, ayudados por el vecindario, hicieron una salida, se apoderaron de la artillería con la que fortificaron la plaza y derrotaron a los asaltantes. Estos volvieron de nuevo con más refuerzos, pero fueron vencidos por segunda vez y, si bien no cejaron en el asedio, abandonaron el propósito de tomar Alcudia por asalto.

A partir de entonces, Alcudia se convirtió en un centro de resistencia, en donde todos los días se infiltraban fugitivos del resto de Mallorca, pues la revolución iniciada en Palma se había propagado ya con carácter sangriento al ambiente rural de las aldeas [2].

Los revolucionarios no sólo escribían cartas de

[2] Sobre el asedio de Alcudia, escribió Juan Reinés y Ferrer una obra titulada *La perla de Alcudia,* publicada en Palma en 1854.

fraternidad a los de Valencia, sino que enviaban cartas a Carlos V, donde, aunque resulte paradójico, insistían siempre en hacerle presente su «fidelidad» y las causas justicieras de los sucesos, cuya culpa achacaban invariablemente a los abusos y tiranía de los nobles. Pero llegaron asimismo a Carlos V noticias del terror y las expropiaciones, por lo que envió a Mallorca un comisario para poner orden en tantos desmanes y obligar al pueblo a respetar la autoridad. El enviado fracasó en sus intentos, y Carlos V hubo de mandar una fuerte escuadra de veinte navíos, que atracó primero en Ibiza, en octubre de 1522, para recoger al virrey de Mallorca. Seguidamente se dirigieron las naves a las costas de Mallorca, y el virrey Miguel Gurrea desembarcó con un fuerte ejército en Alcudia que, por haberse mantenido fiel a los nobles, sirvió de cabeza de puente a la contrarrevolución. A partir de entonces comenzó la recuperación del territorio de la isla por el ejército imperialista. Los revolucionarios, que se habían visto obligados a levantar el cerco de Alcudia, se retiraron a Pollensa, donde se fortificaron.

El ejército del virrey Gurrea, unido a las fuerzas de Alcudia, marchó contra Pollensa, donde los revolucionarios opusieron una desesperada resistencia. Se ha dicho en las crónicas y relatos sobre aquellos sucesos que la ira y el furor de los asaltantes y los defensores de Pollensa constituyó un verdadero desenfreno, no ya militar, sino de odios desatados, que hace pensar en una ferocidad infrahumana. Los del virrey consiguieron abrir brecha en Pollensa e invadieron la plaza en persecución de los defensores. Algunos hombres, mujeres y niños del vecindario, que se habían refugiado en una iglesia, perecieron abrasados por el incendio. Los degüellos y ferocidades que habían cometido antes los revolucionarios fueron ahora puestos en acción por el ejército del virrey, que sembraba el terror en su camino al abrirse paso hacia la capital, Palma de Mallorca. Los campos y caminos quedaban sembrados de cadáveres de uno y otro bando, pues los agermanados, aunque se replegaban, en cuanto había pasado el ejército imperial asaltaban las guarniciones que el virrey dejaba en los pueblos tomados y pasaban a cuchillo a los soldados imperiales.

Los revolucionarios opusieron una tenaz resistencia en cada villa o ciudad, de tal manera que el ejército de Carlos V hubo de tomar una a una y necesitó emplearse a fondo en cruentos combates, en los que perecieron cientos de revolucionarios. Los prisioneros eran descuartizados y colgados de los árboles en venganza del ensañamiento mostrado por ellos. Al fin, el día primero de diciembre el ejército puso cerco a Palma de Mallorca, que aún resistió el asedio durante tres meses.

Finalmente, actuó como intermediario para la rendición el obispo Pedro de Pont. El virrey fue recibido dentro de Palma el 7 de marzo de 1523. Se abrieron las puertas al ejército imperial a condición de que no se castigase a nadie hasta que el propio emperador dijese cómo se habían de juzgar las culpas que hubiera. Al parecer, los revolucionarios esperaban no tener muy contraria la voluntad de Carlos V a cuenta de las reiteradas cartas de fidelidad que le habían dirigido. Con este fin, se permitió a los agermanados que enviasen cuatro representantes a la Corte para implorar la clemencia del emperador. El más destacado de estos emisarios era el tan conocido Juan Colom.

Al cabo de tres meses de gestiones en la Corte, les fue entregado a los representantes mallorquines un pliego cerrado del rey para el virrey de Mallorca. Ellos creían llevar un despacho real de perdón, mas al entregarlo al virrey, que lo abrió y leyó, inmediatamente fueron encarcelados y a los pocos días sentenciados a muerte. El 23 de junio de 1523 se los ajustició. A Juan Colom le sometieron previamente a suplicio. Su cabeza fue colocada en una jaula para que todo el mundo la viese, y los trozos de su cuerpo descuartizado fueron colgados a la vista del vecindario. Su casa fue demolida y el solar sembrado de sal. Todos sus bienes fueron confiscados y sus descendientes estigmatizados hasta la cuarta generación. Hubo numerosas ejecuciones y confiscación de bienes entre los agermanados. Los nobles exigieron indemnizaciones por las sumas y riquezas que les habían usurpado, pero al parecer se excedieron en las reivindicaciones. En los pueblos y en la capital se impuso una recaudación a los agermanados para resarcir a los nobles de sus pérdidas.

En esta guerra de Mallorca se puso a prueba hasta qué grado puede llegar el ensañamiento humano. Primero los revolucionarios y después los contrarrevolucionarios, impulsados por un odio sanguinario e insaciable, abrieron un abismo de separación entre las clases sociales, aunque aparentemente todo volviera a la normalidad. Porque en la revolución de Mallorca se olvidó todo cauce político y social, ante las pasiones desenfrenadas y los egoísmos desatados, sin respeto a los principios humanos más elementales, de uno y otro bando.

Solamente cuando se conocen la serie de persecuciones, robos, asesinatos y repartos caprichosos en la revolución de Mallorca, que invirtió la tiranía de los nobles, así como los sucesos incontrolados de Valencia, se ve el error de quienes intentan asociar la revolución de las Germanías de Valencia y la revolución de Mallorca al levantamiento de las Comunidades de Castilla. Precisamente el gran celo por la justicia, por el bien común, pero auténticamente común, el no querer incurrir en desacatos a las leyes e instituciones acreditadas entonces, llevó a los comuneros de Castilla a muchos paréntesis de inactividad. Quisieron ganar por la fuerza de la razón, y después de tener el éxito en la mano, se les fue por indecisión. No lo consolidaron por escrúpulos, por ese anhelo constante de preferir la renovación política y evolutiva, la revolución nacional, a la anarquía social.

De las tres grandes revoluciones españolas del siglo XVI, la de Castilla, la de Valencia y la de Mallorca, es esta última la de menor contenido político, la que atiende menos a una renovación constructiva. En lugar de la depuración racional de las injusticias políticas y sociales, lo que asienta es una inversión de la anterior desigualdad. Al dominio y privilegio de los nobles, sucede la tiranía de las masas, que insensiblemente degenera en la tiranía de un individuo convertido en dirigente, aunque hay que decir que Juan Colom se vio rebasado en sus buenas intenciones por el caos revolucionario de las turbas, que abrieron las cárceles a los presos comunes y aprovecharon la ausencia de autoridad para el robo y la expoliación. Sobre la inversión de la desigualdad, que persiste con polaridad opuesta, se acrecienta entonces la pérdida de la libertad humana. Y así, ante el fracaso de Juan Colom se sintieron aliviados, paradójicamente, cuantos habían esperado de la revolución un progresivo avance en su aspiración de libertad y de justicia social.

X

ACCION HISTORICA DE LAS COMUNIDADES

1. EL CAMINO DEMOCRATICO DE CASTILLA

A veces un país se enfrenta a situaciones de crisis histórica en circunstancias que pueden definirse como de emergencia. Si el pueblo elabora entonces un cauce político, funda en un proceso constitutivo un «nuevo» Estado, una constitución creada por el mismo pueblo y que tiene una validez indiscutible. Eso fue lo que hicieron las Comunidades de Castilla a través de los representantes elegidos en cada provincia, reunidos en Cortes, sin rey, porque el monarca difería el regreso y los compromisos y dejaba el poder en manos de extranjeros que anulaban las garantías de los fueros españoles y gobernaban contrariamente a lo que Castilla entendía como «el bien común». En las Comunidades de Castilla surge un proceso constituyente como el que, al cabo de tres siglos, tendrá lugar en las Cortes de Cádiz, cuando la nación se halla sin rey porque Carlos IV ha abdicado en Fernando VII, y éste, desde Francia, en la persona de Napoleón.

En ambos casos, para las mentes sin sutilezas, pero de claro sentido patriótico y democrático, al estilo tradicional de los españoles, un rey no es el propietario de un reino. Para abdicar o delegar en otras personas, tiene que contar con el pueblo, cosa imprescindible en Castilla por uno u otro sistema, ya que el nuevo rey debe jurar unos compromisos y cumplir unos requisitos para ser reconocido. En todo caso debe ser aceptado por la nación, y si se burla esta primaria condición natural, lo más probable es que la insistencia en la anormalidad desencadene el desorden o la sublevación.

Así, cuando la estructura del Estado español queda rota, los españoles eligen sus representantes y comienzan un proceso constitucional que pretende fundar un nuevo Estado a partir de su origen y de las instituciones nacionales. Así ocurrió en el alzamiento de las Comunidades y en todos los casos en que una grave situación de crisis política hace necesaria la creación de un nuevo Estado con carácter fundacional.

El gremialismo profesional tuvo en España, a través de siete siglos, un vigor e incluso cierta autarquía que no pudo anular totalmente la monarquía absolutista y centralizadora. Prácticamente, desde el siglo XII al XVII y gracias al auge de los municipios, se tiende a la ponderación de los derechos privados y a la extinción de las viejas prestaciones de origen feudal transformadas en contribuciones para el bien común. En el siglo XVI el número de gremios había aumentado, pero en cambio habían perdido aquel vigor medieval que les dio su impulso y su valor representativo, porque su espontaneidad estaba atenazada por el poder centralizador, que rehuía todo matiz de participación del pueblo en la soberanía. Ante el ocaso de las instituciones comunitarias, que reclaman a Carlos V sus derechos tradicionales, sin conseguirlo, se produce un intento de rehabilitación que fracasa y abre un paréntesis de tres siglos, hasta el nuevo intento de las Cortes de Cádiz. Pero son las Comunidades de Castilla las que inauguran, a más de una acción social, una evolución política, una renovación de los fueros. Es un levantamiento con indudable matiz fundacional.

En realidad, colocados en la sencilla mentalidad naturalista de los hombres del siglo XVI, el proceder de Carlos V tenía en ciertos aspectos el carácter de un golpe de Estado, ya que se empeñó en tomar la corona y ser proclamado antes del tiempo instituido taxativamente, sin jurar los fueros y ausente del territorio nacional. A pesar de todo, la mayor oposición surge cuando Carlos delega el poder en personas extranjeras, cuyo abuso contra la economía del país fue evidente, hasta el extremo de situarse y de sentir la necesidad de pedir a gritos que no se sacase más riqueza de Castilla para enviarla al extranjero. Se produjo en Castilla el caso de emergencia que justificaba a todas luces la acción renovadora, liberadora, a través de unos procuradores como representación de cada Comunidad, para instaurar constitucionalmente un nuevo Estado con bases tomadas de las leyes tradicionales.

Si la forma tradicionalmente democrática de la monarquía castellana evolucionó lógicamente hacia la República se debió a la acción de Carlos V y de sus consejeros flamencos. La aristocracia castellana estaba más acostumbrada a «sentirse» pueblo, comunidad de intereses nacionales, a través de varios siglos de Reconquista. El sentido democrático de los hidalgos castellanos, conscientes de su nobleza de mérito, los hizo inclinarse desde el primer momento hacia la verdad que representaba el levantamiento de las Comunidades. No fue una búsqueda de la «utilidad», sino de la «dignidad»; no fue sólo reacción a perjuicios de orden material, como en el caso de la evasión de la riqueza, una defensa de la utilidad propia. Fue una defensa de la dignidad y la libertad de la persona para gozar de los derechos naturales salvaguardados en los fueros.

De las cartas que las Comunidades envían a Carlos en Flandes o en Alemania se deduce que se consideraban con la facultad de exigirle una conducta determinada. Se trasluce en aquellos procuradores letrados que las redactan una plena convicción de unos derechos naturales y otros adquiridos que Carlos no debe enajenar ni como persona, ni como rey, ni tan siquiera como emperador, título este último que repugna a los castellanos por cuanto tiende a ser supervalorado sobre el de rey de los castellanos. Y en el fondo es eso lo que buscan las Comunidades al principio: un rey castellano para las gentes castellanas, y no un rey extranjero con ansias de imperialismo internacional, en el que Castilla, España, viene a quedar como una cuenta en el rosario de países que el emperador repasa, más como un inventario de bienes que como un rezo. Y precisamente, la situación que se plantean los comuneros tiene mucho más de mística que de utilitaria. Desde el comienzo de sus actividades, el misticismo político les lleva a una meta imprevisible, como sucede con todo misticismo, con todo ideal que se lanza al espacio infinito del horizonte histórico y no ve con certeza su meta.

El obispo don Antonio de Acuña pensó en una República como única solución viable cuando ya los acontecimientos se sucedían a un ritmo evolutivo imparable. Se trataba de encauzar la participación de los castellanos, sin prejuicios de clases, en el gobierno, y lograr la representación popular en las Cortes, cuya autoridad es indiscutiblemente superior a la del rey, según el tradicional sentir de Castilla. Para eso no queda ya otro camino abierto que instaurar la República, cuando el triunfo definitivo de las Comunidades asegure la normalización del reino. Insensiblemente se llega a pensar que el sentido democrático del reino de Castilla encontrará un cauce más seguro, a cubierto de nuevas defraudaciones y retrocesos, en una República. Porque se ha visto que las limitaciones que las Comunidades pretenden imponer al rey no se lograrán sin un cambio desde los cimientos institucionales, ya que con Carlos V la monarquía se hace cada vez más absoluta en su inmovilismo.

En realidad, las ciudades comuneras se comportan ya como republicanas, aun sin tener clara conciencia de ello. Los que gobiernan en Valladolid saben que sus cargos no son perpetuos y que tienen una responsabilidad durante su mandato. El gobernar es servicio a la Comunidad y no una prebenda. Los cargos públicos ya no se pueden vender al estilo que los flamencos de Carlos V consideraban normal, a tenor de la costumbre en las monarquías absolutas de esta Europa del siglo XVI. Para la Junta de Valladolid, los cargos públicos deben otorgarse a los hombres más capacitados, sin carácter de perpetuidad, y ellos a su vez, al recibirlos, toman el cargo como un servicio, con sentido de responsabilidad ante la Comunidad general del reino. No obstante, en el pensamiento democrático de las Comunidades no hay estrictamente dilema ni antagonismo entre monarquía y República. No es la definición lo que preocupa. Pero indefectiblemente se ha de llegar a la conclusión de que es mucho más probable hallar al hombre mejor capacitado para regir Castilla entre «todas» las personas de la nación, que esperarle de una sola familia. Es así como la idea de un presidente de la República se infiltra en la mentalidad de los comuneros con incitante atractivo.

El «bien común», bien nacional, se busca entonces revolucionariamente, pero sin lucha de clases. Se busca la igualdad de derechos naturales, pero no la inversión de la desigualdad. La libertad política que se intenta merece el sacrificio de pequeñas mezquindades y grandes privilegios, ya puestos en camino de extinguirse. Y así hubo numerosos nobles, como el impulsivo aristócrata leonés señor de Guzmán, que no dudaron en ayudar a los comuneros de Castilla, aunque al fin todo ello desembocase en un nuevo orden. Quizá la República era la solución que más se armonizaba con el sentir democrático del alzamiento de las Comunidades, como realidad nacional en lo político y libre cauce para los derechos naturales en lo social, porque el absolutismo y la autocracia estaban psicológicamente iniciando su ocaso en Castilla. Hay en estas tierras desde su origen un germen de independencia mental, que se recuerda legendariamente en el romance del fundador de Castilla Fernán González, en el que puede leerse respecto al acto de sumisión al rey: «era muy fiera cosa la mano le besar», actitud que suele interpretarse como tradicional orgullo castellano, pero que en realidad es dignidad humana, espíritu de auténtica democracia. El mismo espíritu que alienta en Castilla cuando su conde o su rey abre asamblea antes de tomar decisiones importantes, como se lee en el poema de Fernán González y en la *Crónica general* de España de Alfonso X el Sabio. Estas raíces psicológicas dan savia y estilo vital al alma de Castilla, se advierten a través de los siglos más acusadamente cuando se produce el momento de crisis, el estado de emergencia, y los castellanos buscan los cauces lógicos, dada su forma de ser, para salir del conflicto.

2. DE LA RENOVACION A LA REVOLUCION

Si los comuneros recurren a las armas es como última medida, más bien defensiva, cuando la intransigencia de los regentes elige el camino de la violencia. El desacierto de Carlos V para responder a sus justas peticiones los empuja fuera del cauce parlamentario, del sincero diálogo al que intentan aferrarse inútilmente.

Desde este punto de vista, el proceder de las Comunidades de Castilla es una lección histórica, que aclara la gestación de un proceso renovador por vías culturales, cuyo fracaso conduce a una revolución no prevista, a un levantamiento, agotados ya todos los recursos de la razón.

Lo que preocupa a las Comunidades de Castilla es el «bien común», que tiende a la participación e incorporación del pueblo en la soberanía, independientemente de la forma de gobierno: monarquía con aristocracia, que el pueblo tiene facultad de aceptar y rechazar, o monarquía y democracia, que el rey puede orientar en un sentido autárquico, aunque se espera el predominio de una orientación popular. En todo caso, la monarquía se debe a la comunidad, y si el rey se opone a ésta, el cauce lógico es prescindir del rey y gobernarse por sí misma y constitucionalmente a través de sus diputados, quienes deben elegir un presidente. La traducción del idealismo a la realidad es la piedra de toque para las Comunidades de Castilla, desfasadas en el histórico y necesario acatamiento al rey, por principio de autoridad. Este, en cambio, no respeta a la comunidad. Hay entonces un momento de expectación en el proceso de las reivindicaciones de los comuneros, cuando se ven en plena rebeldía y dudan si continuar adelante o retroceder.

Roto el equilibrio histórico entre las instituciones comunitarias y la jerarquía monárquica, así como la connivencia de los principios idealistas con la justicia, desembocan en un problema cuya única solución es una renovación institucional, un proceso fundacional, en el que el hecho paradójico de un reino sin rey les lleva paso a paso a orientarse hacia una República, porque se ha llegado a ver que el rey no es imprescindible. No obstante, si las Comunidades entran en rebeldía se debe a las reiteradas evasivas de Carlos V a su petición de residir en España y a su negativa, disfrazada de dilaciones, a dar solución personalmente a cuantos problemas de injusticia, de orden y buen gobierno le plantean acuciantemente en una tras otra de las cartas que le escriben a Flandes. Es entonces cuando deciden prescindir de Adriano de Utrecht y de cuantos pretenden gobernar sólo represivamente, más atentos a la codicia particular y a los tributos imperiales que al bien común. Pero las Comunidades son atacadas. Hay ciudades combatidas y hasta incendiadas, como Medina del Campo. Las Comunidades forman entonces su ejército. La situación es ya irreversible. Sólo queda la posibilidad de intentar negociaciones de paz, donde las Comunidades son engañadas con reiteradas dilaciones para que el ejército imperial tenga tiempo de organizarse. Y cuando llega la batalla de Villalar, termina el drama de las Comunidades y comienza el ocaso de la democracia castellana. A pesar de las parodias de respeto a las tradiciones españolas, se pierden las libertades políticas, el valor efectivo de los fueros, que los Reyes Católicos en su gran política social alentaron y prestigiaron con auténtico sentido nacional y democrático. Durante tres siglos, los españoles permanecerán en obligado silencio, mientras la secular rivalidad de Francia y Alemania los lleva a batallas ajenas a su auténtico interés nacional, hasta el agotamiento económico. En esas batallas se gesta la decadencia de España. Y cuando el país se debate en la pobreza frente a los grandes ejércitos de Napoleón, vuelven a ser los municipios los que han de oponerse heroicamente a la invasión, porque España carece de armamento, de escuadra, de ejército e incluso de rey, triste herencia de dos dinastías extranjeras, mientras el resto de Europa ha logrado superar las crisis históricas y ha dejado atrás a España, rezagada en lo económico, en lo social y en lo político.

Podemos plantearnos la inquietante pregunta de cuáles hubieran sido los destinos de España si hubiera triunfado el levantamiento de las Comunidades. En aquella época había en España famosos jurisconsultos, hombres de letras, de leyes y de armas, capaces de establecer un gobierno nacional y de crear un país fuerte, próspero, sin espejismos imperialistas. Aunque el famoso imperio no lo forjaron ni Carlos V ni Felipe II, sino los españoles, sus adelantados como Hernán Cortés o Pizarro y tantos otros, que más méritos tenían para ser reyes de España según el claro y elemental concepto castellano de la realeza como caudillaje; algo tradicional en la psicología del pueblo español, tan refractario a lo palaciego y tan dado al sentir democrático, ese sentir democrático que fue sembrado a voleo por los colonizadores de América y que proliferó en tantas Repúblicas de la misma sangre de España. Parece el sino de los españoles dar con facilidad fuera de España los valores de su espiritualidad, gestadora del sentido más auténtico de hispanidad. Ahora, al cabo de los siglos, el imperio que permanece es el del espíritu, el único verdadero creado por los hombres de España, a veces en el anónimo.

3. EL ASPECTO RELIGIOSO EN EL LEVANTAMIENTO COMUNERO

La actitud de los altos clérigos en pro de las Comunidades, el cabildo catedralicio de León, por ejemplo, es superada aún por los curas de pueblo y por los frailes, como los dominicos y agustinos de Salamanca. Y para qué hablar de los de Toledo, primero y último núcleo de la resistencia comunera al servicio del levantamiento. El cronista Mexía, al que nos gusta citar (en pro de la objetividad) por ser tan contrario a las Comunidades, cuando se refiere a los comienzos del levantamiento dice que algunos predicadores hablaron en el púlpito sobre desórdenes y agravios realizados por los gobernadores del rey, así como de los tributos y servicios que injustamente se querían imponer al pueblo. Claro es que Mexía considera falsas tales acusaciones de los predicadores. Pero el caso es que llegó a organizarse una solemne procesión de la cofradía de la Caridad, de gran tradición en Toledo, lo cual resulta muy significativo, porque dicha procesión no salía sino por causas muy señaladas. En esta ocasión se hacía para que «Nuestro Señor alumbrase el entendimiento y voluntad del rey para bien regir y gobernar». En esos días Carlos se hallaba en las Cortes de La Coruña, donde agotaba su paciencia y su habilidad para obtener el subsidio, mientras el barco permanecía en el puerto dispuesto para salir hacia Flandes. La intención de dichas rogativas toledanas fue bien comprendida por la autoridad, que hizo cuanto pudo para impedir la procesión. Don Fernando de Silva, de acuerdo con el corregidor, dijo a los cofrades que «no juntasen ni alborotasen al pueblo con color de devoción, en deshonor del Emperador y desacato de la justicia, si no, que les hacía saber que él con sus amigos y criados se lo habían de estorbar y resistir» [3]. La reacción del pueblo fue unánime. Acusó a dichas autoridades de que «no sólo estorbaban y contradecían el bien del pueblo, sino también las cosas divinas y de devoción» [4]. El problema tomó tal cariz que la procesión tuvo lugar el día señalado.

El mismo cronista se refiere a que la Junta de las Comunidades eligió como embajador a un deán de Avila, para que fuese a dar cuenta al rey don Manuel de Portugal sobre lo que ocurría en Castilla, con el propósito de recabar su ayuda. El deán llevaba una buena baza por jugar en Portugal: ofrecer el casamiento de la infanta doña Catalina, en poder de las Comunidades desde la ocupación de Tordesillas, con el príncipe don Juan de Portugal. Además llevaba el

[3] Mexía: *Historia del emperador Carlos V,* lib. II, cap. III.
[4] *Ibidem.*

deán abulense cartas del presidente de la Junta comunera para varios nobles de Portugal [5].

De la figura del obispo de Zamora, don Antonio de Acuña, ya hemos dicho bastante en el relato de los sucesos para catalogarlo como uno de los más activos favorecedores de las Comunidades. Al estilo de aquellos obispos medievales, no se limitó a participar como asesor religioso. Lo vemos montado en su mula entre las huestes comuneras, por ejemplo, en el ejército que se acerca a Medina de Rioseco. El puesto que ocupa el obispo entre los capitanes de la formación es de relieve. Primero marchaba Sanabria, procurador de Valladolid con treinta jinetes, como corredor descubierto para abrir campo; seguidamente la vanguardia, cuyo capitán de infantería era Pedro Lasso de la Vega; a los jinetes los mandaban don Pedro Maldonado y don Francisco Maldonado, los capitanes por Salamanca; luego el escuadrón de infantería con el obispo Acuña en cabeza, acompañado de don Juan de Mendoza, capitán de Valladolid, hijo del cardenal don Pedro González de Mendoza, del capitán de León don Gonzalo de Guzmán, del capitán de Toro don Fernando de Ulloa, de don Juan de Figueroa, hermano del duque de Arcos, y de otros caballeros. Pero ya había dejado el obispo Acuña en Tordesillas los cuatrocientos clérigos que trajo de su diócesis, a los que prefirió encomendar la defensa de dicha ciudad, caso de ser atacada. Y es importante no pasar por alto que, si el obispo camina entre esos capitanes de la nobleza media, entre ellos van diez mil hombres comunes y novecientos jinetes hidalgos. Hay una verdadera solidaridad entre todas las clases sociales. La participación de los religiosos demuestra el aspecto moral y la faceta social-cristiana del levantamiento.

[5] *Ibidem,* cap. IX.

4. EL ASPECTO SOCIOPOLITICO

Los grupos que toman parte más o menos activa en las Comunidades se ven conjuntados por las mismas aspiraciones políticas dentro del ordenamiento social y evolutivo que garantizan los fueros de Castilla. La nobleza media, los hidalgos, los artesanos, los clérigos modestos, los labradores y comerciantes, todos se agrupan, aun manteniendo sus puntos de vista respectivos, en los ideales de la rebelión. Los que disienten son los miembros de la alta nobleza, los magnates. Y no se apartan por incompatibilidad, pues al principio están de acuerdo en la oposición contra los cortesanos flamencos, sino por conveniencia, por temor a que el triunfo de las Comunidades ponga en tela de juicio sus privilegios, sobre todo cuando éstos no se deben al mérito, sino al favor palaciego.

Al levantamiento no le falta una personalidad que magnetice a las gentes. Padilla es seguido por ricos y pobres, sin que tenga necesidad de ofrecer recompensas. El hidalgo de clase media sube al caballo y no pregunta. Va con Padilla y eso basta. Tampoco preguntan los aldeanos cuando dejan la azada y empuñan la pica. Nadie reclama haberes ni soldadas, y los clérigos elevan sus plegarias en las iglesias por los que dejan las ciudades para unirse a Padilla. En cualquier pueblo o ciudad, el ejército comunero halla siempre quien los acomode y ofrezca de comer. El levantamiento tiene carácter nacional. Es el país el que está en estado de alerta, que transciende a todas las clases sociales y, en lugar de separarlas, las unifica.

Lógicamente las Comunidades tenían ganada la contienda. Presos los representantes del rey, con toda Castilla de su parte y la reina doña Juana, heredera directa del reino, en buen diálogo con los comuneros en Tordesillas, no hubiera podido Carlos V regresar a España si no es por el apoyo de la alta nobleza y, sobre todo, porque los comuneros fueron traicionados hasta escapárseles de las manos el triunfo definitivo. Cuando la Junta era dueña del poder, no hubo ejecuciones, ni expoliaciones de bienes. El carácter legal, de razón, de bien común que pretendieron infundir al levantamiento anulaba la posibilidad de represalias contra la aristocracia. Lo que perseguían no era una revolución de carácter turbulento, sino la renovación de los cauces políticos y sociales de tradición en Castilla, que pretendían derrumbar los favoritos y consejeros flamencos de Carlos V. Las Comunidades son un movimiento de protesta, que termina en revolución cuando llega el momento de crisis. El pueblo se incorpora a la política con carácter nacional y patriótico. La revolución, que aborta al fin, no es de bajo fondo social, ni tampoco burguesa, o de nobles y clérigos resentidos. Es simplemente nacional, y tiene su cauce en la unión corporativa de los gremios, que facilitan las municipalidades. Por eso hay un gran predominio del elemento ciudadano sobre el agrario, especialmente al principio del levantamiento. Es al llegar la revolución a conseguir posiciones, mientras los regentes escriben angustiados al rey que todas las gentes de Castilla siguen la bandera de las Comunidades, cuando el levantamiento pasa insensiblemente el Ecuador entre la democracia de los fueros, de origen medieval, y la democracia constituyente y nacional en sentido actual. Sus gestadores no aciertan entonces a definirlo políticamente, quizá porque era incomprensible para ellos mismos, pero es un logro efectivo de raigambre hispana que se adelanta a su tiempo. El sistema de representantes de las provincias y municipios en la Junta tiene un carácter definido de participación popular en el gobierno. Sin embargo, el paso es insensible, porque el desarrollo cultural y sociopolítico dado a lo que ya es nación por los Reyes Católicos ha sentado las bases del Estado tal y como hoy lo concebimos. En este aspecto, cuando se dice que, para esa época, la política de Carlos y sus consejeros flamencos era la del *mañana,* podría objetarse que la política de las Comunidades era la de *pasado mañana,* con una base tradicional y renovada.

Hasta entonces, los concejos poseían en efectivo las prerrogativas de las cartas-pueblas o de los fueros, con terrenos de patrimonio comunal, con su fuerza propia y sus ingresos propios sobre molinos, hornos, pesas, derechos de posada, etc., con facultad, además, para imponer contribuciones destinadas a mejoras o remedio de los bienes de la comunidad. Los municipios, a través de las organizaciones gremiales, constituían en cada ciudad un verdadero poder, con cierta autonomía en los asuntos locales y sólo obligados a unas prestaciones mínimas a los reyes, salvo en caso de interés o defensa de la nación, en cuyo caso todo ciudadano participaba según su categoría y posibilidades. Así, por ejemplo, si los hidalgos estaban exentos de tributo, en cambio tenían la obligación de acudir en cuanto fuesen llamados al servicio de la nación, con su caballo y sus armas a punto. También los afiliados a las Hermandades de cada ciudad constituían un cuerpo defensivo, una especie de somatén, contra maleantes y salteadores. Cada hombre guardaba en su casa sus armas y, al toque de rebato, acudía a prestar su apoyo militar. Son las fuerzas a las que llamaron a veces el rey Fernando y la reina Isabel, como en la toma de Granada, o ante la amenaza francesa del año 1503, cuando se cita a junta general de Hermandades por pregón y toque de campana en todas las villas y ciudades. Entonces era sabido que los hombres ricos debían acudir armados de coraza, falda de malla, casquete, lanza, espada y puñal, montados a caballo Los de clase media, con espada, puñal, lanza y escudo; otros, en lugar de estas armas, si eran hábiles en el manejo de las modernas espingardas, debían llevar, a más de la espingarda, «cincuenta pelotas y tres libras de pólvora». Los hombres de menor estado debían presentarse con espada, casquete y lanza, larga o mediana, y escudo. Estaba prohibido empeñar o vender las armas, que cada uno debía conservar en buen uso [6].

Es importante recordar este aspecto de la organización de las Hermandades y su aportación al reino en caso necesario para comprender que los comuneros, dentro de las Santas Hermandades, ya estaban armados. Eran hombres que diariamente hacían vida de trabajo, cada uno en su actividad, pero que, si eran convocados por su Hermandad, podían transformarse en un verdadero ejército. Hoy, desde el punto de vista de nuestro tiempo, parece como si los comuneros de Castilla se hubieran armado clandestinamente para una revolución, cuando la verdad es que precisamente lo que hoy llamaríamos «clase media», de la que surgió el levantamiento de las Comunidades, ya estaba en posesión legal de las armas de su época.

Hasta Carlos V se había mantenido en vigor el poder de las Comunidades de Castilla y de las Germanías de Aragón, una fuerza que el emperador no supo aprovechar, sino que quiso destruir porque despertó en él, y sobre todo en sus consejeros extranjeros, grandes recelos. Así lo explica el académico Escosura: «eran precisos los amaños y arterías para apartar a los grandes de la causa nacional, las sugestiones siniestras y malignas, los gérmenes de división y otros accidentes desgraciados, para que aquella Junta Santa sucumbiese en los campos de Villalar, para que se perdiese la más justa y noble de las empresas,

[6] Véase la obra de José Vigón titulada *El ejército de los Reyes Católicos,* donde ofrece una exhaustiva recopilación de datos sobre el tema en un extenso tratado.

para que se tocase el arca sagrada de la libertad... Pero de aquel poder formidable, de la institución tutelar de los concejos, de la emancipación de los comunes, algo grande había de quedar para el progreso de la civilización, para los destinos futuros de la sociedad, para el bienestar del género humano, y quedó en efecto: quedó la clase media que tan poderoso influjo había de tener...» [7].

A la escisión entre el pueblo y los nobles que hizo fracasar a las Comunidades de Castilla se refiere como testigo presencial, aunque muy concisamente, un embajador de Venecia en España, según el cual, en los comienzos de la contienda entre los comuneros y el rey, los señores consideraron que la rebeldía iba contra el monarca, de tal manera que no se intranquilizaron; pero cuando los pueblos declararon desear ayudar al rey, siempre que gastara de su dinero y de los bienes otorgados anteriormente a los nobles, éstos se unieron al rey para combatir en su nombre. «Hubo grandes pérdidas entre los dos bandos. Ahora todo ha cesado, terminado con muerte y daños de los pueblos y poco beneficio para los grandes. *César* no quedó agradecido a ninguna de las dos partes, y por la oposición que hay entre ellas el emperador Carlos V tiene la mayor autoridad que ha tenido ningún otro rey de España» [8].

Con el triunfo de los imperialistas en Villalar podemos afirmar, con el historiador Soldevilla, que se produce «el divorcio entre el pueblo y la superestructura que lo devora». Es la superestructura que implanta el imperialismo de Carlos V y que significa el auge

[7] Antonio de la Escosura: *Juicio crítico sobre el feudalismo en España,* obra premiada por la Real Academia de la Historia en el concurso de 1855.

[8] Gasparo Contarini: *Colección Alberi,* vol. II, págs. 45-46, y Ferrara: *El siglo XVI a la luz de los embajadores venecianos.*

de la alta nobleza y de los magnates de la clerecía, mientras los trabajadores, los intelectuales, los hidalgos de modesta economía quedan silenciados y perdida toda esperanza de participación en el Estado. Solamente el halago, lo palaciego, el engancharse al carro triunfal de esa absorbente e hipertrofiada superestructura imperial puede dar oportunidad a los no poderosos para situarse, gracias al ofrecimiento de sus servicios, o mantenerse puramente apartados, sin acercarse a la gran máquina que implanta el absolutismo. El poder legislativo, el control de los tributos, son exclusiva función de la realeza y quedan ajenos a cualquier modo de colaboración popular, ni siquiera indirecto. En todo caso se espera más «gracia» que «justicia», mientras las ciudades, las Hermandades, los municipios, pierden todo su poder representativo y político. Pero todo ello da origen también a la desjerarquización de lo nobiliario, que pierde su mérito histórico para convertirse en palaciega comparsa de la realeza. Lo cortesano ha sustituido a lo heroico, y la tiranía a la democracia.

Con la revolución de las Comunidades de Castilla se asiste a la gestación de un ideal, mediante el engranaje de una serie de conceptos con el suficiente prestigio para que nadie ponga en duda la realidad, no sólo subjetiva, sino también objetiva, de ese ideal, que nace con espontaneidad histórica y se coordina con el sentido de lo justo. La valoración conjunta de lo ideal-justo es una evolución imparable y lógica. No hay, como en tantas revoluciones, sorpresas de mala fe o involucración demagógica de un grupo social en perjuicio de otro, por resentimiento ante la propia inferioridad. El ideal que se gesta en las Comunidades de Castilla no es una verdad a medias, ni una inversión de valores, sino la búsqueda del equilibrio jerárquico entre lo ideal y lo justo, lo subjetivo y lo objetivo, el bien común y el bien individual de la persona, de su libertad considerada en el aspecto social, político, económico y moral. Encauzamiento de tendencias espontáneas consustanciales a la naturaleza humana, que los comuneros de Castilla no ponen en marcha, sino que más bien activan para que no se corte el normal proceso evolutivo, que ya era una realidad en el ambiente social de Castilla, más evolucionado entonces que el resto de Europa. Los castellanos presienten, desde el primer momento, que la nueva política traída de Flandes no significa, pese a su «modernidad», sino una involución para la trayectoria social y política de Castilla. Carlos V representa para los comuneros el fracaso de la renovación evolutiva tan sagazmente impulsada por Isabel y Fernando. Es esto lo que desencadena la revolución. A pesar de todo, los comuneros evitan recurrir a la fuerza, al abuso de poder. Por eso parlamentan con los jefes reaccionarios cuando hubieran podido ajusticiarlos. No desisten de la renovación, del cauce constructivo. Prefieren la revolución del pensar y el sentir a la revolución de las armas. Es una lección ejemplar para la historia de la democracia. Pero la terquedad de los reaccionarios prefiere el terreno de la violencia, que lleva también a las Comunidades de Castilla al uso de la fuerza. Y es así como el mayor fracaso histórico de los comuneros no es el de Villalar, sino el hecho de que necesitasen recurrir a las armas. Porque si entonces perdieron la batalla decisiva, lo peor es que no lograron ganar, frente a la intransigencia, la batalla de la razón y del sentimiento.

APENDICES

1

ACUERDOS ENTRE EL MORIBUNDO REY FERNANDO EL CATOLICO Y EL EMBAJADOR DE SU NIETO DON CARLOS

Que el rey gobernaría los reinos de Castilla y de León todo el tiempo que viviese, aunque falleciera en tanto su hija doña Juana. Después de su muerte comenzaría a gobernar su nieto el príncipe don Carlos.

Que entre tanto se le darían a este príncipe 50.000 ducados cada año, en Amberes, y cuando viniese a España se le darían las rentas y derechos pertenecientes al príncipe de Asturias.

Que para el mes de mayo próximo (1516) sería enviado a Flandes el infante don Fernando y, con la misma flota que le condujere, vendría a España el príncipe don Carlos SIN GENTE DE ARMAS.

Que el rey procuraría obtener del papa la incorporación perpetua de los maestrazgos de las Ordenes Militares a la Corona, y el príncipe se obligaría a pagar a su hermano el infante una renta igual al menor de los maestrazgos, dándosele además el gobierno de los Estados de Flandes, bajo la dirección de su tía doña Margarita y del Consejo de Notables.

Que el rey nombraría las personas para los principales cargos y oficios del servicio de don Carlos, las cuales tomarían posesión después de la llegada del príncipe a España.

Que el rey tomaba de su cuenta convocar las Cortes del reino, para que declarasen que, «*muerta la reina doña Juana, reconocerían por rey al príncipe don Carlos su hijo»*, y que esto mismo habían de reconocerlo y jurarlo el príncipe, la princesa y los individuos de su consejo, ante el embajador de España, y que el rey, así como los altos miembros de su consejo, el cardenal Cisneros, el obispo de Burgos don Juan Rodríguez de Fonseca, el duque de Alba y el condestable de Castilla, lo jurarían también ante los embajadores del príncipe.

2

FRAGMENTO DE LA CARTA CON LA ORDEN DE ALISTAMIENTO QUE LLEVABA EL CAPITAN HERNAN PEREZ A LEON POR MANDATO DE LOS REGENTES

(similar a todas las enviadas a otras poblaciones)

«... Vos mandamos que luego vos las dichas nuestras justicias desa dicha ciudad e villas e logares vos junteis con los regidores dellas y con las otras personas que a vosotros paresciere que para ello deban ser presentes e juntamente con Hernan Perez, nuestro capitan, que para ello enviamos, veais la instrucción que lleva de la forma que se ha de tener en el hacer de la dicha gente que va señalada de los gobernadores destos nuestros reinos, e bien visto e platicado, deis forma como en esa dicha ciudad e villas e logares se hará el número de gente de pie e os pareciere e buenamente se pueda hacer en esa dicha ciudad e villas e logares, guardando en toda la forma y orden contenida en la dicha instrucción, e por esta nuestra, aseguramos e prometemos por nuestra fe y palabra real a la dicha gente que por vosotros juntamente con el dicho Hernan Perez, nuestro capitan, fuere nombrada en esta dicha ciudad e villas e logares, que les serán guardadas las preheminencias, gracias, franquicias e libertades contenidas en la dicha instrucción e que para ello les mandaremos dar todas nuestras cartas, provisiones, patentes que les convengan e fueren necesarias, firmadas e selladas con nuestro sello real e libradas de los del nuestro consejo, e porque lo susodicho sea público e notorio a todos mandamos que esta nuestra carta sea pregonada publicamente en esa dicha ciudad e villas e logares y en las plazas e mercados e otros lugares acostumbrados de los pregoneros e ante escrivano publico e los unos ni los otros non fagades... Dada en la villa de Madrid a veintisiete días del mes de Mayo del nascimiento de nuestro salvador Jhesucristo de mil e quinientos e diez e seis años.»

3

CARTA DE CARLOS V DESDE BRUSELAS EN CONTESTACION A BURGOS, SOBRE LAS QUEJAS QUE LE ENVIARON POR LA ORDEN DE RECLUTAMIENTO

«Vi vuestra carta, por la cual decís que ciertas cédulas e mandamientos e instrucciones dados por el Rmo. in Christo Padre Cardenal de España gobernador por la católica reina mi señora madre e por mi en esos nuestros reinos e señoríos, para que enviásedes mil hombres vecinos e hijos de vecinos desa ciudad, hábiles para servir de infantes, e que nombrándolos Cristobal Velazquez *(el encargado en Burgos del reclutamiento)* recibiese todas las personas que en esa ciudad e su tierra quisiesen asentar para me servir, son muy agraviadas contra la dicha ciudad e en mucho perjuicio de los vecinos e moradores della por ciertas razones en vuestra petición contenidas, e me suplicastes e pedistes por merced mandase proveer sobre ello como la mi merced fuese; e porque yo he enviado a esos reinos por mi embajador a mosen de La Chaulx mi camarero e del mío consejo, el cual lleva cargo especial de lo en dicha vuestra carta contenido, para lo comunicar e platicar con el Rdo. Cardenal e con el Obispo de Tortosa mi embajador, yo vos encargo e mando que como sepais que es llegado a mi corte, envieis a ella persona bien instruida e informada cerca de lo susodicho, para que les informe de los daños que se siguen e pueden seguir de lo contenido en las dichas cédulas, e provean lo que vieren que más cumpliese a mi servicio, e sed ciertos que se guardará e administrará entero cumplimiento de justicia, por manera que esa dicha ciudad ni los vecinos e moradores della non resciban agravio, nin tengais causa ni razón de vos quejar; y en lo del repartimiento que a esa dicha ciudad cupo a pagar, de que decis que es libre e exenta, enviad ante mi los privilegios que dellos teneis, los mandaré ver y proveer como sea justicia, porque no solamente deseo que esto se haga, pero tengo voluntad de mandar mirar las cosas que a esa ciudad tocaren como vuestros servicios merescen.»

(Firmada a 30 de noviembre de 1516.)

4

ESCRITO PRESENTADO EL DIA 3 DE MARZO DE 1517 POR LOS PROCURADORES BURGALESES CONTRA LA ORDEN DADA POR CARLOS V DE QUE EL CASTILLO DE LARA FUESE PUESTO EN MANOS DEL JUEZ RESIDENTE DE LA CORONA

«Escribano que presente estais, dareis por testimonio signado de manera que haga fe a nos Pedro Gomez de Valladolid, procurador mayor desta ciudad de Burgos, por nos y en nombre de todos los otros procuradores de las vecindades desta dicha ciudad que aquí firmaron sus nombres, y en nombre así mismo de toda la COMUNIDAD, como requiriéndoles decimos a los magníficos señores Justicia y regidores de esta dicha ciudad, que bien saben como el castillo e fortaleza de Lara es de la ciudad e le está adjudicado... que las vecindades pongan alcaides que residan en ella e la tengan en nombre de la ciudad... Y agora es venido a nuestra noticia que vuestras mercedes se han puesto a querer poner los dichos alcaides... Non vos entremetais a poner ni nombrar alcaides de vuestra parte ni recibir del homenaje, antes dejeis a esta dicha ciudad e vecindades della poner alcaides que la tengan e hagan el omenaje que en tal caso se face, sin les poner ningún embarazo ni impedimento, lo cual si así hicieren harán lo que deben, en otra manera protestamos contra vuestras mercedes todo lo que protestar podemos...»

La Comunidad de Burgos recibió en contestación una real cédula ordenando que, sin excusa ni aplazamiento alguno, entregaran dicha fortaleza de Lara al francés Joffre de Contannes. Y en una carta que escribió Carlos V a su Real Consejo el 20 de diciembre de 1518 insistía en que a Joffre de Contannes se le diera total posesión del castillo de Lara.

La Comunidad de Burgos no cumplió la orden del rey por considerarla injuriosa y antipatriótica. Escribió a Carlos V un largo recurso, donde enumeraba todas las circunstancias y la historia del castillo de Lara, para terminar con las siguientes palabras:

«... Agraviaba en quitarle lo que antiguamente todos los reyes sus antecesores le habían confirmado por sus servicios, tenerlo habían a gran mengua, y sentirlo habían, y aun todas las otras ciudades del reino mostrarían sentimiento y creerían que otro tanto se hará con ellas cuando se ofresciere semejante caso; y esto no cumple al servicio de su alteza, demás del daño que la dicha ciudad rescibe...»

5

CARTA DE CARLOS V ENVIADA URGENTEMENTE DESDE FLANDES A LOS CASTELLANOS A TRAVES DEL CONSEJO DE CASTILLA PARA QUE SE ABSTUVIESE EL PUEBLO DE ELEGIR PROCURADORES

«... He visto e platicado por los del nuestro Consejo, porque lo susodicho es en nuestro deservicio y la dicha convocación de procuradores no se puede hacer sino por nos, sin que incurriésedes en graves cosas, porque aquello solamente es reservado a nos, y así mismo de la dicha unión y congregación se podían seguir algunos inconvenientes de que nos fuésemos deservido, fué acordado que sin embargo de la dicha apelación, debíamos mandar dar esta carta para vosotros en la dicha razón, por la cual vos mandemos que guardeis lo que por el dicho nuestro Juez de residencia vos fué mandado cerca de lo susodicho, sin embargo de la dicha vuestra apelación e de las razones a manera de agravio que por vuestra parte contra ello han sido dichas e alegadas, y en guardándolo e cumpliéndolo sin embargo de cualquier suplicación que por vuestra parte sea interpuesta, e sin esperar para ello otra nuestra carta ni mandamiento ni segúnda instrucción, ceseis luego de hacer la dicha convocación de procuradores, e si alguna habeis hecho desistais de la proseguir ni poner más en ejecución, ni vosotros nombreis ni envieis procuradores ni otras personas algunas para que vayan a la dicha junta en nombre desa dicha ciudad, so pena de la nuestra merced e de caer en mal caso, e de perdimiento de vuestros bienes e oficios...

Nueve días del mes de Marzo, año del nascimiento de nuestro salvador Jesucristo de mil e quinientos e diez e siete años.»

6

CARTA DE CARLOS V DESDE FLANDES, EN CONTESTACION A LA QUE LE ENVIARON LAS CIUDADES DE LEON, ZAMORA, VALLADOLID Y BURGOS

«Ha ya cerca de cuarenta días que estoy en esta villa de Medialburque donde está mi armada esperando el tiempo para ir a esos reinos, que es cosa que mucho deseo, y ansí tengo remitido todo el despacho de negocios para cuando sea en ellos, pero sin embargo desto, por lo mucho que amo y prescio y estimo a esas ciudades, mandé luego a los del mi Consejo que quedaron platicar sobre los capítulos que me enviasteis, y conmigo consultado, os mandé responder lo siguiente:

Al primer capítulo de vuestra carta que fabla cerca del sacar de la moneda, nos place muy bien lo que decís, e tenemos por muy dañoso para esos reinos el sacar de la dicha moneda dellos, e ansí fasta agora aun para nuestras propias cosas no he consentido sacarlo; para el remedio dello fasta tanto que llegado yo mande dar entera orden, escribo al Rmo. Cardenal e al Presidente e los del nuestro Consejo, rogándole y mandándole que luego provean con mucha diligencia como las leyes y premáticas que cerca desto disponen se guarden e cumplan... e que pongan mucho recabdo en los puertos para que en ninguna manera se pueda sacar ni saque la dicha moneda... e ansí mismo, que hagan información e sepan que personas son las que han sacado el dicho dinero e cuanto e para donde, e que si les paresciere hacer nuevas leyes para guarda de lo susodicho, que me avisen.

En cuanto al capítulo de los oficios e beneficios del reino que no se den a extranjeros, vos digo que yo tengo voluntad de mandar mirar mucho por el bien desos reinos, e ansí cuando alguno vacare, lo proveeré de manera que ninguno tenga causa justa de que se quejar, y en cuanto me suplicais mande proveer como no se vendan, me place, dello, y de mandar guardar y ejecutar las leyes e premáticas contra los que se hallaren culpados de ello.

Cuanto a lo que decís habeis entendido por cartas de Roma que el Papa quiere imponer décimas y prohibir el testar a los clérigos, algunos días antes que viese vuestros capítulos, yo fuí avisado dello, y luego mandé escribir a mis embajadores para que sobre ello hablasen a nuestro muy Santo Padre e trabajasen que no se hiciese cosa nueva... podeis estar seguros que en mi tiempo no se hará ni consentirá cosa en daño y perjuicio desos reinos; así mismo escribo al dicho Rmo. Cardenal y Presidente y los del nuestro Consejo que no consientan ni de lugar a que ninguna cosa que cerca desto venga de Roma se notifique ni ejecute sin mi consulta y mandato especial...»

(Fechada en Medialburque, a 3 de agosto de 1517.)

7

ACTA NOTARIAL DEL JURAMENTO QUE SE EXIGIO A CARLOS V PARA DEJARLE ENTRAR EN BURGOS

«En la puente de Santa María de la ciudad de Burgos, a 21 de febrero de 1520 años, estando cerrada la dicha puerta de Santa María y estando en ella los señores Joan de Rojas, Merino Mayor y el Doctor Juan de Zumel, Escribano Mayor, con un libro misal que tenía el dicho Doctor Zumel en sus manos, donde estaban escriptos los Santos cuatro Evangelios, y llegando su majestad el rey Don Carlos nuestro señor cabalgando con muchas gentes de a caballo para entrar en la ciudad, el dicho Joan de Rojas, Merino Mayor, é Joan de Zumel, Escribano Mayor, suplicaron a su majestad que fuese servido de jurar los privilegios e buenos usos e costumbres e ordenanzas de la ciudad. Y su majestad se paró con el caballo; y parado puso su mano derecha en el dicho libro misal donde están los Santos cuatro Evangelios escriptos, diciendo el dicho Joan de Rojas: 'Que vuestra majestad jura a Dios y a Santa María y a las palabras de los Santos Evangelios que, como rey y señor natural de estos reinos é señoríos, tendrá e guardará é confirmará todos los privilegios, usos e costumbres e ordenanzas de la ciudad.' Y su alteza, teniendo puesta la mano en el dicho libro misal, dijo que confirmaba e confirmó sus privilegios e buenos usos e costumbres e ordenanzas de la ciudad, e mandó que se guardasen e cumpliesen según que han sido usados e guardados e cumplidos. E así su majestad entró en la ciudad, e se abrieron las puertas della. Y antes que entrase, el Señor Comendador García Ruiz de la Mota, Alcalde Mayor, habló de parte de la ciudad a su alteza, dando gracias a Dios por tanto bien como había venido a la ciudad con su bienaventurada venida, é de parte de la ciudad le suplicó que fuese servido de estar e holgar en ella como en ciudad que tan bien le venía de su bienaventurada venida. Y su majestad continuó su camino fasta la puerta de Santa María.»

8

ALGUNAS DE LAS INSTRUCCIONES MAS IMPORTANTES QUE LOS PROCURADORES DE BURGOS LLEVABAN POR ESCRITO A LAS CORTES DE SANTIAGO PARA HACER AL REY LAS PETICIONES RELATIVAS AL REINO Y A LA CIUDAD

Peticiones relativas al reino

«Suplicareis a su majestad que se mire mucho en como ha de quedar la gobernación destos reinos, que tenemos por cierto que según su prudencia y su consejo la dejará ordenada como convenga y conforme a las leyes del reino; que nos parece debe quedar gente de guerra cerca y donde estuviere el Consejo, y así mismo los que vivan con su majestad todos sean bien pagados, porque con mayor voluntad servirán a la justicia y procurarán paz en los lugares do vivieren...

Suplicareis a su majestad se quiera informar de cuan grandísimo cargo es de su conciencia real e de los católicos reyes pasados sus abuelos, en llevar el servicio de estos reinos, porque generalmente contribuyen todos los pobres que poco tienen, y con tanta manera de pagar dineros, no tienen los tristes labradores que comer; todo esto en el tiempo que teníamos los moros en Castilla y las cosas de Italia estaban en gran necesidad, sufríase con razón, mas agora que, gracias a Dios, todo es llano y su majestad es tan gran señor de tantas rentas y estados, justo es que haga merced a este reino y se precie del, pues es cosa más propia suya que todo lo otro y con tener esto se ha acrescentado en los otros señoríos...

Suplicareis a su majestad no permita que los oficios, beneficios, encomiendas, tenencias e capitanías destos reinos se den a los extranjeros dellos, pues, Dios sea loado, su majestad tiene tantos y tan grandes señoríos que a todos sus servidores y criados puede hacer merced en sus naturalezas, y los deste reino recibirían agravio si no se proveyesen de esta manera, pues en las conquistas contra los infieles tan lealmente sirvieron a todos los reyes pasados de gloriosa memoria, y así mesmo en otras partes fuera deste reino han hecho y hacen cada día señalados servicios a la corona real de Castilla los naturales della aventurando sus vidas; suplicareis a su majestad que este artículo lo mande guardar y no se den cartas de naturaleza a ningún extranjero.

Suplicareis a su majestad haga merced a estos reinos, como nos lo prometió aquí en esta ciudad, de mandar que se de orden como la moneda no salga dellos, porque si esto no se hace, recibirán gran daño, y las rentas de su majestad mucha quiebra y para el remedio desto nos parece que se ha de bajar la moneda en ley y subir en peso, porque la mucha ley que agora tiene y mucho valor, hace que se saque fuera del reino...

Suplicareis a su majestad mande que no se den posadas en estos reinos, sino pagándose como se hace en Aragón y en todos los otros de cristianos, porque como agora se dan es gran daño y perjuicio de todos sus vasallos, que les gastan y destruyen sus ropa y casas, y es cargo de su real conciencia...

Suplicareis a su majestad que la gente de armas destos reinos, que están en Nápoles, se pague de las rentas de aquel reino, pues con el dinero y gente de Castilla se ha conquistado y sostenido hasta agora, que no tiene número lo que ha costado, así de personas como de hacienda.

Suplicareis a su majestad se sirva en su casa real de los naturales destos reinos juntamente con los de los otros señoríos...

Suplicareis a su majestad de orden con el Papa sobre las compras que hacen los monasterios y las mandas que se dan a todas las iglesias, para que se ponga moderación en ello, que de la manera que agora va, presto serán suyas la mayor parte de haciendas y patrimonios que es en daño del reino; para esto sería bien que si se heredase en los monasterios bienes raices, que se de por asiento que dentro de un año lo vendan, e si no lo vendieren, los dichos monasterios lo hayan perdido...

Suplicareis a su majestad que se confirme y publique la premática ley destos reinos para que no se saque oro, ni plata, ni caballos ni ganados, ni pan ni otras cosas vedadas por las dichas premáticas, las cuales se ejecuten muy rigurosamente. Y que su majestad mande que ningún alcalde, ni regidor ni escribano mayor, ni merino mayor, ni otro ningún oficial del regimiento de todas las ciudades y villas destos reinos, ni procuradores mayores ni de vecindades, no vivan con Señor ni Grande, ni puedan llevar por ninguna vía ellos ni otros por ellos salario ninguno, porque con pasiones particulares se impide el buen gobierno y administración de justicia y nacen escándalos y alteraciones en los regimientos y pueblos...»

Peticiones relativas a la ciudad

«Lo primero y en que va tanto, es la fortaleza de Lara. Habeis de suplicar a su majestad que sin dar largas ni dilaciones nos mande hacer merced de la dicha fortaleza, pues siendo nuestra propia y estando en posesión de ella *(la municipalidad)* tanto agravio recibimos de haberse dado a nadie... Suplicamos a su majestad nos haga merced de este castillo de Lara lo tenga esta ciudad como antiguamente lo ha tenido e poseido, pues por tan justas causas los reyes pasados, de gloriosa memoria, hicieron de el merced, ... y por ser cosa tan antigua y tan noble y tan bien merecida, tendría esta ciudad gran sentimiento si más dilación hubiese...

Suplicareis a su majestad, pues esta ciudad es libre y lo fué siempre, que no la haga pechera en mandar que pague...

Suplicareis a su majestad nos haga merced de confirmar el privilegio que esta ciudad tiene de que los dos Alcaldes de Corte sean de aquí; ...

Suplicareis a su majestad nos haga merced de dejar en esta ciudad a la reina *(su madre doña Juana)* nuestra señora, y el consejo y gobernadores, juntamente con su alteza, que así nos parece que debe siempre estar todo junto en un lugar, hasta que su majestad venga...»

9

SENTENCIA DEL CABILDO LEONES CONTRA EL CANONIGO «IMPERIALISTA» JUAN DE VILLAFAÑE POR AGREDIR AL CANONIGO «COMUNERO» ANTONIO JURADO

«En el Cabildo alto de la iglesia de Leon, sábado cinco días del mes de Febrero de mil e quinientos e diez e nueve años, estando los señores en su cabildo, los señores jueces de la denunciación del canónigo Juan de Villafañe que dió el canónigo Antonio Jurado, dixeron que, visto el gran escándalo que dicho canónigo Juan de Villafañe hizo en la iglesia e en la ciudad que publicamente no hubiese misa mayor ni vísperas, e visto que a causa de eso se llegó gente armada, en tanto que hubo necesidad que la justicia seglar entendiese en ello y el poco acatamiento que tuvo al provisor del señor obispo e a los señores de la iglesia, y la injuria que hizo al dicho canónigo Antonio Jurado declarándolo por excomulgado y todo lo otro desto pendiente que por razón de lo susodicho usando con él misericordia le condenaron en pena de veinte ducados de oro, los que los mandaron que luego el prioste pagase de su prebenda de los cuales se sacasen treinta reales para que dellos se digan treinta misas de los mártires por razón de los oficios divinos que por su causa no se dixeron y los restantes los aplicaron para los gastos de los pleitos de Roma; ansí mismo dixeron que por ser hombre escandaloso e por haberse fecho el dicho escándalo, que fué publico, en la iglesia y ciudad, lo desterraban e desterraron de ingreso en el cabildo y de otro cualquier ayuntamiento que se hiciese por los dichos señores por espacio y tiempo de un año que corra desde hoy, dentro del cual no tenga ni pueda tener voto; bien así lo desterraron desta ciudad y de sus arrabales por tiempo de dos meses en los cuales mandaron que no entrase en esta ciudad con una legua enderredor, ni salga ni pueda salir del obispado e que en los dichos dos meses sea contado de su gracia e mandaron aquel dicho canónigo Juan de Villafañe tenga y cumpla esta dicha sentencia y no vaya ni venga contra ella so pena que no la cumpliendo pague la dicha pena doblada, e que dicho destierro lo comience a cumplir dentro del tercero día después que le fuere notificada la sentencia. Testigos: los señores Matheo de Arguello e Juan Alvaro Valenciano, canónigo.»

10

NOMBRAMIENTO PARA REPRESENTANTES DEL CABILDO DE LEON EN LA COMUNIDAD DE LA CIUDAD

«Este día *(19 de febrero de 1520)* los dichos señores nombraron para entender en los negocios de la Comunidad desta Ciudad a los señores Juan de la Sala e Juan de Benavente con tal condición que no den voto e ningún asiento ni escribir a otras ciudades ni en consentir en ninguna cosa que para las otras ciudades les fuere requerido sin que primero den noticia en cabildo y lo que allí se acordase aquello se hará. Testigos: los señores Santiago Ponce e Juan Batista de Prado e Diego de Leon, canónigos.»

11

CARTA DE LA CIUDAD DE BURGOS A LA JUNTA COMUNERA EN TORDESILLAS, PARA JUSTIFICAR SU DISCONFORMIDAD

«Lo que vos Pedro de Oña habeis de decir de parte desta ciudad de Burgos por virtud de nuestra creencia a los muy magníficos señores procuradores del reino que en la Junta de Tordesillas asisten:

Que bien saben que esta Santa Junta no solamente fué convocada para entender e platicar en el remedio de los agravios e sinrazones que estos reinos padescen, é que las instrucciones que los señores procuradores llevan son que sus ciudades y villas sacasen una que tocase a bien general del reino, e ansí mismo se pusiese por otra las particulares cosas que a cada ciudad e provincia tocaban, e por todas aquellas suplicar a la real majestad por el remedio, e que otra cosa por esta ciudad ni por ningunas otras ciudades y villas fué comenzado; e que agora su señoría se había extendido a se apoderar de la reina nuestra señora e quitar de su servicio al señor marqués e marquesa, a quien para aquel su majestad había diputado, e con quien su alteza estaba contenta; e esta ciudad, recelándose de lo hecho, les había suplicado así a ellos como a sus capitanes que no hiciesen mudanza, e le habían respondido que ansí lo harían; que la estada del marqués no impedía el fin que todos queríamos, pues su alteza no estaba ni tenía voluntad para gobernar, ni aquel hiciera cosa que lo pudiera impedir si lo estuviera, ni tampoco en la mudanza del Consejo y gobernación tampoco lo impedía, pues se podía limitar su poderío, e para no estorbarlo, que la Santa Junta ordenase, e somos ciertos que el reverendísimo Cardenal y el Consejo lo habrían por bien, mayormente pues su ejercicio estaba de hecho e los nuestros en pié, e porque estas cosas no procediesen más adelante, esta ciudad acordó de mirar sus intenciones, e de aquellas sacar los capítulos que en sustancia más convenían al bien del reino, e los otros dejenlos para su tiempo e lugar, pues no serán tan importantes, los cuales eran aquellos que así les enviamos; por ende, pedimos por merced a su señoría que hagan por bien de los ver e suplicar a su majestad por todo el reino los quiera proveer e remediar, e lo demás como hemos dicho andando el tiempo se podrán proveer, e que en aquellos, que al fin, no solamente para lo general, pero para lo particular de cada uno es razón todos estemos conformes, para que en toda obediencia y acatamiento suplicarlo a su majestad; e que si estos que aquí enviamos su alteza los quisiere enviar confirmados e jurados como convenga, para firmeza dellos, que a esta ciudad le paresce que nos debemos poner en toda paz e sosiego e restituir a su majestad lo que le está ocupado e obedescer sus gobernadores, e para que lo ansí otorgado de los dichos capítulos, e lo que se otorgare en lo demás por su majestad, que siempre esta ciudad estará conforme con las otras, para que aquello sea guardado e cumplido e no se haga en ello más mudanza, e en lo cual a esta ciudad le paresce que su señoría e sus ciudades e villas deben en ello venir a concederlo, porque esta ciudad así lo entiende hacer, y en ello se escusarán muchos males e daños e escándalos que en estos reinos pueden venir en deservicio de Dios e de nuestros reinos e daño del bien común; e de todo se pida testimonio a los presentes escribanos, para que claramente conste que esta ciudad cumple con el servicio de sus reyes e con las otras ciudades e villas del reino, por quien esta Santa Junta fué convocada.»

(La carta fue presentada por el procurador Pedro de Oña ante la Junta Santa en Tordesillas el 16 de octubre de 1520.)

12

CARTA DE CARLOS V DESDE FLANDES EN AGRADECIMIENTO A LOS BURGALESES QUE SE HABIAN SEPARADO DE LAS COMUNIDADES

«Por otras mis cartas os escribí dandoos las gracias de lo que vuestros procuradores continuando la antigua lealtad desa ciudad habian fecho en Tordesillas, ansí en no ser en voto a las traiciones que los traidores que allí están hicieron e cometieron en quitar del servicio de la católica Reina mi señora e de la ilustrísima infanta mi hermana al marqués e marquesa de Denia, y en la prisión e detenimiento del muy reverendo Cardenal *(Adriano)* e de los del nuestro concejo, y en estorbar e no dar lugar a que hubiese efecto lo que tentaron de hacer en perjuicio de mi real persona e autoridad, y en no firmar la carta que me enviaron; después por cartas del Condestable mi visorrey e gobernador desos reinos he sabido con cuanta voluntad le habeis recibido en esa ciudad y la que teneis para me servir, y he visto un treslado de la carta que escribisteis que el dicho Condestable me envió; haceislo todo tan bien como se esperaba de la antigua e verdadera lealtad e fidelidad de esa ciudad, en que enteramente mostrais vuestra bondad y el amor e voluntad que siempre tuviesteis de servir a nuestra corona real, por lo cual, aunque la principal causa haya sido usar de la que debeis a vuestra fidelidad, yo quedo con obligación para que en todo resciba de mi esa ciudad e los naturales della las mercedes e favor que sus muchos e señalados servicios e lealtad merescen, y así espero, placiendo a Dios, que lo vereis e conocereis por obras; ya os escribí que vería los capítulos que esa ciudad hizo con el Condestable, e los proveería, e como yo con mucha razón tengo la voluntad que tengo de hacer merced a esos reinos, e mucho mirado en ello, porque como por ellos habreis visto, hay algunas cosas que son en perjuicio de la preeminencia real, las cuales por lo que toca a nuestros sucesores yo no podría otorgar ni hacer perjudicándolos, sin estar en Cortes generales de esos reinos como se acostumbra; no he del todo determinado lo que en ello se ha de hacer; a ser cosas que buenamente se pudieran conceder, aunque fuera con mucha costa de nuestra hacienda e patriotismo, hubiera placer dello, en especial intercediendo en ello esa ciudad, y pues también habeis cumplido en lo que debeis, así a mi servicio como con los traidores que están en dicha villa de Tordesillas, pues les enviasteis el traslado de los dichos capítulos, y ellos por mas declarar la mala intención que tienen, no los quisieron aceptar, esa ciudad queda libre para recibir merced, y continuando su lealtad, servirnos de manera que en la corona real siempre haya memoria para le hacer merced; ruegoos y encargoos mucho que os contenteis por agora con que yo hago todo lo que buenamente al presente parece que se puede hacer, que habida consideración a los dichos vuestros servicios, con la presente invío a esa dicha ciudad y su provincia perdón general de todos los delitos y excesos que en ella se han cometido en cualquier manera después de mi partida de esos reinos por causa de los alborotos pasados, e tomo a mi cargo de satisfacer a los que han sido damnificados, e así mismo por esta mi carta vos prometo e aseguro por mi fe e palabra real de guardar llana y cumplidamente todas las leyes desos reinos como el Rey de mis predecesores que más las ha guardado, sin que en ello haya ninguna falta...»

13

MANIFIESTO QUE LA JUNTA DE LOS COMUNEROS EN TORDESILLAS, DIRIGIO A CARLOS V CUANDO SE HALLABA FUERA DE ESPAÑA

«Muy soberano, invictísimo príncipe, rey nuestro Señor: Las leyes de estos vuestros reinos, que por razón natural fueron hechas y ordenadas, que así obligan a los príncipes como a sus súbditos, tratando del amor que los súbditos han y deben tener a su rey y señor natural, entre otras cosas dicen y disponen, que deben los súbditos guardar a su rey de sí mismo, que no haga cosa que esté mal a su ánima ni a su honra, ni daño y mal estanza de sus reinos.

Lo cual mandan, que hagan suplicando a su rey primeramente sobre ello, que no haga las cosas sobredichas ni algunas de ellas, y cuando por la suplicación susodicha de los súbditos, el reino se apartare de lo que dicho es, que le quiten y aparten de cabesí sus consejeros, por cuyo consejo hicieron algunas de las cosas que dichas son. Por tal manera que el rey no haga ni pueda hacer cosa alguna que sea contra su ánima, contra su honra y contra el bien público de sus reinos, y que los súbditos y vasallos que así no lo hicieren, porque darían a entender que no amaban como debían a su rey y señor natural, caerían en caso de traición, y debían así como traidores, ser punidos y castigados, y por no cobrar tan mal nombre, ni incurrir en las penas de él, y por el amor que estos reinos han y tienen a V.A. y le deben como a su soberano rey y señor, viendo y conociendo por experiencia los grandes daños e intolerables de estos sus reinos, en ellos hechos y causados por el mal consejo de V.M. en el gobierno de ellos, ha tenido por afición y codicia desordenada, y por sus propias pasiones, intereses y fines malos de los consejeros que V.A. ha tenido.

Que se pueden decir más propiamente engañadores, y enemigos de estos vuestros reinos, y del bien público de ellos, que no consejeros tales cuales debían ser. De los cuales y de sus malos consejos tenemos por cierto ha devenido y procedido los daños intolerables de estos reinos y devastación de ellos. De que siendo los más ricos y abundantes en riquezas y en todas las otras cosas que a reinos muy excelentes convenían que tuviesen y abundasen, son venidos a ser los más pobres y menguados que ninguno de los otros reinos a ellos comarcanos.

Y sabemos y tenemos por cierto, que estos daños no han procedido de V.A. cuya cesarea y real persona Nuestro Señor ha dotado y dotó de tanta prudencia, virtudes, clemencia, mansedumbre y de celo de justicia del bien público, cuanto a tan alto príncipe y señor del imperio de tantos reinos y señores convenía.

Los tales daños y exorbitancias, no solamente tocaron y fueron muy perjudiciales al bien público, pero también se extendieron contra el patrimonio real de V.M. y devastación de sus reinos y patrimonio y de lo que debía venir a la cámara de V.A. y pertenecía a ello, enriqueciéndose muchos malos consejeros y otras dichas personas que no tenían amor a V.A. y a su servicio en grandísimo número de ducados y rentas. Dejando a V.M. en tanta necesidad que para proveer en los gastos y costas de la casa real le era y fué forzado de tomar a cambio gran número de ducados, y pagar por el cambio de ellos crecidos y demasiados renuevos y logros. Y por otra parte pedir dineros emprestados a caballeros y grandes de estos reinos. Y le pusieron en tanta necesidad, que para mantenimiento de su casa real, tuviese necesidad de vender muchos juros de sus rentas reales y pedir servicios inmoderados a sus súbditos que no debían.

Y porque sin más contradición se otorgasen, aconsejaron a V.A. los grandes que se hallaron en las Cortes de la Coruña y algunos procuradores de las ciudades, que fueron en otorgar el servicio de V.A. en el mismo servicio hiciese merced de mucho número de ducados. Y viendo todas estas exorbitancias de mal consejo, que a V.A. se daban y han dado y por el la perdición de vuestros reinos, y como iba de contino en crecimiento, por procuradores de algunas de las ciudades destos reinos, fué con mucha instancia pedido y suplicado a V.A. así en la noble villa de Valladolid, estando en ella V.A. de camino para las Cortes de Santiago y de La Coruña, que V.A. tuviese por bien de querer mirar y considerar los grandísimos e intolerables daños que vuestros reinos, sus súbditos, la corona real y rentas y bienes de su cámara y a ella pertenecientes, habían recibido por el mal consejo de los que en la gobernación entendían.

Y como en la dicha gobernación se procedía en todo ello contra lo dispuesto por las leyes destos reinos. De que allende de la perdición del reino y sus súbditos, a V.A. y a su corona real se crecían intolerables daños y grandes pérdidas que a V.A. plugiese de estar y quedar en estos sus reinos para proveerlo y remediar. Y que si la ida de V.A. de estos sus reinos fuese necesaria que no la pudiese excusar que a V.A. plugiese antes que de estos sus reinos se partiese dejarlo proveido y remediado.

Y que en ninguna manera pidiese el dicho servicio ni lo mandase cobrar, porque de ello todos los pueblos de estos reinos estaban alterados y en propósito de no darlo. Y siendo sobre lo susodicho muy importunado V.A. por los procuradores de algunas de las ciudades de estos reinos y suplicado por el remedio de ello, V.A. tuvo por bien de mandar y mandó, que lo viesen todos los del su consejo, así del estado como de la justicia y de la guerra: y juntos todos acordaron que los procuradores que aquello pedían y suplicaban, merecían ser castigados.

Hicieron que les fuese mandado que no entrasen en las Cortes, y así no fueron admitidos en ellas y como mandaron que fuesen desterrados, y que fuesen a estar y residir en las tenencias, que por muy grandes servicios y muy señalados, fueron concedidas y se concedieron a sus padres y a ellos por los católicos señores rey don Fernando y reina doña Isabel de gloriosa memoria, abuelos de V.A. por lo cual claramente parecía y parece, que de la mala gobernación que en estos reinos ha habido, y de los daños, exorbitancias e inconvenientes que de ello se han seguido, son principalmente culpantes los del vuestro consejo, así los unos como los otros.

Lo cual muy soberano señor, mas claramente ha parecido, y se ha mostrado después que V.A. en buena hora embarcó en la ciudad de la Coruña. Porque algunas ciudades destos reinos, viendo el mal que sus procuradores habían hecho en el otorgar del dicho servicio, y en procurar y recibir por ello algunas mercedes, quisieron tomar enmiendas de ellos y se alteraron.

Y venidos a Valladolid el reverendísimo Cardenal, el presidente y los del vuestro consejo, juntamente con los del consejo de la guerra, y con Antonio de Fonseca con poder de V.A. de capitán general, acordaron que rigurosamente se procediese contra la ciudad de Segovia que fuese desolada y no quedase memoria de ella. Y para esto acordaron enviar un alcalde de la corte, que se decía Ronquillo, con mucho ejército de las guardas de V.A. y con los capitanes de dichas guardas y acostamientos para que estuviesen en Santa María de Nieva, y en ella hiciese sus procesos contra la ciudad y vecinos de ella. Y desde allí les prohibiese y vedase los mantenimientos, que no pudiese ir ni entrar en la dicha ciudad, y que prendiese a todos los vecinos de ella que pudiese y procediese contra ellos.

Y así estuvo muchos días, teniendo a la ciudad sitiada y cercada, para que de ella no pudiese salir persona alguna sin ser muerto o preso, y que en ella no pudiese entrar mantenimiento, ni procesión alguna. Y estando así la ciudad como dicho es y todos los vecinos de ella en grande aflicción y muy apretados, así clérigos como religiosos y los otros vecinos de la ciudad, enviaron personas religiosas a los dichos reverendísimo cardenal presidente, y los del consejo para que los recibiesen con piedad, y no quisiesen proceder contra ellos así, y que les perdonasen lo pasado, que ellos estarían a toda la obediencia que debían a V.A. y a su servicio. Lo cual, aunque muchas veces lo pidieron y suplicaron, nunca fueron oidos, antes fueron con mucho rigor respondidos, que no habían de ser oidos, y que por el rigor de la justicia habían de ser todos castigados, de manera que quedase perpetua memoria del castigo, que aquella ciudad se daba y a los vecinos de ella. Y el alcalde que así enviaron, y el ejército que llegó con los capitanes de el, haciendo más cruda guerra a la ciudad y vecinos de ella, que si fueran moros e infieles, matando a cuantos podían de ellos, y ahorcándolos, y a los que tenían dinero y caudal rescatándoles, y ajusticiando y azotando a los que iban con mantenimiento y mercadurías a la ciudad como solían.

Y estando en tanta aflicción y necesidad la ciudad y vecinos della, hubieron de haber recurso a todas las otras ciudades de estos reinos, especialmente a la ciudad de Toledo, Salamanca, Avila, Madrid y Burgos, para que tomasen su causa por propia y los quisiesen favorecer y librar de tanta fatiga: pues que si los del consejo tuviesen lugar de castigar a aquella ciudad y vecinos de ella, lo mismo querían hacer contra cada una de las otras ciudades. Y que fuesen juntas todas en una, porque no estando juntas, tenían lugar los del consejo de usar de su mal consejo y crueldades. Las cuales ciudades o alguna de ellas juntamente con la villa de Valladolid, pidieron y suplicaron con mucha instancia a los dichos reverendísimo cardenal y los de vuestro consejo, que mandasen quitar la gente de las guardas, acotamientos y capitanes, que sobre aquella ciudad estaban y por bien y amor procurasen que la ciudad fuese reducida al servicio de V.A. y nunca lo quisieron hacer ni oir a las dichas ciudades, ni a sus mensajeros, antes le respondieron lo mismo que a los mensajeros de aquella ciudad habían dicho.

Y por esto las otras ciudades, especialmente la ciudad de Toledo y villa de Madrid, y la misma ciudad de Segovia, acordaron de hacer ejércitos y capitanes de ellos, para expeler y apartar al alcalde, la gente y ejércitos de las guardas y acostamientos, y continos de vuestra majestad, que con él estaban, del sitio y cerco que sobre dicha ciudad tenían. Y animándolos Nuestro Señor, sin haber necesidad de pelear, y sin muertes de hombres, vinieron a la villa de Santa María de Nieva, a donde el dicho alcalde, los de la guarda, continos y acostamientos de V.M. estaban. Y antes que llegase el ejército de las ciudades ya dichas, el alcalde, capitanes, y su gente desampararon la dicha villa y se fueron de ella; y quedo la dicha ciudad de Segovia libre de la aflicción en que estaba.

Y como esto supieron los del consejo de V.M. así de la guerra como de la justicia, en uno con el reverendísimo cardenal, acordaron con mucha prisa que Antonio de Fonseca, con poder del capitán general, que de vuestra majestad tenía, con todos los continos de vuestra alteza que con ellos y con el ejército, que con dicho alcalde andaban, que poderosamente desbaratasen el ejército y capitanes de las dichas ciudades. Y que procurasen destacar de la villa de Medina del Campo la artillería que en ella estaba, que dejaron hecha para defensa de estos reinos los católicos señores rey don Fernando y reina doña Isabel. Y que si no la consiguiesen sacar, que procediese contra ellos. El cual juntándose con el ejército y capitanes que con el alcalde andaban, se recogieron todos en la villa de Arévalo.

Y como conocieron que no podía resistir a los ejércitos y capitanes de las ciudades de Toledo, Segovia y Madrid, que estaban en la villa de Santa María de Nieva, según la buena ordenanza de ellos y artillería de campo que traían, acordaron de dar vuelta a la villa de Medina del Campo, adonde con traición de algunos de la villa y del corregidor que en ella estaba, tuvieron lugar de entrar sin que los vecinos de la villa estuviesen proveidos, porque no supieron antes la venida.

Y así empezaron a pelear por defender la artillería, que no fuese sacada de la dicha villa, porque con ella no tuviese lugar de destruir las ciudades del reino. Y viendo el dicho Antonio de Fonseca la resistencia tan grande que los vecinos de la dicha villa le hacían, comenzó a hacer la guerra a fuego y sangre contra la dicha villa y vecinos de ella. Y pusieron por muchas partes fuego, y los soldados que traían metieron toda la villa a saco mano, y robaron las haciendas de las casas donde entraron, hiriendo y matando con gran crueldad, no perdonando a mujeres ni a niños, forzando y corrompiendo a muchas mujeres. Y los vecinos de la villa que estaban peleando y defendiendo el sacar y llevar de la artillería viendo que su villa se abrasaba de fuego, y se abrasaban, que quemaban y robaban las casas y haciendas, por eso no dejaron la defensa de la artillería, sin socorrer el remedio de sus casas y haciendas. Teniendo por mejor de quedar pobres y destruidos, antes que haciendo lo que no debían dejar sacar la artillería. Y no pudiéndolos vencer el dicho Antonio de Fonseca con toda la gente y ejército que traía, se hubo de salir con gran confusión de la dicha villa, dejándola toda encendida y ardiendo toda en vivas llamas.

Y se tornó a recoger a la villa de Arévalo, y así se quemaron cuatrocientas o quinientas casas, las mejores y más principales de toda la villa, con las haciendas que en ellas estaban, en lo mejor y más publica parte de toda la villa donde era el aposentamiento de los mercaderes y tratantes, que a las ferias de la dicha villa venían. Quemose así mismo el monasterio de San Francisco de la dicha villa todo enteramente, que era uno de los más insignes monasterios de la orden de San Francisco, que en estos reinos de V.A. había. Y en el se quemaron infinitas mercaderías de mercaderes, que en él dejaban de feria a feria.

Fué tanto el daño que en lo susodicho se hizo, que con dos millones de ducados no se podría reparar, pagar ni satisfacer. Estuvieron algunos días los frailes del dicho monasterio en la huerta, con el Santísimo Sacramento y cuerpo de nuestro Redentor y Salvador Jesucristo, teníendolo metido en una concavidad de un olmo grande que en la dicha huerta estaba. Con lo cual, viendo el dicho monasterio encendido y abrasado, se salieron a la dicha huerta, no teniendo otro lugar para salir, ni adonde poderse guarecer, atajados por el fuego del dicho monasterio. Y así estuvieron algunos días con sus noches acompañando al Santísimo Sacramento, que es cosa de gran dolor de verlo y contarlo.

Visto y sabido el gran daño que en la dicha villa de Medina se había hecho, y en el que se esperaba adelante en las demás ciudades de estos reinos, todas las otras ciudades y villas que antes no se habían señalado en enviar sus procuradores a la Junta, que en la ciudad de Avila por algunas ciudades se habían comenzado para atender en el remedio y exorbitancias grandes, que por el consejo mal de la gobernación pasada habían hecho y causado en el reino, se juntaron todas y enviaron sus procuradores para entender en el remedio de ello. Y como esto vino a noticia de la Reina, nuestra señora, a quien los capitanes del ejército de las dichas ciudades lo hicieron saber y se lo notificaron; los que por mandado de S.A. de la villa de Medina del Campo, donde estaban, vinieron a esta villa de Tordesillas, a donde S.A. reside y está.

Sabiendo S.A. de la Junta de las ciudades, que en la ciudad de Avila se hacía, para entender remedio de los dichos daños y del desorden de la gobernación pasada, mandó S.A. que todos los procuradores de las ciudades que estaban en la dicha ciudad de Avila, se viniesen a esta villa, y que en el palacio real hiciesen su ayuntamiento, y que entendiesen y proveyesen en el remedio del reino disipado y agraviado. A donde con autoridad y mandado de S.A. se entienden proveer y remediar los agravios pasados y en ordenar lo que en ellos estaba y está desordenado por la gobernación pasada.

Y entendemos muy principalmente cerca de la cura y salud de S.A. que en los tiempos pasados no sabemos a cuya culpa nunca se entendió ni hubo memoria de ello, esperamos en la misericordia de Nuestro Señor y con ayuda suya, que S.A. sea curada. Y haciendo lo que debíamos y las leyes de nuestros reinos nos competan y compelen, so nombre y pena de traidores, quitamos los de vuestro consejo, como las mismas leyes lo disponen, por cuyo mal consejo tanto daño se ha seguido; y así lo hiciéramos a los otros que con V.A. residen, si acá estuvieran, que la misma culpa y mayor tienen en lo susodicho.

Suplicamos a V.A. le plega quitarlos de su consejo, pues que tan dañoso ha sido su consejo y ellos se han mostrado tan enemigos del bien público de estos reinos de V.A. Y según los clamores que los de las ciudades y pueblos de estos reinos hacían contra los del consejo, mucho hicimos en asegurar sus vidas y haciendas, en traer algunos de los que no huyeron a esta villa.

Y venidos los procuradores del reino a esta villa de Tordesillas, porque el marqués de Denia y la marquesa, su mujer, que estaban en compañía de la reina nuestra señora, eran muy sospechosos al bien público de estos reinos y al propósito de las ciudades del reino, que entendían y entienden en lo que dicho es, los apartamos de la casa real y compañía de la reina, nuestra señora. Porque estando ellos y posando en la dicha casa real, no podíamos buenamente entender en las cosas que convenían y convienen al provecho de V.A. y bien público de estos sus reinos.

Y nos fue forzado para sostener el ejército del reino y propiamente de V.A. que otro alguno, que en estos reinos se procura hacer para impedir nuestro propósito por algunas personas que no aman el provecho de V.A. y bien de estos sus reinos, de hacer que haya de pagar y pague el dicho ejército, de lo que V.M. tiene librado y libra para la gente de las guardas, acostamientos y sus continos para sostener el dicho ejército, y con el resistir a los que la contraria opinión tienen, so color de ciertos poderes de gobernadores, que dicen haberles enviado V.A.

Y porque entre tanto que entendemos en gobernar y concertar los capítulos que vienen para la buena gobernación de estos reinos de V.A. y para remediar los daños de ellos causados por el mal consejo de aquellos que hasta aquí aconsejaron a V.A. para enviarlos a V.A. y suplicar le plega otorgarlos y confiarlos como por el reino le fuere suplicado. Pues que todos ellos serán en el servicio de V.A. y bien público de sus reinos, bien y acrecentamiento de su patrimonio real, hay necesidad de que V.A. de poder y autoridad a las ciudades y villas que tienen voto en Cortes, entre tanto que V.A. provee de personas que convengan residir en su muy alto consejo, que tengan mejor intención y consejo que los pasados: para que puedan proveer en las cosas y casos de justicia y administración, en que debían proveer los de vuestro consejo, porque en este medio tiempo no haya falta de la administración de la justicia en estos vuestros reinos.

Por donde a V.A. humildemente suplicamos en todo lo pasado, hecho y procurado por vuestros reinos, pues que a ello hemos sido compelidos, por lo que disponen las leyes de vuestros reinos y principalmente por el servicio de V.A. y bien de vuestros reinos, V.A. lo haya y tenga por buena y se tenga por servido de ello. Pues que esto ha sido y es nuestro propósito e intención, les quiera dar y conceder la autoridad que hemos suplicado y suplicamos a V.A. para que entiendan las dichas ciudades y villas en la gobernación y administración de las cosas de la justicia, en lo que los de vuestro consejo debían de entender, hasta tanto que por V.A. vistos los capítulos del reino que le fueron enviados, provea conforme a ellos lo que fuere en su servicio y bien de estos reinos. Y mande así mismo revocar los poderes de gobernadores que acá V.A. ha enviado, porque el reino no los podrá sufrir ni consentir, así porque las personas para quien vinieron, se tienen por muy sospechosas al bien público de estos reinos, y aun porque su gobernación sería contra lo que estos reinos requieren y procuran. Y estando en esta contradicción estos reinos serían abrasados, y de ello gran deservicio se podía seguir y seguirá a V.M.

Y sobre esto enviamos a Antonio Vázquez y a Sanchc Sanchez Zimbrón y a Fray Pablo nuestros mensajeros a V.A. Suplicamos que con toda clemencia y benignidad que en V.A. resplandece, les plegue oir y conceder lo que estos reinos de V.A. suplican. Nuestro Señor la Cesarea Católica Majestad de su real persona, por muchos tiempos guarde con aumento de muchos más reinos y señoríos, y con brevedad y próspero viaje traiga en estos reinos como por ellos es deseado.

En la villa de Tordesillas a veinte días del mes de Octubre año del Señor de mil quinientos veinte.»

A continuación de esta carta-manifiesto, venía un largo y minucioso articulado con todas las peticiones de los comuneros, que ya han sido extractadas en el texto del presente libro y que vienen a ser como un proyecto constitucional.

14

COPIA LITERAL DE LA SENTENCIA CONTRA LOS COMUNEROS SEGUN CONSTA EN EL ARCHIVO DE SIMANCAS

«En Villalar, a veinte e cuatro días del mes de Abril, de mil e quinientos e veinte e un años, el señor alcalde Cornejo, por ante mi Luis Madera, escribano, recibió juramento en forma debida de derecho de Juan de Padilla, el cual fué preguntado si ha seido capitan de las Comunidades, e si ha estado a Torre de Lobaton peleando con los gobernadores destos reinos contra el servicio de SS.MM. dijo que es verdad que ha seido capitan de las gentes de Toledo e que ha estado en Torre de Lobatón con las gentes de las Comunidades, e que ha peleado contra el condestable e almirante de Castilla, gobernadores destos reinos, e que fué a prender a los del Concejo e alcaldes de Sus Majestades.

Lo mismo confesaron Juan Brabo e Francisco Maldonado, haber seido capitanes de la gente de Segovia é Salamanca.

Este dicho día, los señores alcaldes Cornejo, e Salmerón, e Alcalá, dijeron: que declaraban e declararon a Juan de Padilla, a Juan Bravo, e a Francisco Maldonado por culpantes en haber seido traidores de la corona Real de estos reinos, y en pena de su maleficio dijeron que los condenaban e condenaron a pena de muerte natural, é a confiscación de sus bienes e oficios para la cámara de Sus Majestades como a traidores, e firmáronlo.—Doctor Cornejo.—El licenciado Garci-Fernandez.—el licenciado Salmerón.»

15

SOBRE LOS CASTIGOS A LOS COMUNEROS

En la Plaza Mayor de Valladolid mandó levantar Carlos V un gran tablado adornado con lujosas colgaduras bordadas en oro y seda. Todo el suelo estaba alfombrado y, en el centro, un sitial para el emperador. A los lados, bancos ricamente cubiertos para los magnates y consejeros. Carlos tomó asiento y dio orden a un escribano de cámara para que hiciera relación del proceso contra los comuneros, donde se mencionaban los delitos cometidos. Después leyó la carta de perdón, en la cual declaraba: «De su propio motu, cierta ciencia y deliberada voluntad y PODERIO REAL ABSOLUTO, perdonaba a todas las ciudades, villas y lugares, concejos y Universidades y a las personas particulares dellas de cualquier estado y preeminencia, dignidad, condición o calidad que fueran, eclesiásticos, religiosos y seglares que hubieran incurrido en los crímenes de LESAE MAGESTATIS y todos los otros excesos, levantamientos, sediciones, confederaciones, ligas y conjuraciones contra su persona y contra la corona real, porque su intención era perdonarlos a todos...»

Momentos después, el escribano de cámara leía una lista interminable, de unos trescientos nombres, en la que figuraban las personas «que deste nuestro perdón y remisión, no hayan de gozar, ni gocen, ni sean comprendidos, ni entren en el, antes queden fuera de el, para proceder contra ellos y contra sus bienes...».

Las indagaciones y búsqueda de posibles culpables que hubieran escapado a las anteriores pesquisas y sentencias de los regentes duraron varios años. No es extraño que el propio almirante de Castilla escribiese a Carlos V una carta donde se quejaba de que los comuneros ya perdonados anteriormente por los gobernadores fueran nuevamente perseguidos. Y así decía:

«... Yo suplico a V.M. por lo que debo a vuestro servicio, que tengais cabe vos, consejeros que os osen decir la verdad:

no crueles, ni tan malos que os hagan perder corazones, que si bien lo mira V.M. no dará tan buena lanzada el que va como esclavo a servir, como la da el que está libre y contento... A. V.M. he suplicado muchas veces que quiera confirmar el perdón que yo prometí a los que saqué de la Junta, teniendo tanta necesidad, que se tomó por remedio ofrecelles perdón y mas; lo cual fué causa de que estuviesen las cosas en el estado que hoy están, pues a no tomarse este trabajo, la batalla fuera muy dudosa... Así que siendo tan manifiesto el provecho que hice, no debería V.M. que goza de el, dejar de sacarme de la fianza en que estoy, y no pagallo en Castilla, y dejarme obligado como Almirante a lo que me obligué como Gobernador... V.M. no se ate tanto a la buena fortuna, que no se le acuerde que ha de ser ayudada con agradecimiento, que a faltar este, suele ella torcer muchas y repetidas veces...»

16

INSTRUCCIONES POR ESCRITO A LOS DELEGADOS LEONESES QUE HABIAN DE SOLICITAR EL PERDON DE LA CIUDAD A LOS GOBERNADORES DEL REY TRAS LA DERROTA DE LAS COMUNIDADES

«... Primeramente procurar saber lo que otras ciudades y villas han propuesto y procurado con los dichos señores gobernadores y el asunto e concierto que con ellos han tomado sobre las cosas que han sucedido en las dichas ciudades y villas que estovieron en la opinión de la Junta y comunidades.

... Dareis las cartas particulares que llevais a los dichos señores gobernadores... Después desto dareis la petición que llevais para sus majestades y suplicarles habeis por el perdón y bien general destos Reinos, según lo habrán hecho las otras ciudades o según que mejor os pareciere, e singularmente se procure luego el perdón de las personas desta ciudad, porque como es pobre y mucha gente della, aunque con poca culpa, están huidos temiendo e en esto si usara de mucho rigor la ciudad se despuebla que es gran detrimento para ella...

Item, si por caso los dichos señores gobernadores quisieren agravar mucho la culpa desta ciudad y cargar la mano sobre ella, de manera que parezca antes de concluir la negociación consultarlo a esta ciudad, hacerlo eis enbiando mensajero propio a ello y asymismo, si fuere necesario, para el efecto de todo dar otros memoryales en forma de petición, los dareis según que mejor os pareciera.

En la muy noble e leal ciudad de Leon, Jueves dos días del mes de Mayo, año del nacimiento de nuestro salvador Jesucristo de mil e quinientos e veinte e un años, estando dentro del consistorio de la ciudad e estando juntos e presentes los señores justicia e procuradores... regidores de la dicha ciudad e en presencia de my Fernando de Santandres, escrivano del Concejo...»

17

CARTA DEL JEFE DE LA REVOLUCION DE MALLORCA, JUAN CRESPI, AL JEFE DE LA REVOLUCION DE VALENCIA GUILLEN SOROLLA

«Magnífico señor: en esta ciudad está muy unido el pueblo contra los perjuicios y robos que se hacen en este reino, deseando muchos aliviarnos de los pechos, derechos e imposiciones que podemos; y por no saber del todo el orden y forma con que esa ciudad se porta en este negocio, no ponemos remedio en ello. Y así, carísimo amigo y hermano, os suplicamos nos hagáis merced de aconsejarnos y avisarnos, porque deseamos seguir vuestro parecer y consejo, como de persona tan discreta; y para este efecto va mi primo Antonio Benet, sastre, con quien podréis tratar lo conveniente.

Mallorca 15 de Febrero.—Juan Crespi.»

CARTA DE JUAN CRESPI A LA JUNTA DE LOS TRECE DE VALENCIA

«Magníficos señores: aunque no los conozco, deseo servirles por su forma, merecimientos y valor, y ofreciéndome con la vida y con la hacienda. Hame parecido dar aviso a vuestras sabias magnificencias, como esta nuestra ciudad está sin justicia y en su última ruina, porque los caballeros sólo atienden a quitarnos las vidas y haciendas; y así queremos poner el remedio que se debe, mediante la gracia divina, que nunca desampara a los que viven con sana intención, y para esto enviamos a Miguel Nebot, notario y síndico electo por el pueblo; y en su compañía a Jaime Palomo, bonetero, también electo, a su majestad, los cuales informarán a vuesas magnificencias, a quienes suplico los encamine para su majestad, que según de vuesas sabias magnificencias esperamos: nos ponemos en vuestras manos por la mucha experiencia y virtud con que proceden.

Mallorca 15 de Febrero.—Juan Crespi.»

CARTA DEL GOBIERNO REVOLUCIONARIO DE MALLORCA AL DE VALENCIA

«Nosotros, el pueblo de la insigne ciudad de Mallorca, siempre de la corona real humildes vasallos, a los amados fieles, nuestros hermanos, los magníficos de la muy nombrada justicia de los Trece de la insigne y noble ciudad de Valencia salud y honor.

Magníficos hermanos nuestros: ya tenéis aviso de las grandes vejaciones que el virrey de este reino, juntamente con los caballeros de esta ciudad, hacen al miserable pueblo de ella; el cual para pedir justicia, recurre a su majestad por causa de los robos que los dichos caballeros hacen cada día en este reino, y también ha parecido al pueblo afligido con tantos trabajos, mediante la gracia divina, pues la justicia está del todo perdida y desterrada, tomar las armas y elegir un hombre honrado dándole el nombre de Instador del beneficio común y extirpador de las injusticias que en este reino se hacen, juntamente con veintiséis electores por consejeros suyos; los cuales como fidelísimos vasallos de la corona real, para confirmación de la justicia de estos reinos, han elegido dos embajadores para su majestad, con autos que havemos hecho para informarle de la verdad. Estos embajadores llevan cartas para vuestras mercedes, pues son nuestros hermanos, y así os rogamos, que a los dichos embajadores y hermanos nuestros encamineis de tal suerte, que no sea más inquietado y destruido este pueblo, por estos perversos y malos hombres, enemigos declarados de la virtud; y porque ha más de doce días que los dichos embajadores partieron de aqui con una barca armada, recelamos que habiendo llegado a Valencia, no hayan caido en manos de vuestro Virrey, capital enemigo de la Germanía y que nos los tenga presos; y así, señores, quedareis advertidos de esto, y procuradles la libertad y buena dirección de nuestra Germanía con vosotros; la cual perseverará con sus buenos intentos siempre y no se dará lugar a estorbo alguno, por más que vuestro Virrey sea gran soldado; que más podrán los 200 de Mallorca y Valencia, que el Virrey con sus caballeros; ofreciéndonos siempre prontos a vuestra honra y servicio.

Mallorca 31 de Febrero de 1521.»

EXTRACTO DE BIBLIOGRAFIA

Actas del Ayuntamiento de Zamora.
Archivo Municipal de Burgos.
Archivo Municipal de León.
Archivo de la catedral de León.
Archivo de Simancas.
Bodoaro: Manuscrito *La Capitana* (Biblioteca Nacional).
Colmenares, Diego de: *Historia de Segovia,* 1640.
Comte du Hamel: *Don Juan de Padilla,* París, 1862.
Comte du Hamel: *La Ligue d'Avila ou l'Espagne en 1520,* París, 1840.
Contarini, Gasparo: Colección Alberi.
Danvila, Manuel: *La Germanía de Valencia,* Madrid, 1884.
Danvila, Manuel: *Historia crítica y documentada de las Comunidades de Castilla,* Madrid, 1897-1900.
Díaz-Jiménez Molleda: *Historia de los comuneros de León y su influencia en el movimiento general de Castilla,* Madrid, 1916.
Doussinague, J. M.: *El testamento político de Fernando el Católico,* Madrid, s. a.
Escolano, Gaspar: *Historia de Valencia.*
Escosura, Antonio de la: *Juicio crítico del feudalismo en España,* Madrid, 1856.
Fernández de Retana: *Cisneros y su siglo,* Madrid, 1930.
Ferrara, Orestes: *El siglo XVI a la luz de los embajadores venecianos,* Madrid, 1952.
Ferrer del Río, Antonio: *Historia del levantamiento de las Comunidades de Castilla,* Madrid, 1850.
Gachard: *Carlos V y Felipe II a través de sus contemporáneos,* Madrid, 1944.
Galíndez de Carvajal: *Anales.*
García, Miguel: *Relación de las cosas de la Germanía de la ciudad y reino de Valencia,* Valencia, 1519.

Guevara, Fray Antonio: *Epístolas familiares,* tomo XIII, B.A.E.
Hemery: *Voyage en les pays Basses.*
Lecea, Carlos: *Relación histórica de los principales comuneros segovianos,* Segovia, 1906.
Maravall, José Antonio: *Las Comunidades de Castilla,* Madrid, 1963.
Marina: *Teoría de las Cortes.*
Martínez de Velasco, Eusebio: *Comunidades, Germanías y asonadas,* Madrid, 1884.
Menéndez Pidal: Ramón: *Idea imperial de Carlos V,* Madrid, 1940-1955.
Mexía, Pedro: *Relación de las Comunidades de Castilla.*
Mexía, Pedro: *Historia del emperador Carlos V.*
Moraleda y Esteban: *Tradiciones y recuerdos de Toledo,* Madrid, 1916.
Muñoz Maldonado, José: *Historia del emperador Carlos V,* Madrid, 1862.
Ortiz de Zúñiga, Diego: *Anales eclesiásticos y seculares de la ciudad de Sevilla,* 1677, y edición de Madrid, 1796.
Pérez Pastor, Cristóbal: *Cronistas del emperador Carlos V,* Madrid, 1893.
P. Fandl, Luis: *Juana la Loca y su tiempo.*
Pulgar, Hernando del: *Crónica de los señores Reyes Católicos.*
Quas, Luis de: *La Germanía,* Valencia, 1580 y 1822.
Reymundo Tornero, Anselmo: *Datos históricos de la ciudad de Alcalá de Henares,* Alcalá, 1951.
Sainz Baquero, José María: *Villalar,* Madrid, 1887.
Salvá, Anselmo: *Burgos en las Comunidades de Castilla,* Burgos, 1895.
Sandoval, Fray Prudencio: *Historia de la vida y hechos del emperador Carlos V,* Valladolid, 1604-1606.
Santa Cruz, Alonso de: *Crónica de los Reyes Católicos.*
Santa Cruz, Alonso: *Crónica del emperador Carlos V,* Madrid, 1925.
Santa Marina, Luis: *Cisneros,* Madrid, 1963.
Sarthou, Carlos: *Castillos de España,* Madrid, 1932.
Sempere, J.: *Historia del Derecho español,* Madrid, 1844.
Sepúlveda, Ginés de: *De rebus genti Caroli Quinti.*
Vigón, José: *El ejército de los Reyes Católicos,* Madrid, 1968.
Vozmediano, Juan: *Memorial.*

Wyndham, Lewis: *Carlos de Europa, emperador de Occidente,* Madrid, 1934.
Zurita, Jerónimo: *Anales de la Corona de Aragón,* Zaragoza, 1562-1580.

COLECCION UNIVERSITARIA DE BOLSILLO

PUNTO OMEGA

1. Jacques Rueff: *La época de la inflación.*
2. Mircea Eliade: *Lo sagrado y lo profano.*
3. Jean Charon: *De la física al hombre.*
4. M. García-Viñó: *Novela española actual.*
5. E. Mounier: *Introducción a los existencialismos.*
6. J. Bloch-Michel: *La «nueva novela».*
7. J. Maritain: *... Y Dios permite el mal.*
8. N. Sarraute: *La era del recelo.*
9. G. A. Wetter: *Filosofía y ciencia en la Unión Soviética.*
10. H. Urs von Balthasar: *¿Quién es un cristiano?*
11. K. Papaioannou: *El marxismo, ideología fría.*
12. M. Lamy: *Nosotros y la medicina.*
13. Charles-Olivier Carbonell: *El gran octubre ruso.*
14. C. G. Jung: *Consideraciones sobre la historia actual.*
15. R. Evans: *Conversaciones con Jung.*
16. J. Monnerot: *Dialéctica del marxismo.*
17. M. García-Viñó: *Pintura española neofigurativa.*
18. E. Altavilla: *Hoy con los espías.*
19. A. Hauser: *Historia social de la Literatura y el Arte.* Tomo I.
20. A. Hauser: *Historia social de la Literatura y el Arte.* Tomo II.
21. A. Hauser: *Historia social de la Literatura y el Arte.* Tomo III.
22. *Los cuatro evangelios.*
23. Julián Marías: *Análisis de los Estados Unidos.*
24. Kurz-Beaujour-Rojas: *La nueva novela europea.*
25. Mircea Eliade: *Mito y realidad.*
26. Jane-Laloup-Fourastié: *La civilización del ocio.*
27. B. Pasternak: *Cartas a Renata.*
28. A. Breton: *Manifiestos del surrealismo.*
29. G. Abetti: *Exploración del universo.*

30. A. Latreille: *La Segunda Guerra Mundial* (2 tomos).
31. Jacques Rueff: *Visión quántica del universo. Ensayo sobre el poder creador.*
32. Carlos Rojas: *Auto de fe* (novela).
33. Vintila Horia: *Una mujer para el Apocalipsis* (novela.)
34. Alfonso Albalá: *El secuestro* (novela).
35. S. Lupasco: *Nuevos aspectos del arte y de la ciencia.*
36. Theo Stammen: *Sistemas políticos actuales.*
37. Lecomte du Noüy: *De la ciencia a la fe.*
38. G. Uscatescu: *Teatro occidental contemporáneo.*
39. A. Hauser: *Literatura y manierismo.*
40. H. Clouard: *Breve historia de la literatura francesa.*
41. H. von Ssachno: *Literatura soviética posterior a Stalin.*
42. *Literatura clandestina soviética.*
43. L. Pirandello: *Teatro.*
44. L. Pirandello: *Ensayos.*
45. Guillermo de Torre: *Ultraísmo, existencialismo y objetivismo en literatura.*
46. Guillermo de Torre: *Vigencia de Rubén Darío y otras páginas.*
47. S. Vilas: *El humor y la novela española contemporánea.*
48. H. Jürgen Baden: *Literatura y conversión.*
49. G. Uscatescu: *Proceso al humanismo.*
50. J. Luis L. Aranguren: *Etica y política.*
51. Platón: *El banquete. Fedón, Fedro.* Trad. de Luis Gil.
52. Sófocles: *Antígona, Edipo rey, Electra.* Trad. de Luis Gil.
53. A. Hauser: *Introducción a la historia del arte.*
54. Carleton S. Coon: *Las razas humanas actuales.*
55. A. L. Kroeber: *El estilo y la evolución de la cultura.*
56. J. Castillo: *Introducción a la sociología.*
57. Ionesco: *Diario, I.*
58. Ionesco: *Diario, II.*
59. Calderón de la Barca: *El gran duque de Gandía* (comedia inédita). Presentación de Guillermo Díaz-Plaja.
60. G. Miró: *Figuras de la Pasión del Señor.*
61. G. Miró: *Libro de Sigüenza.*
62. Pierre de Boisdeffre; *Metamorfosis de la Literatura,* I: Barrès-Gide-Mauriac-Bernanos.
63. Pierre de Boisdeffre: *Metamorfosis de la Literatura,* II: Montherlant-Malraux-Proust-Valéry.
64. Pierre de Boisdeffre: *Metamorfosis de la Literatura,* III: Cocteau-Anouilh-Sartre-Camus.
65. R. Gutiérrez-Girardot: *Poesía y prosa en Antonio Machado.*
66. Heimendahl - Weizsäcker - Gerlach - Wieland - Max Born - Günther - Weisskopf: *Física y Filosofía. Diálogo de Occidente.*
67. A. Delaunay: *La aparición de la vida y del hombre.*
68. Andrés Bosch: *La revuelta* (novela).

69. Alfonso Albalá: *Los días del odio* (novela).
70. M. García-Viñó: *El escorpión* (novela).
71. J. Soustelle: *Las Cuatro Soles. Origen y ocaso de las culturas.*
72. A. Balakian: *El movimiento simbolista.*
73. C. Castro Cubells: *Crisis en la conciencia cristiana.*
74. A. de Tocqueville: *La democracia en América.*
75. G. Blöcker: *Líneas y perfiles de la literatura moderna.*
76. S. Radhakrishnan: *La religión y el futuro del hombre.*
77. L. Marcuse: *Filosofía americana.*
78. K. Jaspers: *Entre el destino y la voluntad.*
79. M. Eliade: *Mefistófeles y el andrógino.*
80. H. Renckens: *Creación, paraíso y pecado original.*
81. A. de Tocqueville: *El Antiguo Régimen y la Revolución.*
82. L. Cernuda: *Estudios sobre poesía española contemporánea.*
83. G. Marcel: *Diario metafísico.*
84. G. Pullini: *La novela italiana de la posguerra.*
85. Léo Hamon: *Estrategia contra la guerra.*
86. José María Valverde: *Breve historia de la literatura española.*
87. José Luis Cano: *La poesía de la generación del 27.*
88. Enrique Salgado: *Radiografía del odio.*
89. M. Sáenz-Alonso: *Don Juan y el donjuanismo.*
90. Diderot-D'Alembert: *La Enciclopedia.* Selección.
91. L. Strauss: *¿Qué es Filosofía Política?*
92. Z. Brzezinski-S. Huntington: *Poder político USA-URSS,* tomo I.
93. Z. Brzezinski-S. Huntington: *Poder político USA-URSS,* tomo II.
94. J. M. Goulemot-M. Launay: *El Siglo de las Luces.*
95. A. Montagu: *La mujer, sexo fuerte.*
96. A. Garrigó: *La rebeldía universitaria.*
97. T. Marco: *Música española de vanguardia.*
98. J. Jahn: *Muntu: Las culturas de la negritud.*
99. L. Pirandello: *Uno, ninguno y cien mil.*
100. L. Pirandello: *Teatro,* II.
101. A. Albalá: *Introducción al periodismo.*
102. G. Uscatescu: *Maquiavelo y la pasión del poder.*
103. P. Naville: *La psicología del comportamiento.*
104. E. Jünger: *Juegos africanos.*
105. A. Gallego Morell: *En torno a Garcilaso y otros ensayos.*
106. R. Sédillot: *Europa, esa utopía.*
107. J. Jahn: *Las literaturas neoafricanas.*
108. A. Cublier: *Indira Gandhi.*
109. M. Kidrom: *El capitalismo occidental de la posguerra.*
110. R. Ciudad: *La resistencia palestina.*
111. J. Marías: *Visto y no vistoi,* I.
112. J. Marías: *Visto y no visto,* II.
113. J. Coll: *Variaciones sobre el jazz.*

114. E. Ruiz García: *América Latina hoy*, I.
115. E. Ruiz García: *América Latina hoy*, II.
116. J. Vogt: *El concepto de la historia de Ranke a Toynbee.*
117. G. de Torre: *Historia de las literaturas de vanguardia*, I.
118. G. de Torre: *Historia de las literaturas de vanguardia*, II.
119. G. de Torre: *Historia de las literaturas de vanguardia*, III.
120. P. L. Mignon: *Historia del teatro contemporáneo.*
121. A. Berge: *La sexualidad hoy.*
122. J. Salvador y Conde: *El libro de la peregrinación a Santiago de Compostela.*
123. E. J. Hobsbawm: *Las revoluciones burguesas.*
124. Gabriel Marcel: *Incredulidad y fe.*
125. A. Arias Ruiz: *El mundo de la televisión.*
126. L. F. Vivanco: *Introducción a la poesía española contemporánea*, I.
127. L. F. Vivanco: *Introducción a la poesía española contemporánea*, II.
128. A. Timm: *Pequeña historia de la tecnología.*
129. L. von Bertalanffy: *Robots, hombres y mentes.*
130. A. Hauser: *El manierismo, crisis del Renacimiento.*
131. A. Hauser: *Pintura y manierismo.*
132. G. Gómez de la Serna: *Ensayos sobre literatura social.*
133. J. López Rubio: *Al filo de lo imposible.*
134. J. Charon: *De la materia a la vida.*
135. M. Mantero: *La poesía del yo al nosotros.*
136. G. Marcel: *Filosofía para un tiempo de crisis.*
137. Vicente Gaos: *Claves de literatura española*, I.
138. Vicente Gaos: *Claves de literatura española*, II.
139. R. Bloch-A. Hus: *Las conquistas de la arqueología.*
140. Josué de Castro: *Geopolítica del hambre*, I.
141. Josué de Castro: *Geopolítica del hambre*, II.
142. Eduardo Baselga: *Los drogadictos.*
143. Carlos Areán: *Treinta años de arte español.*
144. G. Duncan Mitchell: *Historia de la sociología.*
145. A. López Quintás: *El pensamiento filosófico de Ortega y D'Ors.*
146. L. García Ballester: *Galeno.*
147. Martín Alonso: *Segundo estilo de Bécquer.*
148. Luis Bonilla: *Las revoluciones españolas en el siglo XVI.*
149. Gérard Bonnot: *Han matado a Descartes.*
150. Pascual Jordan: *El hombre de ciencia ante el problema religioso.*
151. Emilio Beladiez: *El Oriente extremoso.*
152. Jean-Paul Harroy: *La economía de los pueblos sin maquinismo.*